Patricia D. Cornwell arbeitete zunächst als Gerichtsreporterin, später als Computerspezialistin am gerichtsmedizinischen Institut von Virginia. Ihre bisherigen Scarpetta-Romane wurden in den USA und Frankreich mit literarischen Auszeichnungen bedacht, ihr letztes Werk, *Vergebliche Entwarnung*, erhielt den britischen Golden Dagger Award 1993. Patricia D. Cornwell lebt in Richmond/Virginia und Malibu/Kalifornien.

Von Patricia D. Cornwell sind außerdem erschienen:

*Vergebliche Entwarnung* (Band 60731, Band 67103)
*Herzbube* (Band 60730, Band 67060)
*Mord am Samstagmorgen* (Band 03241, Band 60733)
*Das geheime Abc der Toten* (Band 60622, Band 67129)

Vollständige Taschenbuchausgabe Mai 1997
Droemersche Verlagsanstalt Th. Knaur Nachf., München
Dieses Taschenbuch ist auch unter der Bandnummer 3240 erhältlich.

Titel der Originalausgabe »Body of Evidence«

Originalverlag Charles Scribner's Sons, New York
Umschlaggestaltung Angela Dobrick, Hamburg
Satz Ventura Publisher im Verlag
Druck und Bindung Elsnerdruck, Berlin
Printed in Germany
ISBN 3-426-60732-8

5 4 3 2 1

Patricia D. Cornwell

# Ein Mord für Kay Scarpetta

Roman

Aus dem Amerikanischen
von Thomas A. Merk

Für Ed,
Sonderagent und besonderer Freund

# Prolog

*Key West, 13. August*

An M.:

Dreißig Tage sind nun vergangen, voller Sonne, hellen Farben und launischem Wind. Ich denke zuviel nach und träume nicht. Die Nachmittage verbringe ich meistens in Louies Kneipe, schreibe auf der Veranda und schaue aufs Meer hinaus. Das Wasser ist smaragdgrün gefleckt über dem Mosaik der Sandbänke und ultramarinblau, wo es tiefer wird. Der Himmel ist unendlich weit, und weiße Wolkenbälle ziehen wie Rauchwölkchen dahin. Der beständige Wind läßt die Geräusche von Badenden und Segelbooten verschwimmen, die kurz hinter dem Riff vor Anker liegen. Die Veranda ist überdacht, und wenn sich ein plötzlicher Sturm zusammenbraut, was häufig am Spätnachmittag der Fall ist, bleibe ich an meinem Tisch, rieche den Regen und schaue zu, wie er das Wasser aufrauht wie gegen den Strich gebürstetes Fell. Manchmal gießt es, während gleichzeitig die Sonne scheint.
Niemand belästigt mich hier. Mittlerweile bin ich ein Mitglied der Familie des Restaurants, so wie Zulu, der schwarze Neufundländer, der Frisbees hinterherplanscht, und die herumstreunenden Katzen, die leise herankommen und höflich auf Reste

warten. Louies vierbeinige Pfleglinge essen besser als seine menschlichen. Es tut gut zu sehen, wie die Welt ihre Geschöpfe freundlich behandelt. Ich kann mich über meine Tage hier nicht beklagen.

Es sind die Nächte, vor denen ich mich fürchte.

Wenn meine Gedanken in dunkle Spalten zurückkriechen und ihre furchterregenden Netze spinnen, werfe ich mich in die überfüllten Straßen der Altstadt, von lärmenden Bars angezogen wie eine Motte vom Licht. Walt und P. J. haben meine nächtlichen Gewohnheiten zu einer Kunst hochstilisiert. Walt kommt als erster ins Haus zurück, in der Abenddämmerung, weil mit seinem Silberschmuck am Mallory Square nach Einbruch der Dunkelheit nichts mehr läuft. Wir machen ein paar Flaschen Bier auf und warten auf P. J. Dann gehen wir aus, in eine Bar nach der anderen, und landen normalerweise bei Sloppy Joe. Wir werden langsam unzertrennlich. Ich hoffe, daß die beiden für immer unzertrennlich bleiben werden. Ihre Liebe erscheint mir nicht mehr länger ungewöhnlich. Nichts erscheint mir mehr so, außer dem Tod, den ich erblicke.

Ich sehe Männer, ausgezehrt und bleich. Ihre Augen sind Fenster, durch die ich gequälte Seelen entdecke. Aids verschlingt wie ein Moloch die Opfergaben dieser kleinen Insel. Komisch, daß ich mich bei den Ausgestoßenen und Sterbenden zu Hause

fühle. Es könnte gut sein, daß sie mich alle überleben. Wenn ich nachts wachliege und dem Surren des Ventilators am Fenster lausche, drängen sich mir Bilder auf. Bilder davon, wie es geschehen wird.
Immer, wenn ich ein Telefon klingeln höre, erinnere ich mich daran. Jedesmal, wenn ich jemanden hinter mir gehen höre, drehe ich mich um. Nachts schaue ich in den Schrank, hinter den Vorhang und unters Bett. Dann klemme ich einen Stuhl unter die Türklinke.
Lieber Gott, ich will nicht nach Hause.

*Beryl*

*Key West, 30. September*

An M.:

Gestern bei Louie kam Brent heraus auf die Veranda und sagte, daß jemand für mich am Telefon sei. Mein Herz klopfte wie wild. Ich ging hinein, aber ich hörte nichts als ein Rauschen, wie bei einem Ferngespräch. Dann war die Leitung plötzlich tot.
Mein Gott, wie fühlte ich mich danach! Ich redete mir ein, daß es nichts weiter als mein Verfolgungswahn sei. Er hätte bestimmt etwas gesagt und sich an meiner Angst geweidet. Es ist unmöglich, daß er weiß, wo ich bin, ausgeschlossen, daß er mich hier aufgespürt hat. Einer der Kellner heißt Stu. Er hat sich kürzlich von einem

Freund oben im Norden getrennt und ist hierher gekommen. Vielleicht hat dieser Freund angerufen, und weil die Verbindung schlecht war, klang es so, als habe er »Straw« verlangt anstatt »Stu«. Als ich dann am Telefon war, hat er aufgelegt. Ich wünschte, ich hätte niemandem meinen Spitznamen gesagt. Ich bin Beryl. Ich bin Straw. Ich habe Angst.

Das Buch ist noch nicht fertig. Aber ich habe fast kein Geld mehr, und das Wetter ist umgeschlagen. Heute morgen ist es finster draußen, und es weht ein starker Wind. Ich bin in meinem Zimmer geblieben, denn wenn ich versucht hätte, bei Louie zu arbeiten, hätte es mir die Seiten aufs Meer hinaus geblasen. Die Straßenlaternen brennen schon. Palmen kämpfen mit dem Wind, ihre Wedel sehen aus wie umgestülpte Regenschirme. Die Welt stöhnt vor meinem Fenster wie ein verwundetes Tier, und wenn der Regen an die Scheibe trommelt, klingt es, als ob eine dunkle Armee einmarschiert wäre und nun Key West belagerte.

Bald muß ich fort von hier. Ich werde diese Insel vermissen. Ich werde P. J. und Walt vermissen. Bei ihnen habe ich mich beschützt, sicher und umsorgt gefühlt. Ich weiß nicht, was ich tun werde, wenn ich zurück nach Richmond komme. Vielleicht sollte ich sofort umziehen, aber ich weiß nicht, wohin.

*Beryl*

# 1

Ich legte die Briefe aus Key West in den Aktendeckel aus braunem Papier zurück, packte ein Paar weiße Baumwollhandschuhe in meine schwarze Arzttasche und fuhr mit dem Aufzug ein Stockwerk hinunter zur Leichenhalle. Der gekachelte Gang war feucht, der Autopsieraum verlassen und zugesperrt. Schräg gegenüber dem Aufzug lag der Kühlraum aus Edelstahl, und als ich seine massive Tür öffnete, begrüßte mich der vertraute Schwall kalter, verdorben riechender Luft. Ich mußte nicht erst die Zettel an den Zehen überprüfen. Die Rollbahre, die ich suchte, erkannte ich ohne Mühe an dem schlanken Fuß, der unter einem weißen Laken hervorschaute. Ich kannte jeden Zoll von Beryl Madison.

Rauchblaue Augen starrten mich glanzlos aus halbgeöffneten Lidern an, das Gesicht war schlaff und von bleichen, offenen Schnitten entstellt, die meisten davon befanden sich auf der linken Seite. Ihr Hals klaffte bis zur Wirbelsäule auf, alle Muskeln unterhalb des Zungenbeins waren durchtrennt worden. Neun eng beieinanderliegende Stichwunden auf dem linken Thorax und Busen standen offen wie große, rote Knopflöcher und lagen fast genau untereinander. Sie waren ihr in rascher Folge mit so brutaler Kraft beigefügt worden, daß auf ihrer Haut noch die Abdrücke des Griffes zu sehen waren. Die Schnitte an ihren Unterarmen und Händen maßen zwischen acht Millimetern und elf Zentimetern in der Länge. Zusammen mit den zwei Wunden an ihrem Rücken, aber ohne die Stichwunden und ihre durchschnittene Kehle, waren ihr 27 Schnittverletzungen

zugefügt worden, während sie versucht hatte, die Angriffe einer langen scharfen Klinge abzuwehren.
Ich brauchte keine Fotografien oder Körperdiagramme. Wenn ich meine Augen schloß, konnte ich Beryl Madisons Gesicht, konnte die ihrem Körper zugefügte Gewalt in allen abscheulichen Einzelheiten sehen. Ihre linke Lunge wies vier Einstiche auf. Ihre Halsschlagadern waren beinahe vollständig durchschnitten, Aortabogen, Lungenarterie, Herz und Herzbeutel verletzt worden. Sie war praktisch schon tot gewesen, als der Verrückte sie auch noch fast enthauptet hatte.
Ich versuchte, mir einen Reim auf die Sache zu machen. Jemand hatte gedroht, sie zu ermorden. Sie floh nach Key West. War wie von Sinnen vor Angst. Sie wollte nicht sterben. Und trotzdem passierte es noch in derselben Nacht, in der sie nach Richmond zurückgekehrt war.
*Warum hast du ihn ins Haus gelassen? Warum, um Himmels willen, hast du das getan?*
Ich zog das Laken wieder gerade und schob die Rollbahre zurück an die Rückwand des Kühlschrankes zu den anderen Leichen. Morgen um diese Zeit würde ihr Körper verbrannt und ihre Asche auf dem Weg nach Kalifornien sein. Beryl Madison wäre in diesem Monat 34 Jahre alt geworden. Sie hatte keine lebenden Verwandten, niemanden auf der ganzen Welt, wie es schien, außer einer Halbschwester in Fresno. Die schwere Tür schloß sich mit einem schmatzenden Geräusch.
Der Teer auf dem Parkplatz hinter dem Büro des Chief Medical Examiners[1] lag warm und fest unter meinen Füßen,

[1] Der Chief Medical Examiner ist in vielen Staaten der USA der für den ganzen Staat zuständige, amtlich bestallte Leichenbeschauer, der, unabhängig von der Polizei, Untersuchungen anstellt, um rätselhafte Todesfälle aufzuklären.

und ich roch die Kreosotdünste, die die für diese Jahreszeit ungewöhnlich warme Sonne von den Eisenbahnviadukten in der Nähe aufsteigen ließ. Es war der 31. Oktober. Halloween.

Die Tür zur Rampe stand weit offen, und einer meiner Leichenhallenassistenten spritzte mit einem Schlauch den Beton ab. Spielerisch formte er aus dem Wasserstrahl einen Bogen und ließ ihn so nahe an mir herunterprasseln, daß ich den Sprühnebel um meine Knöchel spürte.

»Hey, Dr. Scarpetta, seit wann halten Sie sich an den Achtstundentag?«

Es war kurz nach halb fünf. Ich verließ das Büro selten vor sechs.

»Soll ich Sie irgendwohin mitnehmen?« fügte er hinzu.

»Ich werde abgeholt, danke«, antwortete ich.

Ich bin in Miami geboren. Der Teil der Welt, in dem sich Beryl Madison den Sommer über versteckt hatte, war mir nicht fremd. Wenn ich meine Augen schloß, konnte ich die Farben von Key West sehen. Ich sah strahlendes Grün und Blau und Sonnenuntergänge, die so kitschig sind, daß man sie höchstens dem lieben Gott durchgehen läßt. Beryl Madison hätte niemals nach Hause zurückkehren sollen.

Glänzend wie schwarzes Glas kam ein nagelneuer LDT Crown Victoria langsam auf den Parkplatz gefahren. Weil ich den gewohnten verbeulten Plymouth erwartet hatte, fuhr ich zusammen, als das elektrische Fenster des neuen Fords nach unten summte. »Warten Sie auf den Bus, oder was?«

Eine verspiegelte Sonnenbrille reflektierte mein überraschtes Gesicht. Elektronisch gesteuert sprang die Türverriegelung mit einem entschlossenen Klicken auf, und Lieutenant Pete Marino versuchte, ein gleichgültiges Gesicht aufzusetzen.

»Ich bin beeindruckt«, sagte ich, während ich es mir im luxuriösen Inneren des Wagens bequem machte.
»Gehört mit zu meiner Beförderung.« Er trat aufs Gaspedal und jagte den Motor im Stand hoch.
»Nicht schlecht, was?«
Nach all den Jahren mit abgehalfterten Arbeitskleppern hatte Marino es endlich zu einem Prachthengst gebracht.
Ich bemerkte das Loch im Armaturenbrett, als ich meine Zigaretten herausholte.
»Haben Sie da Ihr Blaulicht eingesteckt oder bloß Ihren Elektrorasierer?«
»Ach, Mist«, schimpfte er, »irgendein Penner hat meinen Zigarettenanzünder geklaut. In der Waschstraße. Mein Gott, ich hatte den Wagen erst einen Tag, können Sie sich das vorstellen? Ich fahr' also rein, und die Bürsten brechen doch einfach die Antenne ab! Ich schimpfe natürlich wie blöd herum, bin ganz damit beschäftigt, die Sache klarzustellen und den Pennern die Hölle heiß zu machen . . .«
Manchmal erinnerte mich Marino an meine Mutter.
» . . . und erst später bemerke ich, daß der verdammte Zigarettenanzünder verschwunden ist.«
Er hielt inne und kramte in seinen Taschen, während ich meine Handtasche nach Streichhölzern durchwühlte.
»Hey, Chief, ich dachte, Sie wollten das Rauchen aufgeben«, sagte er ziemlich sarkastisch und ließ mir ein Plastikfeuerzeug in den Schoß fallen.
»Tu ich auch«, murmelte ich. »Morgen.«
In der Nacht des Mordes an Beryl Madison war ich ausgegangen. Hatte eine viel zu lange Oper über mich ergehen lassen, gefolgt von ein paar Drinks in einem allzu hochgelobten englischen Pub.
Der pensionierte Richter, der mich eingeladen hatte, machte im späteren Verlauf des Abends der Bezeichnung »Euer

Ehren« nicht mehr allzuviel Ehre. Ich hatte meinen Piepser zu Hause gelassen.
Weil die Polizei mich nicht hatte erreichen können, hatte sie Fielding, meinen Stellvertreter, zum Tatort gerufen. Deshalb war es jetzt das erste Mal, daß ich das Haus der ermordeten Autorin betreten sollte. Windsor Farms war nicht gerade die Art von Gegend, in der man etwas so Abscheuliches vermuten würde. Große Häuser standen zurückgesetzt von der Straße auf makellosen, parkähnlich gestalteten Grundstükken. Die meisten besaßen Alarmsysteme, und alle waren mit Klimaanlagen ausgestattet, so daß niemand ein Fenster zu öffnen brauchte. Mit Geld kann man sich zwar nicht die Ewigkeit, aber zumindest einen gewissen Grad an Sicherheit erkaufen. Ich hatte noch nie einen Mordfall in den Farms bekommen.
»Offensichtlich hat sie irgendwoher Geld gehabt«, stellte ich fest, als Marino an einem Stoppschild anhielt. Eine Frau mit schneeweißen Haaren, die mit ihrem ebenso weißen Malteserhündchen spazierenging, schaute uns schief an. Der Hund schnüffelte an einem Grasbüschel herum, bevor er das Unvermeidbare tat.
»Was für ein erbärmlicher kleiner Mop«, sagte Marino und verfolgte die Frau und den Hund mit einen geringschätzigen Blick. »Ich hasse solche Köter. Kläffen sich die Lunge aus dem Leib und pinkeln überallhin. Wenn ich mir jemals einen Hund anschaffe, dann muß es schon einer mit Zähnen sein.«
»Manche Leute brauchen einfach nur jemanden, der ihnen Gesellschaft leistet«, erwiderte ich.
»Na ja.« Dann knüpfte er an meine Bemerkung von vorhin an. »Beryl Madison hatte Geld, und das meiste davon steckt in ihrer Hütte. Sollte sie Ersparnisse gehabt haben, dann hat sie den Kies da drunten mit den Schwulen in Queer West

durchgebracht. Wir sind immer noch dabei, ihre Papiere durchzusehen.«
»Ist irgend etwas davon schon vollständig ausgewertet?«
»Sieht nicht so aus«, antwortete er. »Wir haben herausgefunden, daß sie gar nicht mal so schlecht war als Schriftstellerin. Kohlemäßig, meine ich. Es scheint so, als hätte sie einige Pseudonyme verwendet. Adair Wilds, Emily Stratton, Edith Montague.« Die Spiegelbrille drehte sich wieder in meine Richtung.
Keiner der Namen kam mir bekannt vor, außer Stratton. Ich sagte: »Beryls mittlerer Name war Stratton.«
»Vielleicht kommt daher ihr Spitzname, Straw.«
»Daher und von ihren strohblonden Haaren«, bemerkte ich. Eigentlich hatte Beryl ja honigblonde Haare mit von der Sonne goldgefärbten Strähnen gehabt. Sie war eine zierliche Frau gewesen, mit ebenmäßigen, klassischen Gesichtszügen. Als sie noch lebte, hatte sie vermutlich fantastisch ausgesehen. Jetzt ließ sich das nur noch schwer beurteilen, denn das einzige mir bekannte Foto, das sie lebend zeigte, befand sich in ihrem Führerschein.
»Ich habe mit ihrer Halbschwester gesprochen«, erklärte Marino, »und sie hat mir erzählt, daß Beryl nur von Leuten, denen sie nahestand, Straw genannt wurde. Wem auch immer sie von den Keys da unten geschrieben hat, diese Person muß ihren Spitznamen gekannt haben. Das ist jedenfalls mein Eindruck.«
Er rückte seine Brille zurecht. »Ich kann mir nicht vorstellen, warum sie diese Briefe fotokopiert hat. Das bereitet mir Kopfzerbrechen. Oder wie viele Leute kennen Sie, die Fotokopien von ihren Privatbriefen machen?«
»Sie haben doch angedeutet, daß sie wie eine Besessene alles archivierte«, erinnerte ich ihn.
»Richtig. Auch das gibt mir zu beißen. Vermutlich hat die

Ratte sie schon monatelang bedroht. Aber was hat er genau getan? Was hat er gesagt? Wir wissen es nicht, weil sie weder seine Telefonanrufe auf Tonband aufgenommen noch ihren Inhalt notiert hat. Die Frau macht Fotokopien von persönlichen Briefen, aber wenn jemand ihr droht, sie um die Ecke zu bringen, zeichnet sie nichts auf. Sagen Sie mir, ob das einen Sinn ergibt.«

»Nicht alle Leute denken so wie wir.«

»Nun, manche Leute stecken bis über beide Ohren in Geschichten, von denen niemand etwas erfahren soll, und können deshalb nicht klar denken«, argumentierte er.

Er lenkte den Wagen in eine gekieste Auffahrt und parkte vor einer Garagentür. Das Gras stand viel zu hoch. Schlanker Löwenzahn bewegte sich im leichten Wind hin und her. Ein Schild mit der Aufschrift »ZU VERKAUFEN« stand neben dem Briefkasten. Quer über der grauen Haustür klebte noch immer ein Stück von dem gelben Klebeband, wie es die Polizei am Tatort verwendet.

»Ihr fahrbarer Untersatz steht in der Garage«, sagte Marino, als wir ausstiegen.

»Ein netter schwarzer Honda Accord EX. Ein paar Details daran werden Sie vermutlich interessieren.«

Wir standen in der Auffahrt und sahen uns um. Die schrägen Sonnenstrahlen fielen mir warm von hinten auf Schultern und Hals. Die Luft war kühl und das allgegenwärtige Summen der Herbstinsekten das einzig wahrnehmbare Geräusch. Ich atmete langsam und tief durch. Ich war auf einmal sehr müde.

Ihr Haus im Bauhaus-Stil war modern und sachlich schlicht mit einer langgestreckten Vorderfront aus großen Fenstern, die von Pfeilern im Erdgeschoß getragen wurde. Es sah aus wie ein Schiff mit offenem Unterdeck und war genau das Haus, das sich ein wohlhabendes junges Paar bauen würde, aus Feldsteinen und graugeflecktem Holz, mit großen Zimmern, hohen Decken und jeder Menge teurer Platzverschwendung. Der Windham Drive endete an Beryl Madisons Grundstück in einer Sackgasse, was eine Erklärung dafür war, daß niemand etwas gesehen oder gehört hatte, bis es zu spät war. Eichen und Pinien bildeten einen Blättervorhang zwischen Beryl und ihren nächsten Nachbarn und schirmten das Haus auf zwei Seiten gegen die Außenwelt ab. Hinten fiel das Grundstück steil in eine felsige, mit Dickicht bewachsene Senke ab, die in einen unberührten Wald auslief, der so weit reichte, wie ich schauen konnte.

»Verdammt noch mal. Ich möchte wetten, daß sie ihr eigenes Rotwild hatte«, sagte Marino, als wir ums Haus herum nach vorne gingen.

»Ist schon was, ha? Man schaut aus seinem Fenster und glaubt, die ganze Welt gehöre einem ganz allein. Ich wette, daß die Aussicht besonders schön ist, wenn es schneit. Mein lieber Schwan, so eine Hütte hätte ich auch gerne. Im Winter würde ich ein nettes Feuerchen machen, mir ein Schlückchen Bourbon genehmigen und einfach die Wälder da draußen betrachten. Reichsein ist schon was Angenehmes.«

»Besonders wenn man noch am Leben ist, um es zu genießen.«

»Wie wahr!« erwiderte er.

Herbstlaub raschelte unter unseren Schuhen, als wir um den Westflügel gingen. Ich bemerkte das Guckloch in der Haustür, die sich auf der Höhe des Innenhofs befand. Es starrte mich an wie ein winziges, leeres Auge. Marino schnippte seine Zigarettenkippe in hohem Bogen ins Gras und kramte in einer Tasche seiner kobaltblauen Hose herum. Er hatte sein Jackett ausgezogen, und sein großer Bauch hing über den Gürtel. Sein kurzärmeliges, weißes Hemd war um das Schulterhalfter herum verknittert, und sein Kragen stand offen.

An dem Schlüssel, den er aus seiner Tasche zog, hing ein gelbes Beweismittelzettelchen, und während ich beobachtete, wie er das Sicherheitsschloß neuester Bauart öffnete, verblüffte mich wieder einmal die Größe seiner Hände. Sie waren zäh und wettergebräunt und erinnerten mich an Baseballhandschuhe.
Er hätte niemals Musiker oder Zahnarzt werden können. Er war Anfang fünfzig, mit schütter werdendem grauem Haar und einem Gesicht, das so abgetragen aussah wie seine Anzüge, aber er wirkte immer noch gewaltig genug, um die meisten Leute einzuschüchtern. Große, bullige Polizisten wie er müssen sich selten herumprügeln. Die Schlägertypen auf der Straße schauen ihn einmal an und ziehen den Schwanz ein.
Wir standen in einem Rechteck aus Sonnenlicht in der Eingangshalle und streiften uns Baumwollhandschuhe über die Finger. Das Haus roch muffig und verstaubt, so wie Häuser riechen, die eine Zeitlang unbewohnt waren. Obwohl der Spurensicherungstrupp der Richmonder Polizei den ganzen Tatort gründlichst unter die Lupe genommen hatte, war nichts verändert worden. Das Haus befand sich, Marino zufolge, noch in genau demselben Zustand wie zwei Nächte zuvor, als man Beryls Leiche hier gefunden hatte. Er schloß die Tür und knipste das Licht an.
»Sie können deutlich sehen«, hallte seine Stimme, »daß sie den Kerl hereingelassen haben muß. Keine Spur eines gewaltsamen Eindringens, und dabei hat dieser Schuppen eine Drei-Sterne-Alarmanlage.« Er lenkte meine Aufmerksamkeit auf die Kontrolltafel neben der Tür und fügte hinzu: »Im Moment ist sie ausgeschaltet. Aber sie funktionierte, als wir hier eintrafen. Heulte wie ein Dutzend Feuerwehrsirenen, deshalb fanden wir sie überhaupt so schnell.«
Er erinnerte mich daran, daß der Mord bei der Polizei ur-

sprünglich als »akustischer Alarm« registriert worden war. Die Anlage hatte schon 30 Minuten ununterbrochen geheult, bis schließlich kurz nach elf Uhr abends einer von Beryls Nachbarn die Notrufnummer der Polizei wählte. Als eine Streife der Sache auf den Grund gehen wollte, sah der Beamte, daß die Vordertür offenstand. Kurz danach forderte er über Funk Verstärkung an.

Das Wohnzimmer war ein Trümmerhaufen. Jemand hatte den gläsernen Couchtisch umgeworfen, und Zeitschriften, ein Kristallaschenbecher, einige Art-Deco-Schalen und eine Blumenvase lagen über den indischen Baumwollteppich verstreut. Ein Ohrenbackensessel aus blaßblauem Leder lag umgestürzt auf der Seite, daneben ein Kissen des dazu passenden mehrteiligen Sofas. An der weißgetünchten Wand links von einer zur Diele führenden Tür klebten dunkle Spritzer getrockneten Bluts.

»Arbeitet die Alarmanlage mit Zeitverzögerung?« fragte ich.

»Aber ja. Man öffnet die Tür, und die Anlage summt etwa 15 Sekunden lang, so daß man genügend Zeit hat, um einen Code einzutippen, bevor sie losgeht.«

»Dann muß sie die Tür geöffnet, die Alarmanlage abgeschaltet, den Täter hereingelassen und die Anlage wieder eingeschaltet haben, während er noch da war. Sonst wäre sie später, als er das Haus verließ, nicht losgegangen. Interessant.«

»Ja«, antwortete Marino, »verdammt interessant.«

Wir standen im Wohnzimmer neben dem umgeworfenen Couchtisch, der über und über mit schwarzem Fingerabdruckpuder bestäubt war. Bei den Zeitschriften auf dem Boden handelte es sich um Nachrichtenmagazine und literarische Publikationen, alle einige Monate alt.

»Haben Sie auch irgendwelche aktuellen Tageszeitungen

oder Magazine gefunden?« fragte ich. »Wenn sie sich irgendwo eine Lokalzeitung gekauft hat, könnte das vielleicht wichtig sein. Wir sollten nachprüfen, wo sie hinging, nachdem sie das Flugzeug verlassen hatte.«
Ich sah, wie er die Zähne aufeinanderbiß. Marino wurde sauer, wenn er glaubte, ich wolle ihm erzählen, wie er seinen Job zu erledigen habe.
Er sagte: »Es waren ein paar Sachen oben im Schlafzimmer bei ihrer Aktentasche und ihren Koffern. Ein *Herald* aus Miami und ein Blättchen, das *Keynoter* heißt und hauptsächlich aus Immobilienanzeigen für die Key-Inseln besteht. Vielleicht hat sie daran gedacht, dort hinunter zu ziehen? Beide Zeitungen stammen vom Montag. Sie muß sie auf dem Rückweg nach Richmond gekauft haben, vielleicht auf dem Flughafen.«
»Würde mich interessieren, was ihr Grundstücksmakler dazu zu sagen hat . . .«
»Ich weiß, was er dazu zu sagen hat, nämlich gar nichts«, unterbrach er mich. »Er hat keine Ahnung, wo Beryl war, und hat ihr Haus nur ein einziges Mal in ihrer Abwesenheit jemandem gezeigt. Irgendeinem jungen Paar, dem dann der Preis zu hoch war. Beryl wollte dreihundert Riesen für den Schuppen.« Er schaute sich mit undurchdringlicher Miene um. »Sieht so aus, als ob jetzt jemand ein Schnäppchen machen könnte.«
»In der Nacht, in der sie ankam, hat Beryl doch ein Taxi vom Flughafen nach Hause genommen.«
Hartnäckig kam ich wieder auf die Einzelheiten des Falles zu sprechen.
Er nahm sich eine Zigarette und deutete damit herum.
»Wir fanden die Quittung dort in der Diele, auf dem kleinen Tisch an der Tür. Haben den Fahrer schon überprüft, der Knabe heißt Woodrow Hunnel und ist dumm wie Bohnen-

stroh. Er sagt, daß er am Taxistand des Flughafens gewartet habe. Sie ist bei ihm eingestiegen. Das war kurz vor acht, und es regnete in Strömen. Er ließ sie etwa vierzig Minuten später vor ihrem Haus aussteigen, trug ihr, wie er sagte, noch die beiden Koffer zur Tür und verschwand wieder. Das Fahrgeld betrug sechsundzwanzig Dollar, Trinkgeld inklusive. Ungefähr eine halbe Stunde später war er zurück am Flughafen und nahm neue Fahrgäste auf.«

»Sind Sie sicher, oder hat er Ihnen das bloß erzählt?«

»So gottverdammt sicher, wie ich hier stehe.« Er klopfte mit der Zigarette auf seinen Knöchel und fingerte mit dem Daumen am Filter herum.

»Wir haben die Geschichte überprüft. Hunnel hat uns keine Märchen erzählt. Er hat der Lady kein Haar gekrümmt. Hatte keine Zeit dafür.«

Ich folgte seinen Augen zu den dunklen Spritzern neben der Tür. Die Kleidung des Mörders mußte voller Blut gewesen sein. Es war unwahrscheinlich, daß ein Taxifahrer seine Fahrgäste mit blutverschmierten Kleidern herumkutschierte.

»Sie kann noch nicht lange zu Hause gewesen ein«, sagte ich, »gegen neun ist sie heimgekommen, und um elf ruft ein Nachbar wegen der Alarmanlage an, die eine halbe Stunde lang geheult hat. Das bedeutet, daß der Mörder gegen halb elf das Haus verlassen haben muß.«

»Tja«, antwortete er, »dieser Teil der Geschichte bereitet mir auch das meiste Kopfzerbrechen. Nach dem, was in den Briefen steht, muß sie panische Angst gehabt haben. Deshalb verheimlicht sie auch ihre Rückkehr nach Richmond, so gut es geht, schließt sich in ihrem Haus ein und legt sogar ihre 38er griffbereit auf die Küchentheke, die zeige ich Ihnen, wenn wir dort sind. Dann Peng! Es klingelt an der Haustür. Aber dann? Wir wissen nur, daß sie die Ratte hereingelassen und sofort die Alarmanlage wieder einge-

schaltet hat. Es muß jemand gewesen sein, den sie gekannt hat.«
»Ich würde auch einen Fremden nicht ausschließen«, sagte ich. »Wenn er vertrauenerweckend war, hat sie ihn vielleicht aus irgendeinem Grund hereingelassen.«
»Um diese Zeit?« Er musterte mich kurz und ließ die Augen durch das Zimmer schweifen.
»Hat er vielleicht um zehn Uhr in der Nacht Zeitschriftenabonnements oder Eiskrem verkauft, oder was?«
Ich antwortete nicht. Ich wußte auch nicht weiter.
Wir blieben an der offenen Tür zur Diele stehen.
»Da ist das erste Blut«, sagte Marino und schaute auf die eingetrockneten Spritzer an der Wand. »Genau hier hat er sie zum ersten Mal erwischt. Ich stelle mir vor, daß sie wie wahnsinnig davongelaufen ist und er mit dem Messer hinterher.«
Ich rief mir die Schnittwunden in Beryls Gesicht, an ihren Armen und Beinen ins Gedächtnis.
»Ich vermute«, fuhr er fort, »daß er sie hier am linken Arm, am Rücken oder im Gesicht verletzt hat. Das Blut an der Wand ist von der Klinge weggespritzt. Sie war voller Blut, weil er sie schon mindestens einmal erwischt hatte, und als er wieder ausholte, wurden die Tropfen weggeschleudert und landeten an der Wand.
Die Flecken hatten elliptische Form, maßen etwa sechs Millimeter im Durchmesser und wurden zunehmend länglicher, je weiter entfernt sie sich links vom Türrahmen befanden. Die Blutspur war mindestens drei Meter lang. Der Angreifer hatte mit voller Kraft ausgeholt, wie ein hart schlagender Squash-Spieler. Ich spürte die Emotionen, die sich hinter diesem Verbrechen verbargen. Das war keine Wut mehr. Es war etwas Schlimmeres.
*Warum hat sie ihn nur hereingelassen?*

»Aufgrund der Spritzer nehme ich an, daß der Penner etwa hier stand«, sagte Marino und ging ein paar Meter von der Tür weg nach links. »Er holt aus, trifft sie, und als die Klinge ausschwingt, fliegt das Blut davon und spritzt an die Wand. Die Spur beginnt, wie Sie sehen können, hier.« Er deutete auf die obersten Tropfen, die sich fast auf der Höhe seines Kopfes befanden. »Dann führt sie nach unten und hört ein paar Zentimeter über dem Boden auf.« Er machte eine Pause und blickte mich herausfordernd an. »Sie haben sie doch untersucht. Was meinen Sie? Ist er Rechts- oder Linkshänder?«

Jeder Polizist will das wissen. Obwohl ich ihnen jedesmal antworte, daß auch ich da nur raten könne, stellen sie diese Frage immer wieder.

»An dieser Blutspur kann ich das nicht erkennen«, sagte ich. Mein Mund war trocken und schmeckte nach Staub. »Es hängt nur davon ab, in welchem Winkel er zu ihr stand. Was die Wunden in ihrer Brust anbelangt, so verläuft der Einstichwinkel ganz leicht von links nach rechts. Das könnte bedeuten, daß er Linkshänder ist. Aber auch hier kommt es darauf an, wo er sich befand.«

»Es ist interessant, daß sich alle Verletzungen, die sie sich beim Abwehren seiner Angriffe eingehandelt hat, auf der linken Seite ihres Körpers befinden. Stellen Sie sich vor, wie sie davonläuft, während er sie angreift. Und zwar von links anstatt von rechts. Daher mein Verdacht, daß er Linkshänder ist.«

»Es hängt alles davon ab, in welcher Position sich Opfer und Täter zueinander befanden«, wiederholte ich ungeduldig.

»Ja«, murmelte er knapp. »Alles hängt von irgendwas anderem ab.«

Hinter der Tür war Holzfußboden. Eine mit Kreidestrichen markierte Spur von Blutstropfen führte zu einer Treppe etwa zehn Meter weiter links. Bevor Beryl die Treppe hinauflief, war sie hier entlanggerannt. Ihr Schock und ihre Angst waren stärker als ihre Schmerzen. Fast an jeder Stufe sah ich auf der Holztäfelung der linken Wand verschmierte Blutspuren, wo ihre zerschnittenen Finger nach Halt gesucht hatten.

Die schwarzen Flecken sah man auf dem Boden, an den Wänden, an der Decke. Beryl war bis ans Ende des Ganges im ersten Stock gelaufen, wo sie einen Augenblick lang nicht mehr weiter gewußt hatte. Hier gab es sehr viel Blut. Bevor die Jagd weiterging, war sie offensichtlich in ihr Schlafzimmer geflüchtet, wo sie ihm vielleicht entkam, indem sie über das riesige Bett kletterte, während er um es herumlief. Hier warf sie entweder mit ihrer Aktentasche nach ihm, oder die Tasche lag, was wahrscheinlicher war, auf dem Bett und wurde heruntergestoßen. Die Polizei fand sie auf dem Teppich, offen und umgestülpt. In der Nähe waren Papiere verstreut, unter ihnen die Fotokopien der Briefe aus Key West.

»Was für Papiere haben Sie sonst noch gefunden?« fragte ich.

»Quittungen, ein paar Reiseführer, eine Informationsbroschüre mit einem Stadtplan«, antwortete Marino. »Ich mache Ihnen Kopien davon, wenn Sie wollen.«

»Ja, bitte«, sagte ich.

»Wir haben dort drüben auf der Kommode auch einen Stapel maschinengeschriebener Seiten entdeckt.« Er deutete mit dem Finger.

»Vermutlich handelt es sich um das Manuskript, das sie auf den Keys geschrieben hat. Sie hat mit Bleistift eine Menge Bemerkungen an den Rand gekritzelt. Keine verwertbaren Fingerabdrücke. Nur verwischte und ein paar unvollständige, die von ihr selbst stammen.«

Das Bett war bis auf die Matratze abgezogen, die blutbefleckte Steppdecke und die Laken hatte man ins Labor geschickt. Sie war langsamer geworden und immer schwächer. Sie hatte die Kontrolle über ihre Bewegungen verloren. Schließlich wankte sie zurück in den Gang und rutschte auf dem orientalischen Gebetsteppich, den ich auf den Tatortfotos gesehen hatte, aus. Auf dem Boden des Ganges fand ich an dieser Stelle blutige Schleifspuren und Handabdrücke. Beryl hatte sich noch in das Gästezimmer neben dem Bad geschleppt, wo sie schließlich starb.
»Ich persönlich«, sagte Marino, »glaube, es hat ihm Freude bereitet, sie durch das halbe Haus zu hetzen. Er hätte sie sicher schon unten im Wohnzimmer töten können, aber das hätte ihm den Spaß an der Sache verdorben. Vermutlich hat er die ganze Zeit über gegrinst, während sie blutete, schrie und um ihr Leben bettelte. Sie schaffte es schließlich noch bis in dieses Zimmer hier und brach zusammen. Ende der Vorstellung. Der Spaß war vobei. Also machte er Schluß mit ihr.«
Das Zimmer vermittelte eine winterliche Stimmung. Die Einrichtung wirkte fahl und gelb wie Sonnenschein im Januar. Der Holzboden in der Nähe des Doppelbettes war schwarz, und an den Wänden sah ich schwarze Streifen und Tropfen. Die Tatortfotos zeigten Beryl auf dem Rücken liegend, die Beine gespreizt, die Arme um den Kopf geschlungen. Ihr Gesicht war auf das Fenster gerichtet, dessen Vorhänge zugezogen waren. Sie war nackt. Auf den Fotos konnte ich zunächst nicht erkennen, wie sie aussah oder welche Haarfarbe sie hatte. Alles, was ich sah, war Rot. Die Polizei hatte neben der Leiche blutige, khakifarbene Hosen gefunden. Ihre Bluse und ihre Unterwäsche fehlten.
»Dieser Taxifahrer, von dem Sie gesprochen haben, Hunnel, oder wie er heißt, konnte er sich daran erinnern, was Beryl

anhatte, als sie am Flughafen bei ihm einstieg?« fragte ich.
»Es war dunkel«, antwortete Marino. »Er war sich nicht sicher, aber er meinte, daß sie Hosen und eine Jacke getragen habe. Wir wissen, daß sie Hosen trug, als sie angegriffen wurde, diese khakifarbenen, die wir hier gefunden haben. Eine dazu passende Jacke lag auf einem Stuhl in ihrem Schlafzimmer. Ich glaube nicht, daß sie sich umgezogen hat, als sie nach Hause kam. Sie warf einfach nur ihre Jacke über den Stuhl. Was immer sie sonst noch getragen hat – eine Bluse, ihre Unterwäsche –, hat der Mörder mitgenommen.«
»Als Andenken«, dachte ich laut.
Marino starrte auf die schwarzen Flecken am Boden, wo die Leiche gelegen hatte.
Er sagte: »Ich sehe das so: Er bringt sie hier drinnen um, reißt ihr die Kleider vom Leib und vergewaltigt sie oder versucht es zumindest. Dann ersticht er sie und schneidet ihr fast den Kopf ab. Schade, daß der Laborbericht über ihre Leiche in dieser Beziehung so wenig hergibt«, fügte er hinzu. Er meinte damit, daß in den Abstrichen, die wir gemacht hatten, kein Sperma nachgewiesen werden konnte. »Schaut so aus, als müßten wir uns die DNS aus dem Kopf schlagen.«
»Außer, wenn etwas von dem Blut, das wir untersuchen, von ihm stammt«, antwortete ich. »Ansonsten können Sie die DNS-Analyse vergessen.«
»Haare haben wir auch keine gefunden«, sagte er.
»Nur ein paar, die mit den ihrigen übereinstimmten.«
Das Haus war so still, daß unsere Stimmen beunruhigend laut klangen. Überall, wo ich hinsah, waren diese häßlichen Flecken. Ich sah wieder Beryls Verletzungen vor mir, die Einstiche, die Spuren des Griffs, die brutale Wunde an ihrem Hals, die wie ein gähnendes, rotes Maul aufklaffte. Ich ging hinaus in den Gang. Der Staub reizte meine Lungen. Das Atmen fiel mir schwer.

Ich bat Marino: »Zeigen Sie mir, wo Sie ihre Pistole gefunden haben.«
Als die Polizei in der Nacht am Tatort eintraf, hatte sie Beryls 38er-Automatik auf der Küchentheke neben der Mikrowelle gefunden. Die Pistole war geladen und gesichert. Die paar Fingerabdrücke, die das Labor darauf identifizieren konnte, stammten von ihr selbst.
»In ihrem Nachttisch lag eine Schachtel mit Patronen«, sagte Marino. »Vielleicht hat sie dort auch die Pistole aufbewahrt. Ich denke, daß sie ihr Gepäck nach oben getragen und ausgepackt hat. Sie stopfte ihre schmutzige Kleidung in den Wäschekorb im Badezimmer und verstaute die Koffer im Schlafzimmerschrank. Irgendwann holte sie dabei ihre Kanone heraus. Ein sicheres Zeichen dafür, daß sie verdammt nervös gewesen sein muß. Wollen wir wetten, daß sie mit der Knarre in der Hand in jedes Zimmer schaute, bevor sie sich halbwegs beruhigte?«
»Ich hätte es sicher getan«, bemerkte ich.
Er schaute sich in der Küche um. »Vielleicht kam sie hierher, um etwas zu essen.«
»Kann sein, daß sie das vorhatte, aber gegessen hat sie nichts«, antwortete ich. »In ihrem Magen waren etwa 50 Milliliter einer dunkelbraunen Flüssigkeit. Wenn sie etwas gegessen hat, so war es, als sie starb, bereits vollständig verdaut. Oder, präziser gesagt, als sie angegriffen wurde. Die Verdauung hört bei starkem Streß oder Angst sofort auf. Hätte sie, kurz bevor der Mörder sie erwischte, etwas gegessen, so wäre es noch in ihrem Magen gewesen.«
»Es ist sowieso nicht allzuviel zu beißen da«, sagte er, als er die Tür des Kühlschranks öffnete.
Drinnen fanden wir eine verschrumpelte Zitrone, zwei Stückchen Butter, eine Ecke gammeligen Käse und eine Flasche Tonicwasser. Die Tiefkühltruhe sah ein wenig

vielversprechender aus, bot aber auch nicht viel mehr. Sie enthielt ein paar Packungen Hühnerbrüste, diverse Fertiggerichte und etwas gefrorenes Hackfleisch. Kochen, so schien es, war für Beryl weniger eine Leidenschaft als ein notwendiges Übel gewesen. Ich dachte daran, wie meine eigene Küche aussah. Diese hier wirkte dagegen niederschmetternd nüchtern. Winzige Staubpartikel schwebten in dem fahlen Licht, das durch die Schlitze der teuren, grauen Jalousien vor dem Fenster über dem Spülbecken fiel. Die Spüle und das Becken waren leer und trocken. Die modernen Küchengeräte sahen unbenutzt aus.

»Sie könnte natürlich auch hierhergekommen sein, um etwas zu trinken«, mutmaßte Marino.

»Wir haben in ihrem Blut keinen Alkohol gefunden«, entgegnete ich.

»Das bedeutet aber nicht, daß sie nicht daran gedacht hat, einen Drink zu nehmen.«

Er öffnete einen Hängeschrank über der Spüle. Die drei Regale waren bis zum letzten Zentimeter vollgepackt. Jack Daniels, Chivas Regal, Wodka, Liköre, aber etwas fiel mir besonders auf. Vor dem Cognac im obersten Regal stand eine Flasche mit Barbancourt-Rum aus Haiti, 15 Jahre alt, und so teuer wie unverschnittener Scotch.

Ich nahm die Flasche mit meiner behandschuhten Hand heraus und stellte sie auf die Theke. Sie hatte keine Steuerbanderole, und die Versiegelung des goldenen Schraubverschlusses war noch intakt.

»Ich glaube nicht, daß sie den hier gekauft hat«, sagte ich zu Marino. »Vermutlich stammt er aus Miami oder aus Key West.«

»Sie meinen, sie hat ihn aus Florida mitgebracht?«

»Es wäre gut möglich. Aber eines ist sicher. Sie hat eine

Menge von gutem Schnaps verstanden. Barbancourt ist etwas ganz Wunderbares.«
»Mir scheint, ich sollte Sie in Zukunft Doktor Schnapsexperte nennen.«
Es lag kein Staub auf der Flasche Barbancourt, wohl aber auf einigen anderen in nächster Nähe.
»Vielleicht erklärt das, warum sie in die Küche ging«, fuhr ich fort. »Vermutlich kam sie herunter, um den Rum aufzuräumen. Möglicherweise dachte sie auch gerade an einen Schlummertrunk, als jemand an der Tür klingelte.«
»Ja, aber das erklärt nicht, warum sie die Kanone hier auf der Theke liegen ließ, als sie die Tür aufmachte. Sie hatte doch schreckliche Angst, oder? Irgendwie glaube ich immer noch, daß sie jemanden erwartete, daß sie das Schwein gekannt hat. Hey, warten Sie mal! Sie hat doch diesen ausgefallenen Schnaps da mitgebracht. Will sie den etwa ganz allein trinken? Das glaube ich nicht. Ich glaube eher, daß sie sich ab und zu mal ein wenig Unterhaltung gegönnt hat, irgendeinen Kerl mit hierher nahm. Verdammt, vielleicht ist das sogar dieser ›M‹, dem sie von den Keys aus schrieb. Möglicherweise hat sie *ihn* in der Mordnacht erwartet.«
»Sie spielen mit dem Gedanken, ›M‹ könne der Mörder sein?« fragte ich.
»Sie nicht?«
Er wurde aggressiver, und langsam ging mir sein Herumgespiele mit der unangezündeten Zigarette auf die Nerven.
»Ich ziehe jede Möglichkeit in Erwägung«, antwortete ich, »zum Beispiel auch die, daß sie niemanden erwartete. Sie war in der Küche, räumte den Rum weg und überlegte vielleicht, ob sie sich einen Drink eingießen sollte. Sie war nervös und hatte ihre Pistole neben sich auf die Theke

gelegt. Als es läutete oder jemand klopfte, schreckte sie auf . . .«

»Genau!« unterbrach er mich. »Sie erschrickt, ist aufgeregt. Warum soll sie ihre Kanone hier in der Küche lassen, wenn sie die Tür öffnen geht?«

»Hatte sie denn Übung?«

»Übung?« fragte er, und unsere Augen trafen sich, »Übung worin?«

»Im Schießen.«

»Keine Ahnung. Wieso?«

»Wenn sie keine hatte, dann war für sie das Mitnehmen der Waffe kein unbewußter Reflex, sondern eine Entscheidung, die sie bewußt treffen mußte. Viele Frauen schleppen jahrelang Tränengas in der Handtasche mit sich rum. Wenn sie dann irgendwann einmal angegriffen werden, denken sie erst an das Tränengas, wenn alles vorbei ist. Und warum? Weil sie einfach keinen Verteidigungsreflex haben.«

»Ich weiß nicht . . .«

Aber ich wußte es. Ich besaß einen 38er Ruger-Revolver, den ich mit Silbertips, so etwa der gefährlichsten Munition, die man käuflich erwerben kann, geladen hatte. Ich trug ihn nur deshalb ständig mit mir herum, weil ich damit ein paarmal im Monat auf dem Schießstand übte. Wenn ich allein zu Hause war, fühlte ich mich mit der Waffe wohler als ohne. Da war noch etwas anderes. Ich dachte an das Wohnzimmer, wo die Kaminwerkzeuge ganz gerade in ihrem Messingständer hingen. Obwohl Beryl in diesem Raum mit ihrem Angreifer gekämpft hatte, war sie nicht auf die Idee gekommen, den Schürhaken oder die Schaufel als Waffe zu benützen. Sie hatte keinen Verteidigungsreflex. Ihr Reflex war die Flucht, ob sie nun die Treppe hinauflief oder nach Key West flog.

»Vielleicht war ihr die Pistole fremd, Marino«, erklärte ich.

»Es klingelt an der Tür. Sie ist nervös und verwirrt. Sie geht ins Wohnzimmer und schaut durch den Spion. Wer immer davorsteht, sie vertraut ihm genug, um die Tür zu öffnen. Und die Pistole zu vergessen.«
»Oder aber sie hat ihren Besucher erwartet«, sagte er wieder.
»Das wäre auch gut möglich. Vorausgesetzt, jemand wußte, daß sie zurück war.«
»Vermutlich wußte er es«, meinte er.
»Und vielleicht ist er ›M‹«. Ich sprach aus, was Marino hören wollte, und stellte die Flasche Rum zurück ins Regal.
»Bingo! Jetzt ergibt das Ganze schon mehr Sinn, oder?«
Ich schloß die Tür des Hängeschranks. «Sie wurde monatelang bedroht und war außer sich vor Angst, Marino. Es fällt mir schwer zu glauben, daß ihr Mörder ein enger Freund von ihr gewesen sein soll und Beryl nicht den geringsten Verdacht gehabt haben sollte.«
Er sah verärgert aus, als er auf die Uhr blickte und einen weiteren Schlüssel aus seiner Tasche kramte. Es war vollkommen unlogisch, daß Beryl einem Fremden die Tür aufgemacht haben sollte. Aber es war noch unlogischer, daß jemand, dem sie vertraut hatte, ihr all das angetan haben könnte. *Warum hat sie ihn hereingelassen?* Diese Frage ließ mich nicht mehr los. Ein auf einer Seite geschlossener, überdachter Durchgang verband das Haus mit der Garage. Die Sonne war eben hinter den Bäumen versunken.
»Am besten sage ich es Ihnen gleich«, gestand Marino, als das Schloß aufsprang. »Ich war erst kurz, bevor ich Sie anrief, zum ersten Mal hier. Ich hätte natürlich in der Mordnacht die Türe aufbrechen können, sah aber keinen Grund dafür.« Er zuckte mit den Achseln und zog seine massiven Schultern hoch, als ob er mir beweisen wollte, daß er damit wirklich eine Tür, einen Baum oder einen Müllcontainer umrennen konnte. »Sie war nicht mehr hier drinnen, seit

ihrer Abreise nach Florida. Wir brauchten eine ganze Weile, bis wir den verflixten Schlüssel gefunden hatten.«
Ich hatte noch nie vorher eine holzgetäfelte Garage gesehen. Der Boden war mit teuren roten Fliesen aus Italien gekachelt.
»War das hier wirklich als Garage gedacht?« fragte ich.
»Da ist eine Garagentür, oder?« Er holte noch weitere Schlüssel aus seinen Taschen. »Ist schon ein beeindruckendes Plätzchen, um die Karre nicht naß werden zu lassen, was?«
Die stickige Luft roch staubig, aber die Garage war tipptopp sauber. Außer einem Rechen und einem Besen, die in einer Ecke lehnten, war nichts von den üblichen Werkzeugen, Rasenmähern und anderem Gerümpel zu sehen, das man hier erwartete. Die Garage sah eher wie der Ausstellungsraum eines Autohändlers aus. Der schwarze Honda stand auf den Fliesen in der Mitte des Raums. Er war so sauber und glänzend, daß er nagelneu und unbenützt aussah.
Marino sperrte die Fahrertür auf und öffnete sie.
»Bitte, nehmen Sie Platz«, sagte er.
Ich setzte mich in den Sitz aus elfenbeinfarbenem Leder und starrte durch die Windschutzscheibe auf die getäfelte Wand.
Marino trat zurück und bat: »Bleiben Sie einfach sitzen, okay? Schauen Sie sich in Ruhe um und sagen Sie mir dann, was Ihnen so alles auffällt.«
»Wollen Sie, daß ich ihn anlasse?«
Er gab mir den Schlüssel.
»Dann öffnen Sie bitte die Garagentür, damit ich uns nicht mit den Abgasen vergifte«, fügte ich hinzu.
Mit zerfurchtem Gesicht suchte er herum, bis er den richtigen Knopf fand, der die Tür öffnete.
Das Auto sprang gleich beim ersten Mal an, der Motor

schnurrte leise und kraftvoll vor sich hin. Radio und Klimaanlage waren eingeschaltet. Der Benzintank war ein Viertel voll, der Kilometerstand zeigte weniger als 7000 Meilen. Das Schiebedach stand ein Stück weit auf. Auf der Ablage des Armaturenbretts lag der Abholschein einer Reinigung, datiert vom elften Juli, einem Donnerstag. Beryl hatte einen Rock und eine Kostümjacke abgegeben und diese Kleidungsstücke vermutlich nie abgeholt. Auf dem Beifahrersitz fand ich den Kassenzettel eines Lebensmittelgeschäfts, auf dem das Datum vom zwölften Juli stand. Um 10 Uhr 40 am Vormittag hatte sie einen Kopfsalat, Tomaten, Gurken, Rinderhackfleisch, Käse, Orangensaft und eine Rolle Pfefferminzbonbons gekauft. Das Ganze kostete neun Dollar und 13 Cents, und sie hatte bei der Kassiererin mit zehn Dollar bezahlt.
Neben dem Kassenzettel entdeckte ich einen schmalen weißen Briefumschlag, wie ihn Banken verwenden. Er war leer, ebenso ein braunes Ray-Ban-Sonnenbrillenetui mit strukturierter Oberfläche, das daneben lag.
Auf dem Rücksitz befand sich ein Wimbledon-Tennisschläger und ein verknittertes weißes Handtuch. Ich beugte mich über den Sitz und nahm es an mich. Auf dem Frotteerand stand in kleinen blauen Buchstaben ›Westwood Racquet Club‹. Denselben Namen hatte ich auf einer Sporttasche aus rotem Vinyl oben in Beryls Schrank gesehen. Marino hob sich sein Knallbonbon bis zum Schluß auf. Ich wußte, daß er alle diese Dinge schon begutachtet hatte und sie mir nur noch einmal im Zusammenhang vorführen wollte. Es handelte sich nicht um Beweismittel im engeren Sinn. Der Mörder war nie in der Garage gewesen. Marino wollte mich ködern. Er hatte das getan, seit wir das Haus betreten hatten. Es war eine seiner Gewohnheiten, die mich fürchterlich irritierte.

Ich machte den Motor aus und stieg aus dem Wagen. Die Tür schloß sich mit einem soliden, gedämpften Geräusch.
Er sah mich auffordernd an.
»Ein paar Fragen«, sagte ich.
»Schießen Sie los!«
»Westwood ist ein exklusiver Klub. War sie dort Mitglied?«
Er nickte.
»Haben Sie überprüft, wann sie dort das letzte Mal einen Platz reserviert hat?«
»Am Freitag, den 12. Juli um neun Uhr früh. Sie hatte eine Trainerstunde. Einmal in der Woche nahm sie so eine Stunde, viel mehr Tennis spielte sie nicht.«
»Wenn ich mich richtig erinnere, flog sie am Samstag, den 13. Juli am frühen Morgen von Richmond ab und kam kurz nach Mittag in Miami an.«
Er nickte wieder.
»Sie nahm also ihre Trainerstunde und ging danach geradewegs in das Lebensmittelgeschäft. Vielleicht war sie auch noch auf ihrer Bank. Wie auch immer, irgendwann, nachdem sie ihre Besorgungen erledigt hatte, muß sie sich plötzlich entschlossen haben abzureisen. Denn wenn sie gewußt hätte, daß sie am nächsten Morgen wegfliegen würde, wäre sie nicht mehr einkaufen gegangen. Sie hatte ja gar keine Zeit, all die Sachen, die sie gekauft hatte, zu essen, und sie hat sie auch nicht in den Kühlschrank gelegt. Ganz offensichtlich hat sie alles außer dem Hackfleisch und vielleicht der Rolle Pfefferminzbonbons weggeworfen.«
»Klingt logisch«, kommentierte Marino, nicht allzu enthusiastisch.
»Sie ließ ihr Brillenetui und die Sachen auf dem Rücksitz im Auto liegen«, fuhr ich fort, »außerdem schaltete sie weder das Radio noch die Klimaanlage aus und ließ das Schiebe-

dach offenstehen. Es sieht so aus, als sei sie in die Garage gefahren, hätte den Motor ausgeschaltet und wäre mit der Sonnenbrillle auf der Nase ins Haus gerannt. Vielleicht ist etwas passiert, als sie mit dem Auto vom Tennis und ihren Besorgungen nach Hause fuhr . . .«

»Und ob etwas passiert ist. Gehen Sie um das Auto herum und schauen Sie sich die andere Seite an – besonders die Beifahrertür.«

Das tat ich.

Was ich sah, ließ meine Gedanken wild durcheinanderpurzeln. Direkt unter dem Türgriff hatte jemand den Namen BERYL, mit einem Herz drum herum, in den glänzenden schwarzen Lack gekratzt.

»Ganz schön schaurig, oder?« sagte Marino.

»Wenn er das tat, während das Auto im Klub oder vor dem Lebensmittelgeschäft parkte«, überlegte ich, »hätte ihn doch bestimmt jemand dabei gesehen.«

»Ja. Deshalb vermute ich auch, daß er es schon vorher getan hat.« Er machte eine Pause und ließ seinen Blick über die eingekratzten Buchstaben gleiten. »Wann haben Sie das letzte Mal auf die Beifahrertür Ihres Wagens geschaut?«

Das konnte Tage her sein. Vielleicht auch eine Woche.

»Sie ging also Lebensmittel einkaufen.« Jetzt endlich zündete er die verdammte Zigarette an. »Viel hat sie ja nicht gekauft.« Er nahm einen tiefen, hungrigen Zug. »Wahrscheinlich paßte alles in eine Tüte. Wenn meine Frau nur eine oder zwei Tüten hat, stellt sie sie immer vorne ins Auto, auf die Fußmatte oder auf den Beifahrersitz. Auch Beryl ging vielleicht um das Auto herum auf die Beifahrerseite, um die Lebensmittel dort hineinzustellen. Und da sah sie, was in den Lack gekratzt war. Vielleicht wußte sie, daß es an diesem Tag passiert sein mußte. Vielleicht auch nicht. Das ist nicht so wichtig. Aber es hat ihr einen solchen

Schrecken verpaßt, daß sie ausgerastet ist. Sie rast nach Hause oder vielleicht auch zur Bank, um Bargeld abzuheben. Bucht den nächsten Flug weg von Richmond und haut ab nach Florida.«

Ich ging mit ihm aus der Garage und folgte ihm zurück zu seinem Auto. Die Nacht brach schnell herein, die Luft war kalt. Während er den Motor anließ, starrte ich stumm durchs Seitenfenster hinüber zu Beryls Haus. Die scharfen und dunklen Konturen seiner Fenster verschwammen im Schatten. Auf einmal gingen die Lichter auf der Terrasse und im Wohnzimmer an.

»Meine Fresse«, murmelte Marino. »Na, schließlich haben wir ja Halloween.«

»Ein Zeitschalter«, sagte ich.

»Im Ernst?«

## 2

Auf meiner langen Fahrt nach Hause schien der Vollmond über Richmond. Nur die hartnäckigsten Kinder drehten noch ihre Halloween-Runden von Haus zu Haus. Die Scheinwerfer meines Wagens beleuchteten ihre gräßlichen Masken und furchteinflößenden kleinen Silhouetten. Ich fragte mich, wie oft sie heute wohl vergeblich an meiner Tür geläutet hatten. Mein Haus war ganz besonders beliebt bei ihnen. Ich hatte keine Kinder und schenkte ihnen vielleicht deshalb immer übertrieben viele Süßigkeiten. Morgen würde ich vier volle Tüten Schokoladenriegel an meine Mitarbeiter verteilen müssen.

Als ich die Treppe hinaufstieg, begann das Telefon zu klingeln. Kurz bevor sich der Anrufbeantworter einschaltete, riß ich den Hörer von der Gabel. Die Stimme war mir zunächst

fremd, aber dann erkannte ich sie, und mein Herz schlug plötzlich schneller.
»Kay? Ich bin's, Mark. Gott sei Dank bist du zu Hause . . .«
Mark James' Stimme klang so, als spräche er vom Boden eines Ölfasses, und ich konnte im Hintergrund Autos vorbeifahren hören. »Wo bist du?« brachte ich heraus, und ich wußte, daß sich das so anhörte, als sei ich ziemlich entnervt.
»Auf dem Highway 95, etwa 50 Meilen nördlich von Richmond.«
Ich setzte mich auf die Bettkante.
»In einer Telefonzelle«, fuhr er fort. »Du mußt mir beschreiben, wie ich zu deinem Haus komme.« Ein lauter Lastwagen dröhnte vorüber, dann erst konnte er weitersprechen: »Ich würde dich gern sehen, Kay. Ich war die ganze Woche über in Washington und habe seit dem späten Nachmittag versucht, dich zu erwischen. Jetzt habe ich einfach auf gut Glück ein Auto gemietet. Ist das okay?«
Ich wußte nicht, was ich antworten sollte.
»Ich dachte, wir könnten zusammen etwas trinken und ein wenig darüber reden, wie es uns ergangen ist«, sagte der Mann, der mir einmal das Herz gebrochen hatte. »Ich habe ein Zimmer im Radisson Hotel reserviert. Morgen früh fliegt eine Maschine von Richmond zurück nach Chicago. Ich dachte . . . Ich habe etwas mit dir zu besprechen.«
Ich konnte mir nicht vorstellen, was Mark und ich zu besprechen hätten.
»Ist es okay?« fragte er noch einmal.
Nein, es war nicht okay! Doch ich sagte: »Aber natürlich, Mark. Ich freue mich darauf, dich zu sehen.«
Nachdem ich ihm den Weg beschrieben hatte, ging ich ins Badezimmer, um mich frisch zu machen. Ich rekapitulierte. 13 Jahre waren vergangen, seit wir zusammen Jura studiert hatten. Jetzt war mein Haar mehr grau als blond, und als ich

Mark das letzte Mal gesehen hatte, trug ich es lang. Meine Augen waren auch nicht mehr so blau wie früher. Der unvoreingenommene Spiegel erinnerte mich unbarmherzig und kalt daran, daß ich die neununddreißig schon überschritten hatte und daß es so etwas wie Gesichtslifting gab. Mark war in meiner Erinnerung immer noch knapp 25, wie damals, als er das Objekt meiner Leidenschaft und Abhängigkeit und schließlich meiner tiefsten Verzweiflung geworden war. Seit es mit ihm vorbei war, hatte ich nur noch gearbeitet.

Er fuhr anscheinend immer noch schnell und liebte ausgefallene Autos. Weniger als 45 Minuten später öffnete ich meine Haustür und beobachtete, wie er aus seinem gemieteten Sterling stieg. Er war immer noch der Mark, den ich gekannt hatte, mit demselben durchtrainierten Körper und seinem selbstbewußten, langbeinigen Gang. Energisch stieg er die Stufen hinauf und lächelte ein wenig. Nach einer schnellen Umarmung blieb er einen Moment lang verlegen in der Diele stehen und wußte nicht, was er sagen sollte.

»Trinkst du immer noch Scotch?« fragte ich schließlich.

»Das hat sich nicht geändert«, erwiderte er und folgte mir in die Küche.

Ich holte den Glenfiddich aus der Bar und mixte ihm automatisch seinen Drink genau so, wie ich es vor so langer Zeit getan hatte. Zwei Schuß Whisky, Eis und einen Spritzer Selterswasser. Er folgte mir mit den Augen, als ich durch die Küche ging und die Drinks auf den Tisch stellte. Er nahm einen Schluck, starrte in sein Glas und ließ die Eiswürfel darin herumkreisen, so wie er es früher getan hatte, wenn er gestreßt war. Ich sah ihn lange und aufmerksam an, seine eleganten Gesichtszüge, hohen Backenknochen und seine klaren grauen Augen. Sein dunkles Haar färbte sich an den Schläfen etwas grau.

Dann lenkte ich meine Aufmerksamkeit wieder auf das sich langsam in seinem Glas drehende Eis. »Ich nehme an, du arbeitest jetzt bei einer Kanzlei in Chicago?«
Er lehnte sich in seinem Stuhl zurück und schaute mich an. »Ich mache jetzt hauptsächlich Berufungen, nur ab und zu noch einen Prozeß. Gelegentlich treffe ich Diesner, und von ihm weiß ich, daß du jetzt hier in Richmond bist.«
Diesner war der Chief Medical Examiner in Chicago. Ich sah ihn auf Kongressen, und wir saßen zusammen in einigen Komitees. Er hatte nie erwähnt, daß er Mark James kannte, und woher er über meine Verbindung zu Mark informiert war, war mir ein Rätsel.
»Ich habe den Fehler begangen, ihm zu erzählen, daß ich dich auf der Universität gekannt habe. Jetzt bringt er von Zeit zu Zeit die Rede auf dich, um mir einen Stich zu versetzen«, erklärte Mark, der meine Gedanken erraten hatte.
Das glaubte ich gerne. Diesner war so mürrisch wie ein alter Ziegenbock und nicht gerade ein besonderer Freund von Strafverteidigern. Einige seiner theatralischen Schlachten im Gerichtssaal waren bereits Legende geworden.
Mark sagte: »Wie die meisten forensischen Pathologen ist Diesner immer für die Anklage. Wenn ich einen verurteilten Mörder vertrete, bin ich für ihn automatisch der böse Bube. Manchmal schaut er bei mir rein und erzählt mir ganz beiläufig von einem Artikel, den du gerade veröffentlicht hast, oder von einem besonders schauerlichen Fall, an dem du arbeitest. Doktor Scarpetta. Die berühmte Chief Scarpetta.« Er lachte, aber nicht mit den Augen.
»Du behauptest, wir stünden immer nur auf seiten der Anklage, und das ist nicht fair«, antwortete ich. »Es sieht nämlich nur so aus. Wenn unsere Beweise für den Angeklagten sprechen, kommt ein Fall gar nicht erst vor Gericht.«

»Kay, ich weiß doch, was los ist«, sagte er mit diesem Laß-es-gut-sein-Ton in der Stimme, an den ich mich noch sehr gut erinnerte. »Mir ist klar, was du täglich anschauen mußt. Und wenn ich du wäre, würde ich die Schweinehunde auch am liebsten auf dem elektrischen Stuhl sehen.«
»Ja, du weißt, was ich anschauen muß, Mark«, fing ich an. Es war ein uralter Streit zwischen uns. Ich konnte es einfach nicht glauben. Er war noch nicht einmal 15 Minuten hier, und wir knüpften genau dort wieder an, wo wir damals aufgehört hatten. Einige unserer schlimmsten Kräche hatten sich um genau dieses Thema gedreht. Als ich Mark zum ersten Mal traf, war ich bereits eine fertige Ärztin, eine forensische Pathologin, und studierte in Georgetown Jura. Ich hatte die dunkle Seite des Verbrechens gesehen, die Grausamkeit und die sinnlosen Tragödien. Ich hatte mit meinen behandschuhten Händen in den blutigen Niederungen des Todes herumgewühlt, während Mark, der Wunderknabe von einer Elite-Universität, sich unter einem Schwerverbrechen das mutwillige Verkratzen des Lacks an seinem Jaguar vorstellte. Mark wollte damals Anwalt werden, weil sein Vater und sein Großvater bereits Anwälte gewesen waren. Ich war Katholikin, Mark Protestant. Meine Herkunft war italienisch, seine so englisch wie die von Prinz Charles. Ich war in ärmlichen Verhältnissen aufgewachsen, er in einem der wohlhabendsten Wohnviertel Bostons. Ich hatte mir eine Ehe mit ihm früher einfach himmlisch vorgestellt.
»Du hast dich nicht verändert, Kay«, sagte er. »Außer, daß du entschlossener und härter wirkst. Ich wette, daß man sich im Gerichtssaal ganz schön vor dir in acht nehmen muß.«
»Ich glaube nicht, daß ich hart bin.«
»Das soll keine Kritik sein. Ich wollte eigentlich nur sagen, daß du fantastisch aussiehst.« Er sah sich in der

Küche um. »Und Erfolg hast du anscheinend auch. Bist du glücklich?«
»Ich mag Virginia«, antwortete ich und sah ihn dabei nicht an. »Das einzige, was mir nicht so gut gefällt, sind die Winter hier, aber ich glaube, daß du es in dieser Hinsicht noch schlimmer getroffen hast. Wie kannst du es in diesen scheußlichen sechs Monaten nur in Chicago aushalten?«
»Um die Wahrheit zu sagen, ich habe mich noch immer nicht daran gewöhnt. Aber für dich wäre es nichts. Du als Gewächshausblume aus Miami würdest dort nicht einen einzigen Monat bleiben.« Er nippte an seinem Drink. »Bist du verheiratet?«
»Ich war es.«
»Hmmm.« Er legte die Stirn in Falten, während er nachdachte. »War da nicht ein Tony sowieso . . .? Jetzt fällt es mir ein. Du hattest da was mit Tony . . . Benedetti, richtig? Am Ende unseres dritten Jahres.«
Es erstaunte mich, daß Mark das bemerkt hatte, mehr noch, daß er sich daran erinnerte.
»Wir sind geschieden. Schon lange«, erwiderte ich.
»Das tut mir leid«, sagte er mit sanfter Stimme.
Ich griff nach meinem Drink.
»Hast du einen Freund, einen netten womöglich?« fragte er.
»Im Moment habe ich niemanden. Ob nett oder nicht.«
Mark lachte nicht mehr soviel wie früher. Freiwillig und sachlich erklärte er: »Vor ein paar Jahren hätte ich fast geheiratet, aber es hat nicht hingehauen. Oder vielleicht sollte ich ehrlich sein und gestehen, daß ich in der letzten Minute panische Angst bekam.«
Es fiel mir schwer zu glauben, daß er nie geheiratet hatte. Wieder ahnte er, was ich dachte.
»Das war nach dem Tod von Janet.« Er zögerte. »Ich war verheiratet.«

»Janet?«
Seine Eiswürfel kreisten wieder. »Ich lernte sie in Pittsburgh kennen, nachdem ich Georgetown verlassen hatte. Sie war Steueranwältin in der Kanzlei.«
Ich beobachtete ihn genau, und was ich sah, verblüffte mich. Mark war anders als früher. Seine Ausstrahlung, die ich damals so anziehend gefunden hatte, hatte sich verändert. Ich konnte nicht genau sagen, wie, aber ich glaubte, daß sie dunkler, schwermütiger geworden war.
»Ein Autounfall«, erklärte er. »An einem Samstagabend. Sie fuhr los, um Popcorn zu holen. Wir wollten uns den Spätfilm ansehen. Ein Betrunkener kam ihr auf ihrer Spur entgegen. Er hatte nicht einmal das Licht seines Autos angeschaltet.«
»O Gott, Mark, das tut mir leid«, sagte ich. »Das ist ja schrecklich.«
»Es passierte vor acht Jahren.«
»Hattet ihr Kinder?« fragte ich leise.
Er schüttelte den Kopf.
Wir schwiegen.
»Meine Kanzlei eröffnet ein Büro in Washington«, bemerkte er, als sich unsere Blicke trafen.
Ich antwortete nicht.
»Es könnte sein, daß ich nach Washington versetzt werde und dorthin ziehen muß. Wir expandieren wie verrückt und sind jetzt etwa 100 Anwälte mit Büros in New York, Atlanta und Houston.«
»Wann würdest du denn umziehen?« fragte ich ihn ganz ruhig.
»Am ersten Januar nächsten Jahres.«
»Ist das sicher?«
»Ich habe die Schnauze voll von Chicago, Kay. Ich brauche Tapetenwechsel. Ich wollte es dich wissen lassen, das ist der

Grund, weshalb ich hier bin, oder sagen wir, der Hauptgrund. Ich möchte nicht nach Washington ziehen und dort irgendwann zufällig mit dir zusammentreffen. Ich würde gerne in Nord-Virginia wohnen. Du arbeitest in Nord-Virginia. Früher oder später würden wir uns sicher im Theater oder in einem Restaurant zufällig über den Weg laufen. Das will ich nicht.«

Ich stellte mir vor, im Konzertsaal des Kennedy-Centers zu sitzen und drei Reihen vor mir Mark zu entdecken, der einer hübschen, jungen Begleiterin etwas ins Ohr flüsterte. Ich wurde an einen alten Schmerz erinnert, einen Schmerz, der damals so intensiv gewesen war, daß ich ihn körperlich gespürt hatte. Ich hatte nie einen anderen Mann als ihn angeschaut. Er war der alleinige Brennpunkt meiner Gefühle gewesen. Zuerst hatte nur ein Teil von mir geahnt, daß dies nicht auf Gegenseitigkeit beruhte. Später wußte ich es dann genau.

»Das war mein Hauptgrund«, wiederholte er, jetzt ganz der Anwalt, der sein Eröffnungsplädoyer hält, »aber da ist noch etwas anderes, was mit uns beiden nichts zu tun hat.«

Ich sagte nichts.

»Vor ein paar Tagen wurde hier in Richmond eine Frau ermordet. Beryl Madison . . .«

Mein erstaunter Gesichtsausdruck ließ ihn einen Moment innehalten.

»Berger, einer unserer Seniorpartner, erzählte mir davon, als er mich in meinem Hotel in Washington anrief. Ich würde gerne mit dir darüber sprechen –.«

»Was hast du damit zu tun?« fragte ich. »Hast du sie etwa gekannt?«

»Flüchtig. Ich habe sie einmal getroffen, letzten Winter in New York. Unser Büro dort befaßt sich mit Medienrecht. Beryl hatte Probleme, einen Streit über einen Vertrag, und

sie beauftragte Orndorff & Berger damit, die Sache für sie ins reine zu bringen. Ich war zufällig in New York, als sie eine Unterredung mit Sparacino, dem für ihren Fall zuständigen Anwalt, führte. Sparacino lud mich ein, mit den beiden im Algonquin zu Mittag zu essen.«
»Wenn du glaubst, daß dieser Streit, den du erwähnt hast, irgend etwas mit ihrer Ermordung zu tun haben könnte, dann solltest du das der Polizei erzählen, nicht mir«, sagte ich ärgerlich.
»Kay«, antwortete er, »meine Kanzlei weiß nicht das geringste davon, daß ich mit dir rede, okay? Als mich Berger gestern anrief, ging es um etwas ganz anderes, verstehst du? Er hat im Verlauf des Gesprächs den Mord an Beryl Madison erwähnt, weil er wollte, daß ich mich in den hiesigen Zeitungen über den Fall informiere.«
»Gut. Im Klartext heißt das, informiere dich über den Fall, bei deiner Ex- «.
Ich spürte, wie ich rot wurde. Ex-*was*?
»So ist es nicht.« Er blickte zur Seite. »Ich dachte an dich und wollte mit dir telefonieren, bevor Berger anrief, bevor ich die Sache mit Beryl erfuhr. Zwei verdammte Nächte lang bin ich vor dem Telefon gesessen. Ich habe mir deine Nummer von der Auskunft geben lassen, aber ich habe mich einfach nicht getraut, dich anzurufen. Wenn Berger mir nicht erzählt hätte, was passiert ist, hätte ich es vermutlich nie getan. Vielleicht war Beryl ein willkommener Vorwand. Soviel gebe ich zu. Aber es ist nicht so, wie du denkst . . .«
Ich hörte nicht zu. Es erschreckte mich, wie gerne ich ihm glauben wollte. »Wenn deine Kanzlei sich für den Mord interessiert, dann sag mir genau, warum.«
Er dachte einen Moment lang nach. »Ich bin mir nicht sicher, ob wir ein berechtigtes Interesse an dem Mord haben. Vielleicht kommt es aus einem ganz persönlichen Gefühl des

Schreckens heraus. Es war ein fürchterlicher Schock für diejenigen von uns, die sie gekannt hatten. Außerdem kann ich dir verraten, daß sie sich mitten in einem ziemlich heftigen Streit befand. Aufgrund eines Vertrags, den sie vor acht Jahren unterschrieben hatte, wurde ihr ganz schön übel mitgespielt. Die Geschichte ist sehr kompliziert. Und sie hat etwas mit Cary Harper zu tun.«

»Dem Schriftsteller?« fragte ich verblüfft. »*Dem* Cary Harper?«

»Wie du vielleicht weißt«, sagte Mark, »wohnt er nicht weit von hier in Cutler Grove, einer alten Plantage aus dem 18. Jahrhundert. Sie liegt am Ufer des James River, in Williamsburg.«

Ich versuchte, mir ins Gedächtnis zu rufen, was ich über Harper gelesen hatte. Vor etwa 20 Jahren hatte er mit einem Roman den Pulitzerpreis gewonnen. Er lebte sehr zurückgezogen zusammen mit seiner Schwester. Oder war es seine Tante? Um Harpers Privatleben rankten sich die wildesten Gerüchte. Je mehr er die Reporter austrickste und Interviews verweigerte, desto heftiger schossen die Spekulationen über ihn ins Kraut.

Ich zündete mir eine Zigarette an.

»Und ich habe gehofft, du hättest damit aufgehört«, sagte er.

»Dazu müßte man mir schon ein Stück meines Vorderhirns herausoperieren.«

»Das wenige, was ich weiß, ist schnell erzählt. Beryl hatte als Teenager, bis sie etwa 20 war, eine Art Beziehung mit Harper. Eine Zeitlang lebte sie sogar mit ihm und seiner Schwester in seinem Haus. Beryl war für ihn eine hoffnungsvolle junge Autorin, die talentierte Tochter, die er selbst nie hatte. Er nahm sie unter seine Fittiche. Durch seine Vermittlung konnte sie schon im Alter von nur 22 Jahren unter dem

Namen Stratton ihren ersten Roman veröffentlichen, eine pseudo-literarische Liebesschnulze. Harper ließ sich sogar dazu herab, ein paar Worte für den Schutzumschlag des Buches zu schreiben, irgend etwas von einer aufregenden jungen Autorin, die er entdeckt habe. Viele Leute rümpften damals darüber die Nase. Ihr Roman gehörte eher dem Bereich der kommerziellen Unterhaltungsliteratur an und war kein Werk von hohem künstlerischen Rang. Außerdem hatte man schon jahrelang kein Wort mehr von Harper gehört.«

»Was hat das mit ihren Vertragsstreitigkeiten zu tun?«

Mark antwortete ironisch: »Harper mag ja leicht auf eine ihn anbetende junge Dame hereinfallen, aber er ist auch ein ganz schön durchtriebener Bastard. Bevor er ihrem Buch zur Veröffentlichung verhalf, zwang er sie, einen Vertrag zu unterzeichnen. In diesem wurde Beryl untersagt, etwas über ihn zu schreiben, solange er und seine Schwester am Leben waren. Harper ist erst Mitte Fünfzig und seine Schwester ein paar Jahre älter. Im Grunde hinderte der Vertrag Beryl bis an ihr Lebensende daran, etwas Autobiographisches zu schreiben, denn wie konnte sie das, ohne Harper zu erwähnen?«

»Sie hätte es schon gekonnt«, antwortete ich, »aber ohne Harper hätte sich das Buch nur schlecht verkauft.«

»Genau.«

»Warum hat sie so viele Pseudonyme verwendet? War das ein Teil ihrer Vereinbarungen mit Harper?«

»Ich denke schon. Ich glaube, er wollte, daß Beryl sein Geheimnis blieb. Er hatte ihr literarischen Erfolg verschafft, aber er wollte sie vor der Welt versteckt halten. So ist Beryl Madisons Name nicht gerade übermäßig bekannt, obwohl ihre Bücher finanziell erfolgreich waren.«

»Darf ich annehmen, daß sie vorhatte, diesen Vertrag zu verletzen, und deshalb zu Orndorff & Berger kam?«

Er nippte an seinem Glas. »Erinnere dich bitte daran, daß sie nicht meine Klientin war. Deshalb bin ich nicht über alle Einzelheiten des Falls unterrichtet. Aber ich vermute, daß sie sich ausgebrannt fühlte und einmal etwas wirklich Bedeutendes schreiben wollte. Und über einen anderen Teil der Geschichte weißt du vermutlich schon Bescheid. Anscheinend hatte sie Probleme, jemand bedrohte und belästigte sie . . .«

»Wann?«

»Im vergangenen Winter, etwa zu der Zeit, als ich sie beim Lunch traf. Ich glaube, es war Ende Februar.«

»Weiter!« sagte ich fasziniert.

»Sie hatte keine Ahnung, wer sie bedrohte. Ob das begann, bevor sie anfing, dieses neue Buch zu schreiben, kann ich dir nicht sagen.«

»Wie wollte sie es schaffen, ungestraft ihren Vertrag zu verletzen?«

»Ich bin mir nicht ganz sicher, ob sie das wirklich vorhatte«, antwortete Mark, »aber Sparacino plante, Harper vor eine Alternative zu stellen. Entweder er spielte mit. In diesem Fall wäre das fertige Produkt ziemlich harmlos ausgefallen. Mit anderen Worten, Harper hätte eine gewisse Zensur ausüben dürfen. Wenn er aber auf stur geschaltet hätte, hätte Sparacino die Geschichte der Presse und dem Fernsehen zugespielt. Harper war in der Zwickmühle. Sicher, er hätte Beryl verklagen können, aber soviel Geld hatte sie auch wieder nicht, viel zu wenig jedenfalls im Vergleich zu dem, was er hätte verlangen müssen. Außerdem hätte ein Prozeß nur jedermann auf Beryls Buch aufmerksam gemacht und ihm zu einem Riesenerfolg verholfen. Harper konnte eigentlich gar nicht gewinnen.«

»Hätte er denn nicht die Veröffentlichung mit einer einstweiligen Verfügung stoppen können?« fragte ich.

»Das hätte nur noch mehr Werbung für ihr Buch bedeutet. Die Druckerpressen anzuhalten hätte ihm eine Millionenauflage beschert.«
»Und jetzt ist sie tot.« Ich schaute auf meine im Aschenbecher verglimmende Zigarette. »Ich nehme an, daß das Buch noch nicht fertig ist. Harper braucht sich also keine Sorgen mehr zu machen. Ist es das, worauf du hinaus willst, Mark? Daß Harper etwas mit ihrer Ermordung zu tun haben könnte?«
»Ich habe dir nur ein paar Hintergrundinformationen gegeben«, antwortete er.
Seine klaren Augen blickten direkt in meine. Ich erinnerte mich mit Unbehagen daran, wie unglaublich unnahbar sie wirken konnten.
»Was denkst du?«
Ich verriet ihm nicht, was ich wirklich dachte. Nämlich, daß ich mich fragte, warum er mir all das erzählte. Daß Beryl nicht seine Klientin gewesen war, hatte nichts zu bedeuten. Er kannte den Ehrenkodex der Rechtsanwälte genau, der unmißverständlich besagte, daß das Wissen eines Anwalts automatisch auch alle anderen Mitglieder der Kanzlei zum Schweigen verpflichtet. Er stand auf der Schwelle zu einer Unkorrektheit, und das paßte ebensowenig zu dem pflichtbewußten Mark James, den ich kannte, als wenn er mit einer gut sichtbaren Tätowierung bei mir hereinspaziert wäre.
»Ich glaube, du solltest besser mal mit Marino sprechen, der die Untersuchung leitet«, antwortete ich. »Sonst muß ich ihm erzählen, was du mir gerade gesagt hast. In beiden Fällen wird er in deiner Kanzlei herumschnüffeln und Fragen stellen.«
»Soll er doch. Das ist kein Problem für mich.«
Wir waren einen Moment lang still.
»Wie war sie?« fragte ich und räusperte mich.

»Ich sagte dir schon, daß ich sie nur einmal getroffen habe. Sie war irgendwie bemerkenswert. Dynamisch, witzig, attraktiv und ganz in Weiß. Sie hatte ein fantastisches, schneeweißes Kostüm an. Auf der anderen Seite erschien sie mir ziemlich reserviert. Sie verbarg viele Geheimnisse, Tiefen, die niemand jemals hätte ausloten können. Und sie trank eine Menge, wenigstens an diesem Tag. Sie hatte bereits drei Cocktails zu sich genommen, was ich ziemlich viel fand, wo es doch erst Mittag war. Aber vielleicht stellte das eine Ausnahme dar. Sie war nervös, verstört und angespannt. Der Grund, aus dem sie zu Orndorff & Berger kam, war ja kein erfreulicher. Ich bin sicher, daß diese Geschichte mit Harper sie sehr mitgenommen hat.«

»Was hat sie getrunken?«

»Bitte?«

»Die drei Cocktails. Woraus bestanden sie?« fragte ich.

Er runzelte die Stirn und starrte quer durch die Küche. »Mein Gott, das weiß ich doch nicht mehr, Kay. Was macht das für einen Unterschied?«

»Ich weiß nicht genau«, sagte ich und dachte an ihre Hausbar.

»Hat sie über die Drohungen gesprochen, die sie erhielt? Ich meine, tat sie es in deiner Gegenwart?«

»Ja. Und Sparacino hat sie ebenfalls erwähnt. Ich weiß nur, daß sie sehr eindeutige Telefonanrufe bekam. Es war immer dieselbe Stimme, niemand, den sie kannte, wenigstens behauptete sie das. Und es gab noch andere merkwürdige Vorfälle. An die Einzelheiten kann ich mich nicht mehr erinnern, es ist zu lange her.«

»Hat sie diese Vorfälle festgehalten?« fragte ich.

»Das weiß ich nicht.«

»Und sie hatte keine Ahnung, wer sie bedrohte und warum?«

»Diesen Eindruck vermittelte sie zumindest.« Er schob seinen Stuhl zurück. Es war fast Mitternacht.

Als ich ihn zur Tür brachte, fiel mir plötzlich etwas ein. »Sparacino«, sagte ich. »Wie heißt er mit Vornamen?«

»Robert«, antwortete er.

»Mit der Abkürzung ›M‹ könnte er nicht gemeint sein, oder?«

»Nein«, sagte er und schaute mich neugierig an.

Es folgte eine gespannte Pause.

»Fahr vorsichtig!«

»Gute Nacht, Kay«, erwiderte er zögernd.

Vielleicht war es nur Einbildung, aber einen Moment lang dachte ich, er würde mich küssen. Dann ging er entschlossen die Stufen hinunter, und ich war schon wieder im Haus, als ich ihn losfahren hörte.

* * *

Der folgende Morgen war fürchterlich hektisch. Fielding informierte uns in der Konferenz, daß wir fünf Autopsien durchzuführen hätten, unter anderem die eines »Treibers«, einer fast verwesten Wasserleiche aus dem Fluß, eine Aufgabe, die jeden von uns aufstöhnen ließ. Richmond hatte zwei eben Erschossene herübergeschickt, einen davon konnte ich noch erledigen, bevor ich losraste, um im John-Marshall-Gerichtshaus bei der Verhandlung eines anderen Schußwaffenmordes als Zeugin aufzutreten und anschließend mit einer meiner studentischen Hilfskräfte im Medical College zu Mittag zu essen. Während der ganzen Zeit versuchte ich angestrengt, Marks Besuch vollständig aus meinen Gedanken zu verbannen.

Aber je verzweifelter ich mich bemühte, nicht an ihn zu denken, desto mehr dachte ich an ihn. Er war vorsichtig. Er

war stur. Es paßte so gar nicht zu ihm, mit mir nach über zehn Jahren des Schweigens auf einmal wieder in Kontakt zu treten.
Am frühen Nachmittag gab ich schließlich auf und wählte Marinos Telefonnummer.
»Ich wollte eben bei Ihnen anrufen«, legte er los, bevor ich auch nur ein Wort herausgebracht hatte, »bin gerade am Losfahren. Können Sie mich in einer Stunde oder, sagen wir besser, in eineinhalb in Bentons Büro treffen?«
»Was soll das?« Ich hatte ihm noch nicht einmal gesagt, warum ich angerufen hatte.
»Ich bekomme endlich Beryls Akten in die Finger. Ich dachte Sie würden gerne dabeisein.«
Er legte auf, ohne sich zu verabschieden, wie er es immer tat.
Zur verabredeten Zeit fuhr ich die East Grace Street entlang und parkte an der ersten Parkuhr, die einen halbwegs vertretbaren Fußmarsch von meinem Ziel entfernt war. Das moderne zehnstöckige Bürogebäude ragte wie ein Leuchtturm aus einem tristen Meer von Ramschläden, die sich hochtrabend Antiquitätenhandlungen nannten, und kleinen, schmierigen Restaurants, deren Spezialitäten in Wirklichkeit keine waren. Merkwürdige Gestalten drückten sich auf den zerbröckelnden Gehsteigen herum.
Ich wies mich auf der Sicherheitswache in der Lobby aus und fuhr mit dem Aufzug in den fünften Stock. Am Ende des Ganges befand sich eine Holztür ohne Namensschild. Der Standort von Richmonds FBI-Einsatzbüro war eines der bestgehüteten Geheimnisse der Stadt. Es war so unauffällig wie ein Agent in Zivilkleidung. Ein junger Mann saß hinter einem Tisch, der die Hälfte der hinteren Wand einnahm, und blickte zu mir herüber, während er telefonierte. Er verdeckte mit einer Hand die Sprechmuschel und hob die

Augenbrauen zu einem fragenden »Kann-ich-Ihnen-helfen?«. Ich erklärte, warum ich hier war, und er bot mir einen Stuhl an.
Der Vorraum war klein und ausgesprochen männlich eingerichtet. Die Polstermöbel waren aus kräftigem, blauschwarzem Leder, und auf dem Kaffeetisch stapelten sich verschiedene Sportmagazine. An den holzgetäfelten Wänden hingen wie in einer Verbrechergalerie die Fotografien von früheren FBI-Chefs, daneben Dienstmedaillen und eine Messingplatte, auf der die Namen der im Dienst gestorbenen FBI-Agenten eingraviert waren. Ab und zu öffnete sich die Eingangstür, und große, durchtrainierte Männer, die dunkelfarbige Anzüge und Sonnenbrillen trugen, gingen vorbei, ohne auch nur in meine Richtung zu blicken.
Benton Wesley benahm sich manchmal genauso preußisch streng wie der Rest von ihnen, aber im Lauf der Jahre hatte er meinen Respekt gewonnen. Hinter dem eisenharten FBI-Gehabe verbarg sich ein freundlicher und interessanter Mensch. Er wirkte energisch und tatkräftig, selbst wenn er saß, und sah immer adrett aus in seinen schwarzen Anzughosen und seinem gestärkten weißen Hemd. Seine Krawatte war modisch schmal und perfekt gebunden, das schwarze Halfter aus Korbgeflecht an seinem Gürtel sah ohne die 38er, die er niemals im Büro trug, leer und verlassen aus. Ich hatte Wesley eine ganze Weile lang nicht gesehen, aber er hatte sich nicht verändert. Er war sportlich und auf eine rauhe Art gutaussehend mit seinem vor der Zeit silbergrau gewordenem Haar, das mich bei jeder Begegnung mit ihm aufs neue überraschte.
»Tut mir leid, daß ich Sie warten ließ, Kay«, begrüßte er mich lächelnd.
Sein Händedruck war vertrauenerweckend fest, ohne im geringsten machoartig zu wirken. Manche Polizisten und

Anwälte drücken einem die Hand zusammen wie eine hydraulische Presse und brechen einem fast die Finger dabei.
»Marino ist hier«, fuhr Wesley fort. »Ich mußte noch ein paar Sachen mit ihm durchgehen, bevor wir Sie hinzuziehen konnten.«
Er hielt die Tür auf, und ich folgte ihm in einen leeren Gang. Er führte mich in ein kleines Büro und ging weiter, um Kaffee zu holen.
»Gestern nacht haben sie endlich den Computer wieder zum Laufen gekriegt«, sagte Marino. Er lehnte sich in seinem Stuhl bequem zurück und studierte interessiert einen nagelneu aussehenden 357er Revolver.
»Computer? Welchen Computer?« Hatte ich etwa meine Zigaretten vergessen? Nein. Sie waren wieder einmal ganz unten in meiner Handtasche.
»Im Hauptquartier. Er stürzt alle paar Minuten ab. Jedenfalls habe ich jetzt endlich Ausdrucke von den Anzeigen. Sehr interessant. Jedenfalls meiner Meinung nach.«
»Von Beryl?« fragte ich.
»Erraten!« Er legte die Waffe auf Wesleys Schreibtisch. »Nettes Ding. Der Glückspilz hat sie letzten Monat in Tampa beim Kongreß der Polizeichefs in der Tombola gewonnen. Ich gewinne nicht einmal zwei Dollar in der Lotterie.«
Meine Gedanken schweiften ab. Wesleys Schreibtisch war übersät mit Telefonnotizen, Berichten, Videobändern und dicken braunen Umschlägen voller Papiere und Fotos, die, wie ich annahm, zu Fällen gehörten, die ihm verschiedene Polizeidienststellen zur Durchsicht gegeben hatten. In einem Wandregal lagen hinter Glastüren ausgefallene Waffen. Ein Schwert, ein Schlagring, eine selbstgebastelte Pistole und ein afrikanischer Speer – Jagdtrophäen und Geschenke von dankbaren Schülern. Ein altmodisches Foto zeigte William Webster, wie er Wesley vor einem Hubschrauber der

Marines die Hand schüttelte. Nirgendwo fand sich der kleinste Hinweis darauf, daß Wesley eine Frau und drei Kinder hatte. FBI-Agenten schirmen, wie die meisten Polizisten, ihr Privatleben eifersüchtig vor der Außenwelt ab, ganz besonders dann, wenn sie das Böse mit all seinen Schrecken kennengelernt haben. Wesley erarbeitete hauptsächlich Persönlichkeitsprofile von Tatverdächtigen. Er sah die Fotografien von unvorstellbar grausam abgeschlachteten Opfern und verhörte danach die Täter im Zuchthaus. Er war Bestien vom Schlage eines Charles Manson und Ted Bundy Auge in Auge gegenübergesessen.
Wesley kam mit zwei Styroportassen voll Kaffee für Marino und mich zurück. Wesley vergaß nie, daß ich den Kaffee schwarz trinke und immer einen Aschenbecher in meiner Nähe brauche. Marino nahm einen dünnen Stapel von fotokopierten Polizeiberichten von seinem Schoß und blätterte darin herum.
»Zunächst einmal muß ich sagen, daß es nur drei sind. Drei Berichte, die wir archiviert haben. Der erste ist vom elften März, 9 Uhr 30 am Vormittag. Beryl Madison hatte in der Nacht zuvor den Notdienst angerufen und verlangt, daß ein Beamter zu ihr ins Haus käme, um eine Anzeige aufzunehmen. Dem Anruf wurde nur eine niedrige Dringlichkeitsstufe beigemessen, was nicht weiter verwunderlich ist, denn auf den Straßen war der Teufel los. Erst am Morgen konnte ein uniformierter Beamter bei ihr vorbeischauen, Jim Reed, seit fünf Jahren in der Abteilung.« Er schaute hoch zu mir.
Ich schüttelte den Kopf. Reed kannte ich nicht.
Marino begann, den Bericht zu überfliegen. »Reed nahm also die Anzeige auf. Beryl Madison war sehr erregt und gab zu Protokoll, sie habe am Sonntagabend um 8 Uhr 15 einen Telefonanruf erhalten, in dem jemand sie bedroht habe. Eine

Stimme, die sie als männlich und möglicherweise einem Weißen gehörend identifizierte, hatte folgendes gesagt: ›Ich schätze, du hast mich vermißt, Beryl. Aber ich passe ständig auf dich auf, auch wenn du mich nicht sehen kannst. Ich sehe dich. Du kannst zwar weglaufen, aber du kannst dich nicht verstecken.‹

Weiter steht in dem Protokoll: Der Anrufer erklärte, daß er Miss Madison beobachtet habe, wie sie vor einem Supermarkt am Morgen eine Zeitung gekauft habe. Er beschrieb genau, was sie angehabt hatte: ›Einen roten Jogging-Anzug und keinen BH.‹ Sie bestätigte, daß sie gegen zehn Uhr zu dem Supermarkt in der Rosemount Avenue gefahren sei und genau diese Sachen getragen habe. Sie hatte vor dem Supermarkt geparkt und die *Washington Post* aus einem Verkaufsautomaten genommen. Sie war nicht in den Laden gegangen und hatte auch in dieser Gegend niemanden bemerkt. Daß der Anrufer diese Einzelheiten wußte, versetzte sie in Schrecken, und sie vermutete, daß er sie verfolgt habe. Die Frage, ob sie jemals bemerkt habe, daß ihr jemand gefolgt sei, verneinte sie allerdings.«

Marino wandte sich der zweiten Seite zu, dem internen Teil des Berichts, und faßte zusammen: »Reed schreibt hier, daß Miss Madison offensichtlich nicht bereit gewesen sei, im einzelnen zu erläutern, womit ihr der Anrufer gedroht habe. Wiederholt danach befragt, äußerte sie nur, daß der Anrufer ›obszön‹ geworden sei und gemeint habe, wenn er sich vorstelle, wie sie nackt aussähe, dann wolle er sie ›töten‹. An dieser Stelle, sagte Miss Madison, habe sie aufgelegt.«

Marino legte die Fotokopie auf den Rand von Wesleys Schreibtisch.

»Was hat Officer Reed ihr geraten?« fragte ich.

»Das Übliche«, sagte Marino. »Er riet ihr, sich Aufzeichnungen zu machen. Wenn sie wieder einen Anruf erhielte, solle sie Datum, Uhrzeit und den Inhalt des Gesprächs aufschreiben. Er empfahl ihr auch, ihre Türen abzuschließen, die Fenster geschlossen zu halten und vielleicht eine Alarmanlage einbauen zu lassen. Und wenn ihr irgendwelche Autos verdächtig vorkämen, solle sie die Nummer notieren und die Polizei verständigen.«

Ich dachte daran, was Mark mir über sein Mittagessen mit Beryl im vergangenen Februar erzählt hatte. »Hat sie eigentlich gesagt, daß diese Drohung, die sie am elften März zu Protokoll gegeben hat, die erste gewesen sei, die sie erhalten habe?«

Jetzt antwortete Wesley, während er sich den Bericht angelte: »Anscheinend nicht.« Er blätterte um. »Wie Reed hier schreibt, hat sie erklärt, sie habe seit Anfang des Jahres belästigende Anrufe bekommen, die Polizei aber erst jetzt davon in Kenntnis gesetzt. Es scheint so, daß die früheren Anrufe weniger häufig und auch nicht so eindeutig gewesen waren wie der, den sie an diesem Sonntagabend, dem zehnten März, erhielt.«

»War sie sicher, daß die früheren Anrufe von demselben Mann stammten?« fragte ich Marino.

»Sie sagte Reed, daß die Stimme gleich geklungen habe«, antwortete er. »Es war die eines Weißen, leise und artikuliert. Die Stimme gehörte niemandem aus ihrem Bekanntenkreis, wenigstens behauptete sie das.«

Marino nahm den zweiten Bericht in die Hand und fuhr fort: »Beryl rief Officer Reed am Dienstagabend um 7 Uhr 18 über seinen Piepser an. Sie sagte, sie müsse ihn sehen, und er kam weniger als eine Stunde später zu ihr ins Haus, kurz nach acht also. Wieder war sie, diesem Bericht zufolge, völlig durcheinander. Sie sagte, sie habe einen weiteren Drohanruf erhalten und sofort danach die Nummer von Reeds Piepser angerufen. Es war derselbe Mann, dieselbe Stimme wie das

letzte Mal. Und der Inhalt war auch ähnlich wie bei dem Anruf am zehnten März.«
Marino zitierte wörtlich aus dem Bericht: »›Ich weiß, daß du mich vermißt hast, Beryl. Ich werde bald zu dir kommen. Ich weiß, wo du wohnst, ich weiß alles über dich. Du kannst weglaufen, aber du kannst dich nicht vor mir verstecken.‹ Dann sagte er noch, er wisse genau, daß sie ein neues Auto fahre, einen schwarzen Honda, und daß er letzte Nacht, als sie es in der Auffahrt abgestellt habe, die Antenne abgebrochen habe. In der Anzeige ist festgehalten, daß ihr Auto wirklich in dieser Nacht in der Auffahrt geparkt war, und als sie an diesem Dienstagmorgen das Haus verließ, hatte sie die abgebrochene Antenne bemerkt. Sie befand sich noch am Wagen, war aber so stark nach hinten abgeknickt, daß sie unbrauchbar war. Der Officer ging nach draußen, sah sich den Wagen an und fand die Antenne in genau dem in der Anzeige beschriebenen Zustand.«
»Was hat Officer Reed unternommen?« fragte ich.
Marino schlug die zweite Seite auf und sagte: »Er riet ihr, von nun an den Wagen in die Garage zu stellen. Sie entgegnete, daß sie die Garage nie benütze, weil sie vorhabe, sie in ein Büro umzuwandeln. Dann schlug er vor, sie solle die Nachbarn bitten, auf fremde Fahrzeuge in der Nähe ihres Hauses oder auf Personen, die ihr Grundstück betraten, zu achten. Er schreibt in diesem Bericht auch, daß sie ihn gefragt habe, ob sie sich eine Handfeuerwaffe zulegen solle.«
»Ist das alles?« fragte ich. »Was ist mit den Aufzeichnungen, die zu führen Reed ihr geraten hatte? Steht über die irgend etwas in dem Bericht?«
»Nein. Reed notierte im internen Teil des Berichts: ›Die Reaktion der Klägerin auf die abgebrochene Antenne erschien übertrieben. Sie erregte sich außerordentlich und beschimpfte den aufnehmenden Beamten.‹« Marino schau-

te auf. »Das heißt im Klartext, Reed hat ihr nicht geglaubt. Vielleicht hat sie die Antenne selbst abgebrochen und sich die Geschichte mit den Drohanrufen aus den Fingern gesogen.«

»O Gott«, murmelte ich angeekelt.

»Hey. Wissen Sie eigentlich, wie viele Knallköpfe regelmäßig mit so einer Scheiße daherkommen? Dauernd rufen irgendwelche Frauen an, die Schnitte oder Kratzer haben und behaupten, sie seien vergewaltigt worden. Manche von ihnen haben sich die Geschichte einfach ausgedacht. Die haben eine Schraube locker und wollen, daß man sich um sie kümmert . . .«

Ich wußte alles über eingebildete Krankheiten und Verletzungen, über fantastische Lügengeschichten, Milieustörungen und Psychosen, die Menschen dazu bringen, dem eigenen Körper schreckliche Krankheiten und Verletzungen zu wünschen und sogar zuzufügen. Ich brauchte keine Belehrungen von Marino.

»Weiter«, drängte ich, »was geschah dann?«

Er legte den zweiten Bericht auf Wesleys Tisch und nahm den dritten zur Hand: »Beryl rief Reed wieder an, diesmal am ersten Juni, einem Samstag, um Viertel nach elf am Vormittag. Er kam um vier Uhr nachmittags desselben Tages zu ihr und traf die Klägerin in einer verstörten und feindseligen Stimmung an . . .«

»Das kann ich mir vorstellen«, sagte ich trocken, »sie hat fünf verdammte Stunden auf ihn gewartet.«

»Miss Madison –«, Marino ignorierte mich und las Wort für Wort vor, »– erklärte, sie habe um elf Uhr vormittags von demselben Mann einen Anruf erhalten mit folgendem Wortlaut: ›Vermißt du mich immer noch? Bald, Beryl, bald. Ich war in der vergangenen Nacht bei dir. Du warst nicht zu Hause. Bleichst du deine Haare? Ich hoffe nicht.‹ An dieser

Stelle, sagte Miss Madison, die blond ist, habe sie versucht, mit ihm zu reden. Sie flehte ihn an, sie in Ruhe zu lassen, fragte ihn, wer er sei und warum er ihr das antue. Sie sagte, er habe nicht geantwortet und aufgelegt. Sie bestätigte, daß sie in der vergangenen Nacht, in der der Anrufer bei ihrem Haus gewesen sein wollte, ausgegangen war. Auf die Frage des Officers, wo sie gewesen sei, wich sie aus und erklärte lediglich, sie sei nicht in der Stadt gewesen.«

»Und was tat Officer Reed dieses Mal, um einer Dame in Not zu helfen?« fragte ich.

Marino lächelte mild. »Er riet ihr, sich einen Hund anzuschaffen, und sie meinte, daß sie auf Hunde allergisch reagiere.«

Wesley öffnete einen Aktendeckel. »Kay, Sie sehen das im Rückblick, im Licht eines schrecklichen Verbrechens, das bereits begangen wurde. Aber Reed mußte die Sache vom anderen Ende her beurteilen. Betrachten Sie das Ganze einmal von seiner Warte. Da ist diese junge Frau, die allein lebt. Sie wird hysterisch. Reed tut alles für sie, was er nur kann – gibt ihr sogar die Nummer seines Piepsers. Er meldet sich prompt, zumindest beim ersten Mal. Aber sie weicht seinen gezielten Fragen aus. Außerdem hat sie keine Beweise. Jeder Officer wäre da skeptisch geworden.«

»Ich an seiner Stelle«, pflichtete Marino bei, »hätte mir auch gedacht, daß die Frau einfach einsam war. Daß sie beachtet werden und das Gefühl haben wollte, daß sich jemand um sie kümmert. Oder daß irgendein Kerl sie sitzengelassen hat und das ganze Theater der Auftakt zu einem Rachefeldzug gegen ihn war.«

»Richtig!« entfuhr es mir, bevor ich mich noch zurückhalten konnte. »Und wenn ihr Ehemann oder ihr Freund gedroht hätte, sie zu töten, hätten Sie auch nichts anderes gedacht. Und Beryl wäre ganz genauso gestorben.«

»Vielleicht«, sagte Marino gereizt. »Aber wenn es ihr Ehemann gewesen wäre – vorausgesetzt, sie hätte einen gehabt –, dann hätte ich wenigstens einen gottverdammten Verdächtigen, und der Richter könnte einen gottverdammten Haftbefehl für den Penner erlassen.«

»Haftbefehle sind das Papier nicht wert, auf dem sie gedruckt sind«, gab ich zurück. Mein Ärger brachte mich an die Grenzen meiner Selbstkontrolle. Es verging nicht ein Jahr, in dem ich nicht ein halbes Dutzend Frauen obduzieren mußte, die von Ehemännern oder Freunden, gegen die ein Richter einen Haftbefehl erlassen hatte, auf brutalste Weise getötet worden waren.

Nach einer langen Pause fragte ich Wesley: »Hat Reed eigentlich nie vorgeschlagen, ihr Telefon zu überwachen?«

»Das hätte nichts genützt«, antwortete er, »Telefone anzuzapfen oder Fangschaltungen zu legen ist nicht einfach. Die Telefongesellschaft verlangt eine lange Liste von Anrufen und stichfeste Beweise, daß die Belästigung wirklich stattgefunden hat.«

»Hatte sie denn keine stichhaltigen Beweise?«

Wesley schüttelte langsam den Kopf. »Dazu wären mehr Anrufe nötig gewesen, als sie erhalten hat, Kay. Eine ganze Menge mehr. Und sie hätten mit einer gewissen Regelmäßigkeit erfolgen müssen, eindeutig belegt. Ohne all das können Sie eine Fangschaltung vergessen.«

»Wie es scheint«, fügte Marino an, »hat Beryl nur einen oder zwei dieser Anrufe im Monat bekommen. Und sie hat die verflixten Aufzeichnungen, die Reed ihr ans Herz gelegt hatte, nicht geführt. Wenigstens haben wir sie bisher noch nicht gefunden. Anscheinend hat sie auch keinen der Anrufe auf Tonband aufgenommen.«

»Großer Gott«, sagte ich, »da bedroht dich jemand mit dem

Tod, und du brauchst einen verdammten Kongreßbeschluß, damit das irgend jemand ernst nimmt.«
Wesley antwortete nicht.
Marino schnaubte verächtlich. »Das ist doch dasselbe wie bei Ihnen, Doc. Da gibt es ja auch keine vorbeugende Medizin. Wir sind auch nichts anderes als eine verdammte Putzkolonne, die nach einem Verbrechen aufräumen muß. Solange nicht knallharte Beweise vorliegen, wie zum Beispiel eine Leiche, sind uns die Hände gebunden.«
»Beryls Benehmen hätte eigentlich Beweis genug sein müssen«, antwortete ich. »Schauen Sie sich doch nur diese Berichte an. Sie hat alles getan, was Officer Reed ihr vorgeschlagen hat. Er sagte, sie solle sich eine Alarmanlage einbauen lassen, und sie hat es getan. Er sagte, sie solle den Wagen in der Garage parken, und sie hat es ebenfalls getan, obwohl sie die Garage in ein Büro umwandeln wollte. Sie hat sich von ihm wegen einer Handfeuerwaffe beraten lassen, ist losgegangen und hat sich eine gekauft. Und jedesmal telefonierte sie mit Reed, sofort nachdem der Mörder sie angerufen hatte. Sie hat also nicht Stunden oder Tage gewartet und dann erst die Polizei verständigt.«
Wesley breitete Papiere auf seinem Schreibtisch aus. Fotokopien von Beryls Briefen aus Key West, den Bericht und die Skizzen vom Tatort und eine Serie von Polaroidbildern, die den Hof und die Innenräume ihres Hauses und schließlich ihre Leiche in dem Zimmer im ersten Stock zeigten. Er studierte alles schweigend und mit hartem Gesichtsausdruck. Es war das Signal fortzufahren. Wir hatten uns lange genug gegenseitig Vorwürfe gemacht. Was die Polizei getan oder unterlassen hatte, war nicht mehr wichtig. Jetzt galt es, den Mörder zu finden.
»Was mir Kopfzerbrechen bereitet«, begann Wesley, »sind einige Widersprüche im Obduktionsbefund. Die Drohanru-

fe, die sie bekam, deuten darauf hin, daß der Täter vermutlich ein Psychopath ist. Jemand, der Beryl monatelang nachgeschlichen ist und sie bedroht hat, jemand, der sie nur aus der Ferne gekannt zu haben scheint. Ganz ohne Zweifel zog er die meiste Befriedigung aus seinen Fantasien, aus der Phase vor dem eigentlichen Verbrechen. Vielleicht hat er nur deshalb endgültig zugeschlagen, weil sie ihn durch ihre Flucht aus der Stadt frustriert hatte. Vielleicht fürchtete er, daß sie für immer wegziehen könnte, und hat sie deshalb ermordet, sobald sie zurück war.«

»Er hat sich von ihr total verarscht gefühlt«, warf Marino ein.

Wesley blickte auf die Fotos und fuhr fort: »Hier wiederum sehe ich eine sehr starke Wut, und genau da beginnen die Ungereimtheiten. Diese Wut richtete sich anscheinend direkt gegen sie. Ganz besonders fällt das bei den Verstümmelungen in ihrem Gesicht auf.« Er klopfte mit dem Zeigefinger auf eines der Fotos. »Das Gesicht steht für die Person. Beim typischen sadistischen Sexualmord bleibt das Gesicht des Opfers fast immer unversehrt. Das Opfer ist bei diesen Morden ein Symbol, keine individuelle Person. Es hat für den Täter kein Gesicht, weil es für ihn ein Niemand ist. Wenn er etwas verstümmelt, dann die Brüste oder die Genitalien . . .« Er zögerte, einen irritierten Zug um die Augen. »Bei Beryls Ermordung spielen persönliche Motive eine Rolle. Das zerfetzte Gesicht und die vielen Stichwunden, von denen schon eine tödlich gewesen wäre, deuten darauf hin, daß ihr Mörder sie gekannt hat, vielleicht sogar gut. Es muß jemand gewesen sein, den eine persönliche, starke Besessenheit mit ihr verband. Aber zu diesem Täterbild paßt nicht, daß er sie aus der Ferne belauert haben und ihr heimlich gefolgt sein soll. Darin zeigt sich mehr das Verhalten eines Mörders, der eine Fremde tötet.«

Marino spielte wieder mit Wesleys 357er Tombolagewinn herum. Er ließ die Trommel rotieren und sagte: »Wollen Sie meine Meinung dazu hören? Ich glaube, die Ratte bildet sich ein, Gott zu sein. Solange man sich an seine Spielregeln hält, haut er einem keins über die Rübe. Beryl hat die Regeln verletzt, indem sie die Stadt verlassen und vor ihrem Haus ein ›Zu-verkaufen‹-Schild aufgestellt hat. Damit war der Spaß für ihn vorbei. Sie hat gegen die Regeln verstoßen, also mußte sie bestraft werden.«
»Was für ein Bild machen Sie sich von ihm?« fragte ich Wesley.
»Weißer, Mittzwanziger bis Mittdreißiger. Intelligent, aus einer kaputten Familie, in der es keine Vaterfigur für ihn gab. Vielleicht wurde er auch als Kind mißbraucht, körperlich oder seelisch oder beides. Er ist ein Einzelgänger. Das bedeutet jedoch nicht, daß er auch allein lebt. Er könnte verheiratet sein, denn er kann sich geschickt hinter einer bürgerlichen Fassade verbergen. Er führt ein Doppelleben. Eines, das für die Augen der Welt bestimmt ist, und ein zweites mit einer dunkleren Seite. Er ist obsessiv-kompulsiv und ein Voyeur.«
»Stimmt!« murmelte Marino sarkastisch. »Das trifft für die Hälfte aller Penner zu, mit denen ich es zu tun habe.«
Wesley zuckte mit den Achseln. »Vielleicht sind das auch Schüsse in den Ofen, Pete. Ich bin mir über die Geschichte noch nicht völlig im klaren. Er könnte auch ein ewiger Verlierer sein, der noch zu Hause bei seiner Mutter lebt. Vielleicht ist er auch vorbestraft, war im Irrenhaus oder im Gefängnis. Zum Teufel, möglicherweise arbeitet er auch in einer großen Firma in der Innenstadt und hat keinerlei kriminelle oder psychiatrische Vorgeschichte. Es sieht so aus, als habe er Beryl hauptsächlich abends angerufen. Nur einmal hat er, soweit wir wissen, untertags angerufen, und

das war an einem Samstag. Sie arbeitete zu Hause und verbrachte die meiste Zeit dort. Er rief sie an, wenn es für ihn am einfachsten war, und nicht dann, wenn die Wahrscheinlichkeit, sie zu erreichen, am größten schien. Ich bin fast geneigt anzunehmen, daß er in einem ganz normalen Job von neun bis um fünf arbeitet und am Wochenende frei hat.«

»Es sei denn, er hat sie von seiner Arbeit aus angerufen«, sagte Marino.

»Die Möglichkeit besteht natürlich immer«, gab Wesley zu.

»Wie ist das mit seinem Alter?« frage ich. »Meinen Sie nicht, daß er möglicherweise älter sein könnte, als Sie ihn schätzen?«

»Es wäre ungewöhnlich«, sagte Wesley, »aber möglich ist alles.«

Ich trank meinen Kaffee, der mittlerweile kalt geworden war, und berichtete ihnen schließlich, was mir Mark über Beryls Vertragsquerelen und ihre rätselhafte Beziehung zu Cary Harper erzählt hatte. Als ich geendet hatte, schauten mich Wesley und Marino neugierig an. Erstens klang dieser überraschende nächtliche Besuch eines Chicagoer Anwalts ein wenig merkwürdig. Und zweitens hatte ich ihre Überlegungen aus der Bahn geworfen. Der Gedanke, daß Beryls Ermordung tatsächlich ein Motiv zugrunde liegen könnte, war den beiden wahrscheinlich bisher nicht gekommen, genausowenig wie er mir vor dem Gespräch gestern nacht gekommen wäre. Bei den meisten Sexualverbrechen fehlt ein eindeutiges Motiv im klassischen Sinn. Die Täter begehen das Verbrechen, weil sie es genießen und die Gelegenheit gerade günstig ist.

»Ein Kumpel von mir ist Polizist in Williamsburg«, sagte Marino. »Er hat mir einmal erzählt, daß Harper eine echte Ratte ist, ein Eigenbrötler. Fährt herum in einem alten Rolls-

Royce und spricht mit niemandem. Lebt in dem großen Herrenhaus am Fluß, in das er keinen hineinläßt. Und der Kerl ist *alt*, Doc.«

»So alt nun auch wieder nicht«, widersprach ich, »vielleicht Mitte fünfzig. Aber es stimmt, er lebt zurückgezogen. Ich glaube, zusammen mit seiner Schwester.«

»Es scheint ein bißchen weit hergeholt«, sagte Wesley, »aber schauen Sie doch einmal, wie weit Sie der Sache nachgehen können, Pete. Vielleicht hat Harper wenigstens eine Idee, wer dieser ›M‹ sein könnte, dem Beryl geschrieben hat. Offensichtlich ist es jemand, den sie gut gekannt hat, ein Freund oder ein Liebhaber. Irgend jemand da draußen muß doch wissen, wer er ist. Wenn wir das herausfinden, sind wir schon ein Stück weiter.«

Marino gefiel das nicht. »Ich weiß, wovon ich rede«, beharrte er. »Dieser Harper wird nicht freiwillig mit mir sprechen, und ich habe nicht genügend in der Hand, um ihn dazu zu zwingen. Ich glaube auch nicht, daß er Beryl umgebracht hat, auch wenn er vielleicht ein Motiv dafür hätte. Ich meine, er hätte sie einfach abgemurkst und damit basta. Wozu die Geschichte sechs, sieben Monate in die Länge ziehen? Außerdem hätte sie seine Stimme erkannt, wenn er der Anrufer gewesen wäre.«

»Harper hätte jemanden damit beauftragen können«, sagte Wesley.

»Gut. Und wir hätten sie dann eine Woche später mit einer schönen, sauberen Schußwunde im Hinterkopf gefunden«, antwortete Marino. »Professionelle Killer schleichen nicht wochenlang um ihre Opfer herum, bedrohen sie nicht, benützen kein Messer zum Töten. Außerdem vergewaltigen sie ihre Opfer normalerweise nicht.«

»Die meisten von ihnen tun das nicht«, bestätigte Wesley, »aber wir sind nicht sicher, ob überhaupt eine Vergewaltigung stattgefunden hat. Wir haben keine Samenflüssigkeit gefunden.«

Er schaute zu mir herüber, und ich nickte zustimmend. »Vielleicht war der Kerl funktionsgestört. Andererseits legte er ihren Körper vielleicht so hin, daß wir ein Sexualdelikt vermuten mußten. Wenn wirklich jemand für dieses Verbrechen angeheuert wurde, kommt es darauf an, um wen es sich dabei handelte und welchen Plan er ausführen sollte. Wenn Beryl zum Beispiel zu einer Zeit erschossen aufgefunden worden wäre, in der sie sich mitten in einem Streit mit Harper befand, hätte ihn die Polizei ganz oben auf ihre Verdachtsliste gesetzt. Wenn aber ihr Tod wie das Werk eines sexuellen Sadisten aussieht, denkt niemand an Harper.«

Marino starrte unbewegt auf das Regal im Hintergrund. Sein fleischiges Gesicht war gerötet. Langsam und beunruhigend blickte er zu mir herüber und fragte: »Was wissen Sie sonst noch über das Buch, an dem sie schrieb?«

»Nur das, was ich schon erzählt habe. Es war autobiographisch, und wahrscheinlich bedrohte es Harpers guten Ruf«, antwortete ich.

»Hat sie daran dort unten in Key West gearbeitet?«

»Das nehme ich an. Ich bin mir allerdings nicht sicher«, gestand ich.

Er zögerte. »Nun, es tut mir leid, das sagen zu müssen, aber wir haben nichts dergleichen in ihrem Haus gefunden.«

Sogar Wesley war erstaunt. »Und das Manuskript in ihrem Schlafzimmer?«

»Ach das.« Marino griff nach seinen Zigaretten. »Ich habe kurz hineingeschaut. Es ist so eine Bürgerkriegsromanze mit viel Herz und Schmerz. Ganz bestimmt nicht das, wovon Doc Scarpetta gesprochen hat.«

»Hat es einen Titel oder steht ein Datum drauf?« fragte ich.
»Nein. Es scheint nicht einmal vollständig zu sein. Es war nicht dicker als so –«, Marino zeigte zwischen Daumen und Zeigefinger einen Spalt von etwa zweieinhalb Zentimetern. »An den Rändern seiner Seiten waren jede Menge handschriftliche Änderungen notiert, und etwa zehn Seiten waren ganz mit der Hand geschrieben.«
»Wir sollten alle ihre Papiere und ihre Computerdisketten noch einmal gründlich durchgehen, ob sich nicht doch irgendwo dieses autobiographische Manuskript findet«, forderte Wesley.
»Außerdem müssen wir herausfinden, ob sie einen Literaturagenten hatte und wer ihr Verleger war. Vielleicht hat sie jemandem das Manuskript geschickt, bevor sie Key West verließ. Wir sollten abklären, ob sie das Ding mit zurück nach Richmond genommen hat. Wenn sie es mit hierher gebracht hat und es jetzt verschwunden ist, haben wir einen wichtigen Hinweis, um nicht mehr zu sagen.«
Wesley blickte auf seine Uhr. Er schob seinen Stuhl zurück und meinte dann entschuldigend: »In fünf Minuten habe ich eine andere Verabredung.« Er führte uns hinaus in die Lobby.
Ich konnte Marino einfach nicht loswerden. Er bestand darauf, mit mir zu meinem Auto zu gehen.
»Man muß immer die Augen offenhalten.« Er war schon wieder mitten in einer seiner »Überleben-in-der-Großstadt«-Predigten, wie er sie mir in der Vergangenheit schon hundertmal gehalten hatte. »Viele Frauen vergessen das immer wieder. Ich sehe sie ständig herumlaufen, ohne die leiseste Ahnung, daß sie gerade jemand anstarrt oder ihnen vielleicht schon folgt. Und wenn Sie bei Ih-

rem Auto sind, dann halten Sie Ihren verdammten Schlüssel bereit und schauen *unter* den Wagen, okay? Erstaunlich, wie wenig Frauen auch daran nicht denken. Wenn Sie dann fahren und bemerken, daß Ihnen jemand folgt, was tun Sie dann?«

Ich ignorierte ihn.

»Fahren Sie zur nächsten Feuerwehrwache, okay? Warum das? Weil dort immer jemand ist. Sogar an Weihnachten morgens um zwei. Also, immer zur Feuerwehr.«

Ich wartete auf eine Lücke im Verkehr und suchte unterdessen nach meinem Autoschlüssel. Als ich über die Straße blickte, sah ich ein verdächtiges weißes Rechteck unter dem Scheibenwischer meines Dienstwagens. Hatte ich schon wieder nicht genügend Geld in die Parkuhr geworfen? Verdammt.

»Üble Typen sind überall«, dozierte Marino weiter. »Wenn Sie auf dem Nachhauseweg sind oder gerade einkaufen gehen, müssen Sie sich angewöhnen, auf sie zu achten.«

Ich warf ihm einen meiner bösen Blicke zu und lief über die Straße.

»Hey«, sagte er, als wir bei meinem Auto waren, »seien Sie doch nicht sauer auf mich. Sie sollten froh sein, daß ich über Ihnen schwebe wie ein Schutzengel.«

Dic Parkuhr war vor genau einer Viertelstunde abgelaufen. Ich riß den Strafzettel von meiner Windschutzscheibe, faltete ihn zusammen und stopfte ihn Marino in seine Hemdtasche.

»Wenn Sie zurück zur Polizeizentrale schweben«, erwiderte ich, »dann kümmern Sie sich doch bitte um das hier.«

Er grollte vor sich hin, und ich fuhr los.

## 3

Zehn Blocks weiter hielt ich wieder an einer Parkuhr und warf meine letzten beiden Vierteldollarmünzen hinein. Ich stellte immer ein rotes MEDICAL-EXAMINER-Schild gut sichtbar auf das Armaturenbrett meines Dienstwagens, aber die Verkehrspolizisten kümmerten sich nicht darum. Vor ein paar Monaten hatte doch tatsächlich einer von ihnen die Frechheit besessen, mich aufzuschreiben, während ich in der Innenstadt an einem Mordtatort arbeitete, zu dem mich die Polizei mitten am Tag gerufen hatte.

Ich eilte ein paar Betonstufen hinauf und betrat durch eine Glastür die Hauptstelle der Stadtbücherei. Auf hölzernen Tischen stapelten sich Bücher, und Leute gingen geräuschlos herum. Die Ruhe in diesen Räumen rief in mir dasselbe Gefühl der Ehrfurcht hervor wie in meinen Kindertagen. Ich fand eine Reihe von Mikrofiche-Lesegeräten und schrieb mir dort die Titel der Bücher, die Beryl Madison unter ihren verschiedenen Pseudonymen veröffentlicht hatte, aus dem Katalog heraus. Ihr neuestes Werk, einen historischen Roman, der zur Zeit des Bürgerkriegs spielte, hatte sie unter dem Namen Edith Montague verfaßt. Er war vor eineinhalb Jahren erschienen. Vermutlich ein belangloses Buch, dachte ich, und außerdem hatte Mark recht. Innerhalb der letzten zehn Jahre hatte Beryl sechs Romane veröffentlicht. Mir war kein einziger davon bekannt.

Als nächstes suchte ich unter den Zeitschriften. Nichts. Beryl hatte wohl ausschließlich Bücher geschrieben. Anscheinend hatte sie in Magazinen weder etwas veröffentlicht, noch war jemals ein Interview darin erschienen. Vielleicht erwiesen sich Zeitungsausschnitte als ergiebiger. In der *Richmond Times* waren im Lauf der letzten Jahre ein paar Buchbesprechungen erschienen. Aber sie waren nutzlos, denn die Autorin war

darin unter ihren Pseudonymen aufgeführt, Beryls Mörder hingegen hatte sie unter ihrem richtigen Namen gekannt.
Eine mikroverfilmte Seite nach der anderen flimmerte in unscharfen, weißen Buchstaben vor mir über den Bildschirm. »Maberly«, »Macon« und schließlich »Madison«. In der *Times* vom November vergangenen Jahres fand ich eine kurze Meldung über Beryl:

**AUTORENVORTRAG**

Die Romanautorin Beryl Stratton Madison wird am Mittwoch im Jefferson Hotel an der Ecke von Main und Adams Street vor den »Töchtern der Amerikanischen Revolution« einen Vortrag halten. Miss Madison, eine Schülerin des Pulitzerpreis-Gewinners Cary Harper, wurde durch ihre historischen Romane über die Amerikanische Revolution und den Bügerkrieg bekannt. Sie spricht zum Thema: »Die Legende als Vehikel historischer Wahrheit«.

Ich notierte ein paar Stichpunkte und suchte mir dann aus den Regalen einige von Beryls Büchern heraus, um sie mir anzusehen. Als ich wieder im Büro war, erledigte ich eine Menge Schreibarbeit, doch meine Aufmerksamkeit wanderte ständig hinüber zum Telefon. *Das geht dich doch nichts an.* Ich wußte sehr wohl, wo mein Aufgabenbereich aufhörte und der der Polizei begann.
Draußen im Gang öffneten sich die Türen des Aufzugs, und Leute vom Reinigungspersonal unterhielten sich lautstark auf ihrem Weg zur Besenkammer ein paar Türen weiter. Sie kamen immer gegen 6 Uhr 30. Ich war mir ziemlich sicher, daß ich Mrs. J. R. McTigue, über die man laut Zeitung

damals die Karten hatte vorbestellen können, sowieso nicht erreichen würde. Die Nummer, die ich mir notiert hatte, war vermutlich die Geschäftsnummer der »Töchter der Amerikanischen Revolution«, die nach fünf bestimmt nicht mehr besetzt sein würde.
Schon nach dem zweiten Läuten hob jemand ab.
Nach einer kurzen Pause fragte ich: »Spreche ich mit Mrs. J. R. McTigue?«
»Ja, ich bin Mrs. McTigue, warum?«
Es war zu spät. Es gab keine andere Möglichkeit, jetzt mußte ich direkt sein. »Mrs. McTigue, mein Name ist Dr. Scarpetta . . .«
»Doktor *wer*?«
»Scarpetta«, wiederholte ich. »Ich bin Medical Examiner und untersuche den Tod von Beryl Madison . . .«
»Ach, du meine Güte. Ja, ich habe darüber gelesen. Wie schrecklich! Sie war eine so liebenswerte junge Frau. Ich konnte es einfach nicht glauben, als ich hörte –«
»Soviel ich weiß, hat sie auf dem Treffen der ›Töchter der Amerikanischen Revolution‹ im November gesprochen«, sagte ich.
»Wir waren so begeistert, daß sie zu uns kommen wollte, denn normalerweise machte sie so etwas nicht.«
Mrs. McTigue klang wie eine ältere Dame, und ich hatte bereits das Gefühl, umsonst angerufen zu haben. Aber dann überraschte sie mich.
»Wissen Sie, Beryl hat uns damit einen Gefallen getan. Nur aus diesem Grund konnte die ganze Sache überhaupt stattfinden. Mein verstorbener Mann war ein Freund von Cary Harper, dem Schriftsteller. Sicher haben Sie schon von ihm gehört. Eigentlich hat ja Joe das Ganze organisiert. Er wußte, wieviel es mir bedeutete. Ich habe Beryls Bücher schon seit jeher geliebt.«

»Wo wohnen Sie, Mrs. McTigue?«
»In den Gardens.«
Chamberlayne Gardens war ein Altersheim, nicht weit von der Innenstadt entfernt. Von meinem Beruf her war es mir in finsterer Erinnerung, denn im Laufe der letzten paar Jahre hatte ich einige Todesfälle in den Gardens zu untersuchen gehabt, ebenso wie in buchstäblich allen anderen Alters- und Pflegeheimen der Stadt.
»Könnte ich vielleicht auf meinem Nachhauseweg für ein paar Minuten bei Ihnen vorbeischauen?« fragte ich. »Wäre das möglich?«
»Ich glaube schon. Warum nicht? Das ließe sich machen. Wie heißen Sie gleich noch mal, Dr. . . .?«
Ich wiederholte langsam meinen Namen.
»Ich wohne im Appartement Nummer 378. Gehen Sie in die Eingangshalle und nehmen Sie den Aufzug in den dritten Stock.«

Seit ich wußte, wo sie wohnte, wußte ich auch schon eine Menge über Mrs. McTigue. Chamberlayne Gardens betreute die alten Menschen, die ohne Sozialhilfe leben konnten. Die Kautionen für die Appartements waren beträchtlich, und die monatlichen Mieten höher als anderer Leute Hypothekenzinsen. Die Gardens waren, wie andere, ähnliche Institutionen, ein goldener Käfig. So schön sie auch sein mochten, eigentlich wohnte niemand wirklich gerne in ihnen.
Das hohe, moderne Gebäude lag am westlichen Rand der Innenstadt und sah aus wie eine bedrückende Mischung aus Hotel und Krankenhaus. Ich stellte mein Auto auf dem Besucherparkplatz ab und ging zu dem hell erleuchteten Hauptportal. In der Eingangshalle glänzten dem amerikanischen Kolonialstil nachempfundene Möbel, auf denen

großartige Seidenblumenarrangements in schweren Vasen aus geschnittenem Bleikristall standen. Auf dem roten Teppichboden lagen maschinengeknüpfte Orientläufer, und an der Decke hing ein Messingleuchter. Ein alter Mann mit einem Spazierstock in der Hand saß steif auf einem Sofa in der Ecke, seine Augen starrten unter dem Rand einer englischen Tweedkappe ins Leere. Eine altersschwache Frau schleppte sich am Arm eines Pflegers durch die Halle.
Der junge Mann, der gelangweilt hinter der Topfpflanze auf dem Empfangstisch hervorsah, schenkte mir keinerlei Beachtung, als ich zum Aufzug ging. Die Türen öffneten sich und brauchten eine Ewigkeit, bis sie sich wieder schlossen, wie es überall dort üblich ist, wo Leute wohnen, die sich nur langsam fortbewegen können. Allein fuhr ich drei Stockwerke hinauf und starrte geistesabwesend auf die Anschläge, die mit Klebeband an den hölzernen Innenwänden befestigt waren. Sie luden zu Ausflügen zu den Museen und Herrenhäusern der Umgebung ein, machten auf Bridge-Klubs, Kunst- und Handwerkskurse aufmerksam und riefen zu einer Wollsachensammlung für das Jüdische Gemeindezentrum auf. Viele der Anschläge waren veraltet. Seniorenheime mit Namen wie »Sunnyland«, »Sheltering Pines« oder »Chamberlayne Gardens«, die allesamt an Friedhöfe erinnerten, weckten immer ein ungutes Gefühl in mir. Ich wußte nicht, was ich tun würde, wenn meine Mutter nicht mehr für sich sorgen könnte. Bei meinem letzten Anruf hatte sie etwas von einem künstlichen Hüftgelenk gesagt.
Mrs. McTigues Appartement lag etwa in der Mitte des linken Ganges. Ich klopfte, und eine runzelige Frau mit spärlichem, in kleine Locken gedrehtem Haar, das vergilbt aussah wie altes Papier, öffnete mir prompt. Ihr Gesicht war mit Rouge betupft, und sie hatte sich in einen viel zu großen, weißen Strickpullover gehüllt. Der Duft von Rosenwasser

und der Geruch von überbackenem Käse zogen in meine Nase.
»Ich bin Kay Scarpetta«, stellte ich mich vor.
»Wie nett, daß Sie gekommen sind«, erwiderte sie und gab mir einen leichten Klaps auf meine hingehaltene Hand. »Wollen Sie Tee oder etwas Stärkeres? Ich habe alles, was Sie wollen. Ich trinke Portwein.«
Währenddessen hatte sie mich in ihr kleines Wohnzimmer geführt und mir einen Lehnsessel angeboten. Sie schaltete den Fernseher aus und knipste eine weitere Lampe an. Das Wohnzimmer war in etwa so überwältigend wie das Bühnenbild von *Aida*. Jedes Fleckchen auf dem verblichenen Perserteppich war mit schweren Mahagonimöbeln vollgestellt. Stühle, Beistelltische und ein Tisch mit Kuriositäten standen vor überquellenden Bücher- und Eckschränken, die mit feinem Porzellan und langstieligen Gläsern vollgestopft waren. An den Wänden hingen dunkle Gemälde, Klingelschnüre und mit Bleistift abgepauste Bilder von Messinggrabplatten eng nebeneinander.
Sie kam mit einem kleinen Silbertablett zurück, auf dem neben einem kleinen Teller mit selbstgebackenen Käsebiskuits eine Karaffe voll Portwein und zwei der langstieligen Gläser standen. Sie schenkte ein und reichte mir den Teller und eine alte, aber frisch gebügelte Leinenserviette mit Spitzenborte. Das Ganze stellte ein Ritual dar und dauerte ziemlich lange. Schließlich setzte sie sich auf das verschlissene Ende eines Sofas, wo sie vermutlich den Großteil des Tages mit Lesen und Fernsehen verbrachte. Sie genoß es offensichtlich, Gesellschaft zu haben, auch wenn der Anlaß dazu nicht allzu erfreulich war. Ich fragte mich, ob sie wohl jemals Besuch bekam, und wenn, dann von wem.
»Wie ich Ihnen bereits gesagt habe, untersuche ich als Medical Examiner den Tod von Beryl Madison«, bemerkte ich.

»Bisher wissen wir noch viel zu wenig über sie und die Leute, die sie gekannt haben.«
Mrs. McTigue trank mit ausdruckslosem Gesicht ihren Portwein. Ich hatte mich durch meinen ständigen Umgang mit Polizei und Rechtsanwälten schon so daran gewöhnt, sofort zur Sache zu kommen, daß ich bisweilen vergaß, daß man dem Rest der Menschheit manchmal Honig ums Maul schmieren mußte. Das Biskuit war butterzart und wirklich gut. Ich sagte ihr das.
»Oh, vielen Dank.« Sie lächelte. »Nehmen Sie doch noch eines, ich habe noch mehr draußen.«
»Mrs. McTigue«, versuchte ich es noch mal, »haben Sie Beryl Madison gekannt, bevor Sie sie im letzten Herbst einluden, vor Ihrer Vereinigung zu sprechen?«
»Aber ja«, antwortete sie. »Zumindest indirekt, denn ich war schon seit Jahren ein Fan von ihr und ihren Büchern. Historische Romane lese ich nämlich am liebsten.«
»Woher wußten Sie, daß sie diese Bücher geschrieben hatte«, fragte ich, »wo Beryl sie doch unter Pseudonymen veröffentlichte? Ihr richtiger Name ist nie auf einem Schutzumschlag oder in der Autorenbeschreibung erschienen.«
Ich hatte in der Bibliothek einige von Beryls Büchern daraufhin durchgesehen.
»Das ist richtig. Ich vermute, daß ich zu den wenigen Leuten gehöre, die wußten, wer sie wirklich war – und zwar wegen Joe.«
»Ihrem Mann?«
»Er und Mr. Harper waren Freunde«, antwortete sie. »Ich meine, soweit man bei Mr. Harper von Freundschaft reden kann. Sie lernten sich über Joes berufliche Tätigkeit kennen. Damit fing es an.«
»Was für einen Beruf übte Ihr Mann denn aus?« fragte ich

und fand, daß meine Gastgeberin viel weniger verkalkt war, als ich ursprünglich angenommen hatte.
»Er war Bauunternehmer. Als Mr. Harper Cutler Grove kaufte, war das Haus stark renovierungsbedürftig. Joe hielt sich fast zwei Jahre dort draußen auf, um die Arbeiten zu leiten.«
Eigentlich hätte diese Assoziation sofort bei mir klingeln müssen. *McTigue Hoch- und Tiefbau und McTigue Bauholz* waren die größten Baufirmen in Richmond und besaßen Zweigstellen in ganz Virginia.
»Das war vor mehr als fünfzehn Jahren«, fuhr Mrs. McTigue fort. »Bei dieser Arbeit in Cutler Grove lernte Joe auch Beryl kennen. Sie kam ein paarmal mit Mr. Harper zur Baustelle, und als das Haus fertig war, zog sie mit ein. Sie war sehr jung.« Sie schwieg für einen Moment. »Ich erinnere mich noch, daß Joe mir damals erzählte, daß Mr. Harper ein schönes, junges Mädchen, das zudem eine begabte Schriftstellerin sei, adoptiert habe. Ich glaube, sie war eine Waise oder etwas Ähnliches. Auf jeden Fall war es traurig. Natürlich hat damals niemand laut darüber gesprochen.« Sie setzte ihr Glas sorgfältig ab und ging langsam durch das Zimmer zu ihrem Sekretär. Sie zog eine Schublade auf und nahm einen beige, mittelgroßen Briefumschlag heraus.
»Hier«, sagte sie. Ihre Hände zitterten, als sie ihn mir herüberreichte. »Dies ist das einzige Bild, das ich von ihnen habe.«
In dem Umschlag lag ein leeres Blatt schweren Hadernpapiers, das um ein altes, etwas überbelichtetes Schwarzweißfoto gefaltet war. Ein zartes, hübsches Mädchen, etwa zwischen 15 und 18, stand zwischen zwei stattlichen, braungebrannten Männern in Wanderkleidung. Die drei lehnten sich eng aneinander und blinzelten ins strahlendhelle Sonnenlicht.

»Das ist Joe«, sagte Mrs. McTigue und deutete auf den Mann links von dem Mädchen, das sicherlich die junge Beryl Madison war. Die Ärmel eines khakifarbenen Hemdes waren bis zu den Ellenbogen seiner muskulösen Arme hochgekrempelt, und der Schirm einer Baseballmütze beschattete seine Augen. Rechts von Beryl stand ein großer, weißhaariger Mann. Cary Harper, wie Mrs. McTigue sagte.
»Es wurde unten am Fluß aufgenommen«, erzählte sie.
»Damals, als Joe an dem Haus arbeitete. Mr. Harper war schon damals schlohweiß. Sie wissen doch, man sagt, sein Haar sei weiß geworden, als er gerade dreißig war und *The Jagged Corner* schrieb.«
»Dieses Foto wurde in Cutler Grove aufgenommen?«
»Ja«, antwortete sie.
Beryls Gesicht faszinierte mich. Ein Gesicht, das viel zu weise und wissend für einen so jungen Menschen war; ernst und voller Sehnsucht und Trauer, wie ich es von Kindern kannte, die man mißhandelt und im Stich gelassen hatte.
»Beryl war damals noch ein Kind«, sagte Mrs. McTigue.
»Sie dürfte wohl sechzehn oder siebzehn Jahre alt gewesen sein?«
»Ja, da könnten Sie recht haben«, antwortete sie und sah zu, wie ich den Bogen Papier wieder um das Foto faltete und sorgfältig in den Umschlg steckte. »Ich habe das erst nach Joes Tod gefunden. Ich vermute, daß einer von seinen Leuten die Aufnahme gemacht hat.«
Sie legte den Umschlag in die Schublade zurück, und als sie sich wieder gesetzt hatte, fuhr sie fort: »Ich glaube, einer der Gründe, warum Joe so gut mit Mr. Harper auskam, war wohl der, daß Joe, wenn es um anderer Leute Angelegenheiten ging, schweigen konnte wie ein Grab. Ich bin mir sicher, daß er eine ganze Menge nicht einmal mir erzählt hat.« Mit einem matten Lächeln starrte sie an die Wand.

»Es war dann anscheinend Mr. Harper, der Ihrem Mann erzählt hatte, daß Beryls Bücher veröffentlicht wurden«, bemerkte ich.
Sie lenkte ihre Aufmerksamkeit wieder auf mich und sah mich erstaunt an. »Wissen Sie, ich bin mir nicht mehr ganz sicher, ob mir Joe jemals verraten hat, woher er das so genau wußte, Dr. Scarpetta. Was für ein hübscher Name. Ist er spanisch?«
»Italienisch.«
»Oh! Sicher sind Sie eine gute Köchin!«
»Ich koche ganz gerne", sagte ich und nippte an meinem Portwein. »Also, ganz offensichtlich hat Mr. Harper Ihrem Mann von Beryls Büchern erzählt.«
»Ach, du meine Güte!« Sie runzelte die Stirn. »Es ist schon komisch, daß Sie darauf zu sprechen kommen. Ich habe an diese Möglichkeit nie gedacht. Aber Mr. Harper muß es ihm irgendwann einmal erzählt haben. Woher sonst hätte Joe das wissen sollen? Denn gewußt hat er es. Als *Flag of Honor* erschien, schenkte er mir ein Exemplar davon zu Weihnachten.«
Sie stand wieder auf, suchte in verschiedenen Bücherregalen und brachte mir schließlich einen dicken Band. »Es steht eine Widmung drin«, bemerkte sie stolz. Ich öffnete das Buch und sah in weitausholenden Buchstaben die Unterschrift »Emily Stratton«, vom Dezember vor genau zehn Jahren.
»Ihr erstes Buch«, sagte ich.
»Vermutlich eins der ersten, die sie jemals signiert hat.« Mrs. McTigue strahlte. »Ich glaube, daß Joe es über Mr. Harper bekommen hat. Ja, ich bin mir sicher. Wie sonst hätte er es bekommen können?«
»Haben Sie noch andere signierte Ausgaben?«
»Nicht von ihr. Aber ich habe alle ihre Bücher und habe sie

auch alle gelesen, die meisten davon sogar zwei- oder dreimal.« Sie zögerte, und ihre Augen wurden größer. »War es wirklich so, wie die Zeitungen es beschrieben haben?«
»Ja.« Ich sagte ihr nicht die ganze Wahrheit. Beryls Tod war sehr viel brutaler gewesen als alles, was darüber in die Nachrichten gelangt war.
Sie griff nach einem weiteren Käsebiskuit, und für einen Moment schien sie den Tränen nahe zu sein.
»Erzählen Sie mir, was im vergangenen November passierte«, bat ich. »Es ist ja jetzt schon fast ein Jahr her, seit sie vor Ihrer Gruppe gesprochen hat, Mrs. McTigue. Es war für die ›Töchter der Amerikanischen Revolution‹, nicht wahr?«
»Die Lesung fand auf unserem alljährlichen Literatenfrühstück statt. Es ist der Höhepunkt des Jahres, und wir laden einen ganz besonderen Redner dazu ein, einen Schriftsteller – meistens einen berühmten. Da ich damals turnusgemäß den Vorsitz im Komitee innehatte, fiel mir die Aufgabe zu, die Veranstaltung zu organisieren und den Redner zu finden. Ich war von Anfang an für Beryl, aber es gab da eine Reihe von Hindernissen. Ich wußte nicht, wie ich sie ausfindig machen konnte. Sie hatte eine Geheimnummer, und ich hatte keine Ahnung, wo sie lebte, nie im Traum hätte ich daran gedacht, daß sie direkt hier, mitten in Richmond, wohnte. Schließlich bat ich Joe, mir zu helfen.«
Sie zögerte und lachte ein wenig verstört. »Wissen Sie, ich glaube, zuerst habe ich versucht, mir zu beweisen, daß ich die Sache allein erledigen könnte. Und Joe hatte ja soviel zu tun. Nun gut, eines Abends rief er Mr. Harper an, und am nächsten Morgen klingelte mein Telefon. Ich werde nie vergessen, wie überrascht ich war. Es verschlug mir fast die Sprache, als sie mir ihren Namen nannte.«
Ihr Telefon. Bisher hatte ich nie dran gedacht, daß Beryl eine Geheimnummer hatte. In den Berichten von Officer Reed

war davon nicht die Rede gewesen. Wußte Marino etwas davon?

»Sie nahm die Einladung an, was mich natürlich sehr freute, und fragte dann das übliche,« erzählte Mrs. McTigue. »Wie groß die Gruppe voraussichtlich sein werde. Ich sagte ihr, zwischen zwei- und dreihundert Leuten. Um wieviel Uhr und wie lange sie sprechen solle und ähnliches. Sie war ausgesprochen höflich, wirklich ganz bezaubernd. Aber nicht allzu gesprächig. Und eines war ungewöhnlich: Sie legte keinen Wert darauf, ihre Bücher mitzubringen. Die anderen Schriftsteller bestehen sonst immer darauf, ihre Bücher mitzubringen, müssen Sie wissen. Sie signieren und verkaufen sie hinterher. Beryl sagte, daß sie das nicht mache, und sie verzichtete auch auf ihr Honorar. Es war wirklich sehr ungewöhnlich. Wie nett und bescheiden von ihr, dachte ich.«

»Bestand Ihre Gruppe nur aus Frauen?« fragte ich.

Sie dachte nach. »Ich glaube, ein paar von uns haben ihre Ehemänner mitgebracht, aber in der Hauptsache setzte sich das Publikum aus Frauen zusammen. Das ist fast immer so.«

Das hatte ich mir gedacht. Es erschien mir unwahrscheinlich, daß sich Beryls Mörder an diesem Novembertag unter ihren Bewunderern befunden haben sollte.

»Hat sie eigentlich häufig Einladungen wie die Ihre angenommen?« fragte ich.

»O nein!« beeilte sich Mrs. McTigue zu sagen. »Ich weiß genau, daß sie das nicht tat, wenigstens nicht hier bei uns. Sonst hätte ich davon gehört und wäre die erste gewesen, die sich eine Karte dafür besorgt hätte. Sie kam mir vor wie eine junge Frau, die wenig Wert auf Öffentlichkeit legte, die schrieb, weil sie Freude daran hatte. Das erklärt auch ihre Pseudonyme. Schriftsteller, die ihre Identität so wie sie verschleiern, wagen sich ganz selten in die Öffentlichkeit. Und ich bin sicher, sie hätte auch für mich keine Ausnahme

gemacht, wenn da nicht Joes Verbindung zu Mr. Harper gewesen wäre.«
»Es sieht so aus, als hätte sie nahezu alles für Mr. Harper getan«, bemerkte ich.
»Ja, ich glaube schon.«
»Haben Sie ihn jemals getroffen?«
»Ja.«
»Was für einen Eindruck hatten Sie von ihm?«
»Vielleicht ist er zurückhaltend«, erwiderte sie, »aber mir kommt er manchmal wie ein unglücklicher Mann vor, der sich für ein wenig besser als alle anderen hält. Ich würde sagen, daß er schon eine eindrucksvolle Figur abgibt.« Sie schweifte wieder ab, und der Funken in ihren Augen war erloschen. »Mein Mann war ihm jedenfalls treu ergeben.«
»Wann haben Sie Mr. Harper zum letzten Mal getroffen?«
»Joe starb im vergangenen Frühjahr.«
»Sie haben Mr. Harper also seit dem Tod Ihres Mannes nicht mehr gesehen?«
Sie schüttelte den Kopf und verlor sich in ihre eigenen, bitteren Erinnerungen, von denen ich nichts wußte. Ich fragte mich, was wirklich zwischen Cary Harper und Mr. McTigue vorgefallen war. Hatten sie üble Geschäfte miteinander gemacht? Oder hatte Harpers Einfluß Mr. McTigue so verändert, daß er nicht mehr derselbe Mann war, den seine Frau geliebt hatte? Oder vielleicht war Harper einfach nur egoistisch und rücksichtslos.
»Ich habe gehört, daß er eine Schwester hat. Cary Harper lebt doch mit seiner Schwester zusammen, oder?« fragte ich.
Zu meiner Überraschung preßte Mrs. McTigue ihre Lippen zusammen, und Tränen stiegen ihr in die Augen.

Ich stellte mein Glas auf den Tisch und nahm meine Handtasche.
Sie folgte mir zur Tür.
Vorsichtig hakte ich nach. »Hat Beryl Ihnen oder Ihrem Mann jemals geschrieben?«
Sie schüttelte den Kopf.
»Wissen Sie, ob sie noch andere Freunde hatte? Hat Ihr Mann vielleicht einmal jemanden erwähnt?«
Wieder schüttelte sie den Kopf.
»Wen könnte sie mit ›M‹, dem Buchstaben M, gemeint haben?«
Mrs. McTigue starrte traurig in den leeren Gang, ihre Hand lag auf dem Türgriff. Als sie mich ansah, blickten ihre tränengefüllten Augen durch mich hindurch. »Es gibt in zwei Romanen von ihr einen ›P‹ und einen ›A‹. Ich glaube, es waren Spione der Nordstaaten. Ach, du meine Güte! Ich fürchte, ich habe den Herd nicht abgedreht.« Sie blinzelte ein paarmal, als ob sie direkt in die Sonne geschaut hätte. »Sie kommen mich doch hoffentlich wieder einmal besuchen?«
»Aber gerne.« Ich drückte freundlich ihren Arm und ging.
Sofort, als ich zu Hause war, rief ich meine Mutter an und war auf einmal froh, die üblichen Ermahnungen und Vorträge zu hören. Ihre starke Stimme klang auf ihre unumwundene Art direkt liebevoll.
»Bei uns war es die ganze Woche lang über dreißig Grad heiß, und im Fernseher berichteten sie, daß ihr in Richmond nicht einmal zehn Grad hattet«, sagte sie. »Da friert es doch schon fast. Hat es schon geschneit?«
»Nein, Mutter. Bis jetzt hat es noch nicht geschneit. Wie geht es deiner Hüfte?«
»Den Umständen entsprechend gut. Ich häkle gerade eine Kniedecke, ich dachte, du könntest sie über deine Beine

legen, wenn du im Büro arbeitest. Lucy hat nach dir gefragt.«
Ich hatte schon wochenlang nicht mehr mit meiner Nichte gesprochen.
»Sie arbeitet in der Schule gerade an so einem naturwissenschaftlichen Projekt«, fuhr meine Mutter fort. »Es ist ein sprechender Roboter, stell dir vor. Sie hat ihn neulich abends mitgebracht und den armen Sindbad so erschreckt, daß er unters Bett kroch . . .«
Sindbad war ein boshafter, gemeiner, verdorbener und ungezogener Kater, ein grau-schwarz gestreifter Streuner, der meiner Mutter beim Einkaufen in Miami Beach eines Morgens hartnäckig hinterhergelaufen war. Wenn ich zu Besuch kam, beschränkte sich Sindbads Gastfreundschaft darauf, daß er sich auf den Kühlschrank hockte und blöde auf mich herunterglotzte.
»Rate mal, wen ich neulich getroffen habe«, sagte ich, ein wenig zu lebhaft. Der Wunsch, mit jemandem darüber zu sprechen, war plötzlich übermächtig. Meine Mutter kannte meine Vergangenheit, zumindest das meiste davon. »Kannst du dich noch an Mark James erinnern?«
Schweigen.
»Er war in Washington und hat bei mir vorbeigeschaut.«
»Natürlich erinnere ich mich an ihn.«
»Er wollte einen Fall mit mir besprechen. Du weißt doch, er ist Anwalt. In, ah, Chicago.« Ich trat schleunigst den Rückzug an. »Er hatte geschäftlich in Washington zu tun.« Je mehr ich sagte, desto schlimmer erschien mir ihr vorwurfsvolles Schweigen.
»So, so. Nun, ich erinnere mich noch gut daran, daß du wegen ihm fast gestorben wärest, Katie.«
Immer wenn sie mich »Katie« nannte, war ich auf einmal wieder zehn Jahre alt.

# 4

Wenn man forensische Labors direkt im Haus hat, genießt man unter anderem den Vorteil, daß man nicht erst lange auf schriftliche Berichte warten muß. Die Wissenschaftler dort verfügen, wie ich bei meiner Arbeit auch, oft schon über eine ganze Menge Informationen, bevor sie einen schriftlichen Bericht herausgeben. Ich hatte das Spurenmaterial im Fall Beryl Madison vor genau einer Woche ins Labor gegeben. Der endgültige Bericht würde aller Voraussicht nach erst in ein paar Wochen auf meinem Schreibtisch liegen, aber Joni Hamm hatte sich bestimmt schon ihr persönliches Bild davon gemacht.

Nachdem ich die Fälle für diesen Vormittag erledigt hatte und in der Stimmung war, ein wenig zu spekulieren, fuhr ich mit einer Tasse Kaffee hinauf in den vierten Stock.

Jonis »Büro« war nicht viel mehr als eine kleine Nische am Ende des Ganges zwischen den Labors zur Spurenuntersuchung und zur Drogenanalyse. Als ich eintrat, saß sie an einem schwarzen Labortisch und blickte in das Okular eines Stereo-Mikroskops. Sie füllte den Spiralblock neben sich mit säuberlich geschriebenen Notizen.

»Viel zu tun?« fragte ich.

»Auch nicht mehr als sonst«, antwortete sie und schaute sich abwesend um.

Ich zog mir einen Stuhl heran.

Joni war eine zarte junge Frau mit kurzem schwarzem Haar und großen dunklen Augen. Sie ging abends auf die Universität, um ihren Dr. med. zu machen. Sie hatte außerdem zwei kleine Kinder und sah immer müde und ein bißchen mitgenommen aus. Aber eigentlich sahen alle, die in den Labors arbeiteten, so aus, und auch von mir wurde häufig dasselbe gesagt.

»Ich wollte nur wissen, wie Sie im Fall Beryl Madison vorankommen«, sagte ich. »Haben Sie schon etwas herausgefunden?«
»Ich habe das Gefühl, daß mehr dahintersteckt, als Sie vielleicht annehmen.« Sie blätterte ein paar Seiten in ihrem Block zurück. »Die Spuren in diesem Beryl-Madison-Fall sind ein Alptraum.«
Das überraschte mich nicht. Ich hatte eine Menge von kleinen Tütchen und Behältern, gefüllt mit Proben, abgegeben. Beryls Körper war so voller Blut gewesen, daß Partikel an ihm klebengeblieben waren wie an Fliegenpapier. Ganz besonders die Untersuchung von Textilfasern war unter diesen Bedingungen sehr umständlich. Bevor Joni sie unter ihr Mikroskop legen konnte, mußten sie nämlich gereinigt werden. Dazu wurde jede einzelne Faser in einen Behälter mit Seifenlauge gelegt, der dann in ein Ultraschallbad kam. Nachdem die Faser auf diese Weise behutsam von Blut und Schmutz befreit worden war, wurde die Lösung durch steriles Papier gefiltert. Erst dann konnte sie auf einen gläsernen Objektträger aufgebracht werden.
Joni überflog ihre Notizen. »Wenn ich es nicht besser wüßte, würde ich sagen, daß Beryl Madison nicht in ihrem Haus, sondern woanders ermordet wurde.«
»Das ist nicht möglich«, antwortete ich. »Sie wurde im ersten Stock getötet, und zwar nicht allzulange bevor die Polizei am Tatort eintraf.«
»Das ist mir bekannt. Also, fangen wir mit den Fasern an, die auch sonst in ihrem Haus zu finden sind. Da sind zunächst drei aus dem Blut auf ihren Knien und Handballen. Dabei handelt es sich um Wollfasern. Zwei davon sind dunkelrot, eine ist golden.«
»Dieselben Fasern wie die des orientalischen Gebetsteppichs aus dem Gang im ersten Stock?« Ich dachte an die Tatortfotos.

»Ja«, sagte sie. »Sie passen ganz genau zu den Faserproben, die die Polizei gebracht hat. Wenn Beryl Madison auf Händen und Knien auf dem Teppich gewesen ist, dann wären diese Fasern und ihr Fundort geklärt. Soviel zum einfachen Teil der Angelegenheit.«
Joni nahm einen Stapel von steifen Aktendeckeln zur Archivierung von gläsernen Objektträgern zur Hand. Nach einiger Suche fand sie den richtigen. Sie öffnete die Laschen, überflog eine Reihe von Glasplättchen und fuhr fort: »Außer diesen Fasern haben wir eine ganze Menge weißer Baumwollfasern gefunden, aber die helfen uns nicht weiter, denn sie könnten von überall herkommen, so zum Beispiel von dem weißen Tuch, mit dem man ihre Leiche zugedeckt hat. Aber ich habe in dem Blut auf ihrem Hals, ihrer Brust und unter ihren Fingernägeln noch zehn andere Fasern gefunden. Sie sind synthetisch.« Sie schaute zu mir auf. »Und sie sind mit keiner der Fasern, die mir die Polizei vom Tatort gebracht hat, identisch.«
»Sie stammen nicht von ihrer Kleidung oder der Bettwäsche?« fragte ich.
Joni schüttelte den Kopf und sagte: »Nein, überhaupt nicht. Am Tatort scheinen sie nicht vorzukommen. Und weil sie an ihren blutigen Wunden oder unter ihren Fingernägeln gefunden wurden, ist es sehr wahrscheinlich, daß der Täter sie auf Beryl übertragen hat.«
Das war eine unerwartete Belohnung. Als mein Stellvertreter Fielding mich in der Mordnacht schließlich erreicht hatte, hatte ich ihm gesagt, er solle in der Leichenhalle auf mich warten. Kurz nach ein Uhr früh war ich dort, und wir verbrachten die nächsten paar Stunden damit, Beryls Körper unter dem Laser zu untersuchen und jeden Partikel, jede Faser, die aufleuchtete, sicherzustellen. Ich hatte gedacht, daß sich das meiste davon später als nichtssagender Staub

aus Beryls Haus herausstellen würde. Es erstaunte mich, daß wir zehn Fasern gefunden hatten, die vom Täter stammen konnten. In vielen Fällen war ich schon froh, wenn wir nur eine unbekannte Faser fanden, und überglücklich, wenn zwei oder drei zusammenkamen. Oft bearbeitete ich Fälle, in denen überhaupt keine Faser zu entdecken war. Fasern sind schwer zu erkennen, selbst wenn man eine Lupe verwendet, und der leiseste Luftzug kann sie fortwehen, lange bevor der Medical Examiner am Tatort ankommt oder die Leiche im Leichenhaus eintrifft.

»Was sind das für synthetische Fasern?« fragte ich.

»Olefin, Acryl, Nylon, Polyäthylen und Dynel. Die meisten von ihnen sind aus Nylon«, antwortete Joni. »Die Farben sind ganz unterschiedlich: Rot, Blau, Grün, Gold und Orange. Noch dazu paßt, wenn man sie unter dem Mikroskop betrachtet, keine von ihnen zu den anderen.«

Sie legte einen Objektträger nach dem anderen auf den Objekttisch des Stereomikroskops und schaute hinein. Dabei erklärte sie: »Manche von ihnen sind längsgestreift, andere wieder nicht. Die meisten enthalten Titanoxid in unterschiedlicher Konzentration, was bedeutet, daß manche von ihnen halbmatt sind, andere matt und einige wenige glänzend. Alle haben einen ziemlich dicken Querschnitt, so wie Teppichfasern, aber die einzelnen Formen unterscheiden sich voneinander.

»*Zehn* ganz unterschiedliche Fasern?«

»So sieht es wenigstens momentan aus«, bestätigte sie. »Und das ist selten. Wenn diese Fasern wirklich vom Täter stammen, dann muß er eine ungewöhnliche Vielzahl an Fasern mit sich herumgetragen haben. Die gröberen stammen mit hoher Wahrscheinlichkeit nicht von seiner Kleidung, denn es sind Fasern, wie man sie bei Teppichen findet. Und sie stammen nicht von einem Teppich in Beryl Madisons Haus.

Aber noch aus einem anderen Grund ist es merkwürdig, daß er so viele Fasern mit sich herumgeschleppt hat. Wir nehmen nämlich den ganzen Tag lang irgendwelche Fasern auf, aber sie bleiben nicht lange an einem haften. Man sitzt irgendwo und liest Fasern auf, ein wenig später setzt man sich woandershin und streift sie dabei wieder ab. Oder sie werden durch einen Luftzug gelöst.«

Die Sache wurde immer undurchsichtiger. Joni schlug eine neue Seite ihres Notizblocks auf und erklärte: »Ich habe auch den Inhalt der Staubsaugerbeutel unter dem Mikroskop untersucht, Dr. Scarpetta. Die Partikel, die Marino aus dem Gebetsteppich gesaugt hat, sind ein echtes Durcheinander.« Sie las eine Liste herunter: »Tabakasche, rosa Papierpartikel, die von Steuerbanderolen an Zigarettenschachteln stammen, winzige Glasperlen, ein paar Glassplitter wie von Bierflaschen- und Autoscheinwerferglas. Wie üblich haben wir auch kleine Teile von Insekten und Pflanzen gefunden, sowie eine winzige Metallkugel. Und eine ganze Menge Salz.«

»Speisesalz?«

»Richtig«, bestätigte sie.

»Und all das befand sich auf dem Gebetsteppich?« fragte ich.

»Und auf dem Teil des Bodens, auf dem ihre Leiche lag«, antwortete Joni. »Auch auf ihrem Körper, unter ihren Nägeln und in ihrem Haar war eine Menge von demselben Zeug.«

Beryl hatte nicht geraucht. Es gab keinen Grund, warum in ihrem Haus Tabakasche und die Partikel von Zigarettensteuerbanderolen zu finden sein sollten. Salz verbindet man mit Essen, und es ergab keinen Sinn, daß es im oberen Stockwerk und auf ihrer Leiche gefunden worden war.

»Marino hat sechs verschiedene Staubsaugerbeutel mit Pro-

ben gebracht, und zwar von den Teppichen und den Teilen des Bodens, auf denen sich auch Blut befand«, sagte Joni. »Darüber hinaus habe ich die Kontrollproben durchgesehen, die an Stellen des Hauses aufgesaugt wurden, wo kein Blut oder Spuren eines Kampfes waren. An Stellen also, von denen die Polizei annimmt, daß sich der Mörder nicht dort aufgehalten hat. Die Partikel, die ich eben aufgezählt habe, wurden ausschließlich an den Orten gefunden, an denen auch der Mörder gewesen sein muß. Daraus kann man schließen, daß er das besagte Material mit ins Haus brachte und auf ihre Leiche übertrug. Überall, wo er hinging, und auch überall dort, wo er entlangstreifte, haben wir etwas von diesen Partikeln gefunden.«
»Er muß ja ein richtiger Schmutzfink sein«, sagte ich.
»All das Zeug ist für das bloße Auge so gut wie unsichtbar«, erinnerte mich die stets ernste Joni. »Er hatte höchstwahrscheinlich keine Ahnung, daß er soviel Spurenmaterial mit sich herumschleppte.«
Ich studierte ihre handgeschriebenen Listen. Es gab meines Wissens nur zwei Arten von Fällen, bei denen wir es normalerweise mit einer solchen Menge von verschiedenen Partikeln zu tun hatten. Das waren einmal die Fälle, bei denen die Leiche in einer Baugrube oder an einem anderen, schmutzigen Ort, wie etwa einer Straßenböschung oder einem gekiesten Parkplatz, gefunden wurde. Die andere Möglichkeit war die, daß die Leiche im schmutzigen Kofferraum oder auf dem Boden eines Autos von einem Ort zum anderen transportiert wurde. Beides traf in Beryls Fall nicht zu.
»Sortieren wir die Fasern doch einmal nach ihrer Farbe. Welche davon sind dann Teppichfasern, und welche stammen von Kleidungsstücken?«
»Die sechs Nylonfasern sind rot, dunkelrot, blau, grün,

grünlichgelb und dunkelgrün. Die Grüns könnten in Wirklichkeit auch schwarz aussehen«, fügte sie hinzu. »Schwarz erscheint unter dem Mikroskop nicht schwarz. Alle diese Fasern sind von der gröberen Sorte, also Teppichfasern, und ich neige zu der Annahme, daß sie eher von Autoteppichen als von Hausteppichen stammen.«

»Warum?«

»Wegen der anderen Partikel, die ich gefunden habe. Nehmen wir zum Beispiel die winzigen Glasperlchen. Sie werden häufig reflektierenden Farben beigemischt, wie man sie bei Verkehrsschildern findet. Und auch Metallkügelchen findet man häufig in Staubsaugerproben aus Autos. Es sind winzige Tröpfchen des Lötzinns, das bei der Montage des Wagenunterbaus verwendet wird. Man kann sie nicht sehen, aber sie sind da. Und was die kleinen Glassplitter anbelangt - nun, Glas ist einfach überall, besonders am Straßenrand und auf Parkplätzen. Man trägt es an den Schuhsohlen ins Innere des Autos. Das gleiche gilt für die Zigarettenteilchen. Schließlich bleibt noch das Salz. Es ist für mich der entscheidende Hinweis darauf, daß die Partikel in Beryls Haus wirklich aus einem Auto stammen. Die Leute fahren zu McDonalds und essen Pommes frites in ihren Autos. Ich glaube, daß jeder Wagen in dieser Stadt voller Salzkörner ist.«

»Nehmen wir an, Sie haben recht«, erwiderte ich und überlegte. »Nehmen wir an, daß wir es hier mit Autoteppichfasern zu tun haben. Das erklärt immer noch nicht, warum wir sechs verschiedene Nylonfasern gefunden haben. Es ist doch ziemlich unwahrscheinlich, daß der Kerl sechs verschiedene Teppiche in seinem Auto hat.«

»Ja, das ist wirklich unwahrscheinlich«, sagte Joni. »Aber die Fasern können weiß Gott wie in sein Auto geraten sein. Vielleicht kommt er bei seiner täglichen Arbeit viel mit

Teppichen in Berührung. Oder aber er übt einen Beruf aus, bei dem er den Tag über mit verschiedenen Autos zu tun hat.«

»Eine Autowaschanlage vielleicht?« fragte ich und dachte an Beryls Auto. Es war innen wie außen makellos sauber gewesen. Joni dachte nach, ihr junges Gesicht sah angespannt aus.

»Das wäre ohne weiteres möglich. Wenn er in einer Waschanlage arbeitet, in der das Personal den Innen- und Kofferraum reinigt, käme er pausenlos mit Autoteppichen in Berührung. Es wäre unvermeidbar, daß er einige ihrer Fasern mit sich herumträgt. Eine andere Möglichkeit wäre auch, daß er ein Automechaniker ist.«

Ich griff nach meiner Kaffeetasse. »Okay. Kommen wir jetzt zu den vier anderen Fasern. Was können Sie mir über diese erzählen?«

Sie warf einen kurzen Blick auf ihre Aufzeichnungen. »Eine davon ist Acryl, eine Olefin, eine Polyäthylen und eine Dynel. Die ersten drei sind ebenfalls vom Typ Teppichfaser. Die aus Dynel hingegen ist interessant, denn Dynel kommt eigentlich recht selten vor. Man findet es hauptsächlich bei Webpelzmänteln, Teppichen aus imitiertem Fell und bei Perücken. Aber diese Dynelfaser ist ziemlich dünn, was eher auf einen Kleiderstoff schließen läßt.«

»Also die einzige Kleiderfaser, die Sie finden konnten?«

»Ja, das könnte sein«, antwortete sie.

»Beryl hat wahrscheinlich einen gelblichbraunen Hosenanzug getragen . . . .«

»Der ist nicht aus Dynel«, wandte sie ein, »wenigstens nicht die Hose und das Jackett. Beide bestehen aus einer Baumwoll-Polyestermischung. Es wäre höchstens möglich, daß ihre Bluse aus Dynel war, aber solange wir sie nicht gefunden haben, ist das reine Spekulation.« Sie nahm einen wei-

teren Objektträger und legte ihn unter das Mikroskop. »Zu der orangefarbenen Faser, der einzigen aus Acryl, wäre zu sagen, daß sie einen Querschnitt aufweist, dessen Form mir bisher unbekannt war.« Sie zeichnete mir auf, was sie meinte. Die Zeichnung sah aus wie drei in der Mitte zusammenhängende Kreise, was etwa die Form eines dreiblättrigen Kleeblatts ohne Stengel ergab. Man stellt Kunstfasern her, indem man einen geschmolzenen oder gelösten Polymer durch die feine Öffnung einer Spinndüse preßt. Im Querschnitt weisen die so erzeugten Fäden oder Fasern dann dieselbe Form auf wie die Spinndüse, so wie ein Zahnpastastrang denselben Querschnitt hat wie die Öffnung der Tube, aus der er gedrückt wurde. Auch ich hatte noch nie eine solche Kleeblattform gesehen. Die meisten Acrylfasern haben im Querschnitt die Form einer Erdnuß, eines Hundeknochens, einer Hantel, eines Kreises oder eines Pilzes.
»Hier.« Joni rutschte zur Seite und machte Platz für mich. Ich blickte in die Okulare. Die Faser sah aus wie ein geflecktes, verdrehtes Band in verschiedenen Schattierungen von kräftigem Orange, das mit schwarzen Teilchen von Titandioxid besprenkelt war.
»Wie Sie sehen«, erklärte Joni, »ist auch die Farbe ein bißchen seltsam. Dieses Orange. Ungleichmäßig mit Titandioxid behandelt, um den Glanz der Faser zu dämpfen. Trotzdem ist das Orange immer noch ausgesprochen grell, was für Kleidung oder Teppiche doch recht ungewöhnlich wäre. Der Durchmesser ist mittelgroß.«
»Was auf eine Teppichfaser schließen ließe«, sagte ich, »trotz der merkwürdigen Farbe.«
»Möglicherweise.«
Ich überlegte, welche Materialien ich kannte, die grellorange waren. »Wie steht es mit den orangefarbenen Jacken, wie sie zum Beispiel von Straßenarbeitern getragen werden?« frag-

te ich. »Sie haben eine besonders grelle Farbe, und eine Faser davon würde doch gut zu den anderen auto-spezifischen Partikeln passen, die Sie entdeckt haben.«

»Das halte ich für unwahrscheinlich«, antwortete Joni. »Die meisten dieser Jacken sind aus Nylon, nicht aus Acryl und normalerweise sehr fest gewebt, so daß sie wahrscheinlich kaum Fasern verlieren. Die Windjacken, wie man sie bei Verkehrspolizisten sieht, sind aus einem glatten Stoff, der auch wenig fasert, und fast immer aus Nylon.« Nach einer kurzen Weile fügte sie nachdenklich hinzu: »Außerdem würde man bei diesen Kleidungsstücken keine Partikel verwenden, die den Glanz der Faser reduzieren, denn diese Jacken sollen ja so auffällig wie möglich sein.«

Ich drehte mich vom Mikroskop weg. »Wie dem auch sei, diese Faser ist wirklich eigenartig, und ich vermute, daß sie patentiert ist. Irgend jemand da draußen müßte wissen, worum es sich bei ihr handelt, auch wenn wir sie aus Mangel an geeignetem Vergleichsmaterial nicht identifizieren können.«

»Na dann, viel Glück!«

»Ich weiß. Der in der Wirtschaft übliche Gedächtnisschwund«, sagte ich. »Die Textilindustrie hütet ihre Geheimnisse besser als andere Leute die wirkliche Höhe ihres Gehalts.«

Joni reckte ihre Arme und massierte sich am Nacken. »Ich halte es ja nach wie vor für ein Wunder, wie es das FBI geschafft hat, im Wayne-Williams-Fall soviel Kooperation zu bekommen«, sagte sie und spielte dabei auf die gräßliche Mordserie an, die Atlanta 22 Monate in Atem gehalten hatte und bei der die Behörden angenommen hatten, daß ein und derselbe Mörder nicht weniger als 30 schwarze Kinder umgebracht hatte. Faserspuren, die man bei zwölf der Opfer gefunden hatte, konnten der Wohnung von Williams zugeordnet werden, sowie den Autos, die er benutzt hatte.

»Vielleicht könnten wir Hanowell dazu überreden, einmal einen Blick auf diese Fasern zu werfen, ganz besonders auf die orangefarbene«, schlug ich vor.
Roy Hanowell war Spezialagent des FBI und beschäftigte sich in der Zentrale in Quantico mit Mikroanalysen. Seit er die Fasern im Williams-Fall untersucht hatte, wurde er von Behörden aus aller Welt mit Anfragen überschüttet und sollte so gut wie alles – von der Kaschmirwolle bis zur Spinnwebe – für sie begutachten.
»Auch hier viel Glück«, sagte Joni noch einmal und genauso spöttisch.
»Könnten Sie ihn bitte anrufen?« fragte ich.
»Ich bezweifle, daß er besonders gerne etwas anschaut, was bereits untersucht wurde«, antwortete sie und fügte hinzu: »Sie wissen ja, wie die vom FBI oft sind.«
»Dann werden wir ihn zusammen anrufen«, beschloß ich.

Als ich in mein Büro zurückkam, wartete dort ein halbes Dutzend rosa Telefonmitteilungen auf mich. Eine davon fiel mir sofort auf. Es handelte sich um eine Nummer aus New York mit der Notiz: »Mark. Bitte sofort zurückrufen. Dringend.« Mir fiel nur ein Grund ein, aus dem Mark in New York sein konnte. Er traf sich dort bestimmt mit Beryls Anwalt, Sparacino. Warum nur interessierten sich Orndorff & Berger so sehr für den Mord an Beryl Madison?
Die Telefonnummer gehörte offensichtlich zu Marks Nebenstelle, denn gleich nach dem ersten Klingeln hob er den Hörer ab.
»Wann warst du das letzte Mal in New York?« fragte er beiläufig.
»Wie bitte?«
»In genau vier Stunden geht ein Flug von Richmond hierher. Nonstop. Könntest du den erwischen?«

»Was soll das alles?« fragte ich ruhig, aber mein Puls schlug auf einmal viel schneller.
»Ich halte es nicht für gut, die Einzelheiten am Telefon zu besprechen, Kay«, erwiderte er.
»Und ich halte es nicht für gut, nach New York zu kommen, Mark«, konterte ich.
»Bitte! Es ist wichtig. Du weißt, daß ich dich sonst nicht darum bitten würde.«
»Ich kann unmöglich . . .«
»Ich war den ganzen Morgen bei Sparacino«, unterbrach er mich, während in meinem Inneren lang unterdrückte Gefühle gegen meine Entschlossenheit ankämpften. »Es gibt da einige neue Entwicklungen, die Beryl Madison und deine Behörde betreffen.«
»Meine Behörde?« Jetzt klang ich nicht mehr ungerührt. »Was könnte dein Gespräch mit meiner Behörde zu tun haben?«
»Bitte«, wiederholte er, »bitte, komm her.«
Ich zögerte.
»Ich hole dich in La Guardia ab.« Marks Drängen durchkreuzte meine Rückzugsversuche. »Wir werden uns ein ruhiges Plätzchen suchen und miteinander reden. Den Flug habe ich bereits gebucht. Du mußt nur noch dein Ticket am Check-in-Schalter abholen. Auch ein Hotelzimmer habe ich für dich reservieren lassen. Wie du siehst, habe ich mich um alles gekümmert.«
O Gott, dachte ich, als ich auflegte, und dann war ich auch schon im Büro von Rose.
»Ich muß noch heute nachmittag nach New York«, erklärte ich in einem Ton, der keinen Raum für Fragen ließ. »Es geht um den Fall Beryl Madison, und ich werde mindestens bis morgen nicht mehr ins Büro kommen.« Ich wich ihrem Blick aus. Obwohl meine Sekretärin nichts von Mark wußte, be-

fürchtete ich, daß mir meine Gefühle ins Gesicht geschrieben standen.
»Können Sie mir eine Telefonnummer geben, unter der Sie erreichbar sind?« fragte Rose.
»Nein.«
Sie schlug den Terminkalender auf und überprüfte, welche Verabredungen sie absagen mußte. Dabei sagte sie: »Die *Times* hat angerufen. Es geht da um ein Persönlichkeitsprofil von Ihnen, das sie gerne veröffentlichen würden.«
»Vergessen Sie's«, antwortete ich gereizt. »Die wollen mich doch bloß über den Beryl-Madison-Fall aushorchen. Immer wenn ich es ablehne, über ein besonders brutales Verbrechen mit der Presse zu reden, will auf einmal jeder Reporter in der ganzen Stadt wissen, wo ich aufs College ging, ob ich einen Hund habe und wie ich zur Todesstrafe stehe. Von meiner Lieblingsfarbe über meinen Lieblingsfilm und meine Leibspeise bis hin zu der Todesart, die ich für mich persönlich vorziehen würde, interessiert sie plötzlich alles an mir.«
»Ich werde absagen«, murmelte sie und griff nach dem Telefon.
Ich verließ das Büro zeitig genug, um noch nach Hause fahren, ein paar Dinge in eine Reisetasche werfen und mich durch den Berufsverkehr zum Flughafen quälen zu können. Wie Mark versprochen hatte, lag dort mein Ticket bereit. Er hatte erster Klasse gebucht, und weniger als eine Stunde später saß ich allein in einer Sitzreihe, die ich ganz für mich hatte. Die nächsten eineinhalb Stunden lang schlürfte ich Chivas on the Rocks und versuchte zu lesen, aber meine Gedanken drifteten immer wieder fort wie die Wolken am dunkelnden Himmel draußen vor dem ovalen Flugzeugfenster.
Ich wollte Mark wiedersehen. Ich wußte, daß es weniger aus beruflicher Notwendigkeit als aus einer Schwäche heraus war; einer Schwäche, die ich längst überwunden geglaubt

hatte. Ich war zugleich begeistert und angeekelt von mir selbst. Ich traute ihm nicht, aber innerlich wünschte ich es mir so sehr. *Er ist nicht mehr der Mark, den du einmal gekannt hast, und selbst wenn er es wäre, solltest du dich daran erinnern, was er dir angetan hat.* Aber was auch immer meine Vernunft sagte, meine Gefühle weigerten sich, darauf zu hören.
Ich las 20 Seiten eines Romans, den Beryl Madison als »Adair Wilds« geschrieben hatte, aber als ich damit aufhörte, hatte ich keine Ahnung, was drinstand. Historische Romane sind nicht gerade meine Lieblingslektüre, und diese war wahrlich alles andere als literaturpreisverdächtig. Beryls Stil war nicht schlecht, manchmal wirkte ihre Prosa fast hymnisch, aber die Handlung schleppte sich wie auf Krükken dahin. Es handelte sich um die Art von Romanen, die nach Schema F heruntergeschrieben werden. Ich fragte mich, was wohl geschehen wäre, wenn Beryl am Leben geblieben wäre. Hätte sie mit der Art von Literatur, die sie viel lieber geschrieben hätte, wohl auch Erfolg gehabt?
Auf einmal erklärte die Stimme des Piloten, daß wir in zehn Minuten landen würden. Die Stadt lag wie eine glitzernde Schalttafel direkt unter mir. Winzige Lichtpunkte krochen die Highways entlang, und von den Dächern der Wolkenkratzer blinkte es rot.
Ein paar Minuten später zog ich meine Reisetasche aus dem Gepäckfach und betrat durch den Landefinger das Chaos von La Guardia. Als sich mir eine Hand auf die Schulter legte, erschrak ich fürchterlich und drehte mich um. Mark stand hinter mir und lächelte.
»Gott sei Dank«, sagte ich erleichtert.
»Wieso? Hast du mich für einen Handtaschenräuber gehalten?« fragte er trocken.
»Wenn du einer wärest, würdest du jetzt nicht mehr auf deinen Beinen stehen«, entgegnete ich.

»Das glaube ich dir gern.« Er ging neben mir durch die Ankunftshalle.
»Ist das dein ganzes Gepäck?«
»Ja.«
»Gut.«
Am Ausgang nahmen wir ein Taxi, das ein bärtiger Sikh mit einem kastanienbraunen Turban auf dem Kopf steuerte. Sein Name war Munjar, wie ein an der Windschutzscheibe befestigtes Schild verriet. Er und Mark schrien sich so lange an, bis Munjar endlich verstanden hatte, wo wir hinwollten.
»Ich hoffe, daß du noch nicht gegessen hast«, bemerkte Mark.
»Nichts außer ein paar gerösteten Mandeln . . .« Ich fiel gegen seine Schulter, als das Taxi mit quietschenden Reifen die Spur wechselte.
»Nicht weit vom Hotel ist ein gutes Steakhaus«, sagte Mark laut. »Ich dachte, wir könnten gleich dort etwas essen, denn in dieser Stadt kenne ich mich überhaupt nicht aus.«
Ich wäre schon froh, wenn wir wenigstens erst einmal am Hotel angelangt wären, dachte ich. In diesem Moment setzte Munjar unaufgefordert zu einem Monolog an und erzählte, daß er in dieses Land gekommen sei, um zu heiraten. Für den Dezember habe er seine Hochzeit geplant, obwohl er bisher noch keine Frau gefunden habe. Ferner informierte er uns, daß er erst seit drei Wochen Taxifahrer sei und das Autofahren in Punjab gelernt habe, wo er im Alter von sieben Jahren bereits auf einem Traktor herumgefahren sei.
Der Verkehr floß zäh dahin. Nur gelbe Taxis wirbelten wie tanzende Derwische in der Dunkelheit an den anderen Autos vorbei. Als wir endlich die Innenstadt erreicht hatten, sahen wir eine Menge Leute in Abendkleidung, die vor der Carnegie Hall Schlange standen. Die hellen Lichter, die

Pelzmäntel und dunklen Anzüge riefen alte Erinnerungen in mir wach. Mark und ich waren leidenschaftlich gern ins Theater, in die Oper und in Konzerte gegangen.
Das Taxi hielt am Omni Park Central Hotel, einem beeindruckenden Lichterturm an der Ecke 75. und siebte Straße, ganz in der Nähe des Theaterviertels.
Mark trug meine Tasche, und ich folgte ihm in die elegante Lobby, wo er mich einschrieb und die Tasche auf mein Zimmer bringen ließ. Ein paar Minuten später gingen wir durch die schneidend kalte Nachtluft. Ich war froh, daß ich meinen Mantel mitgebracht hatte. Drei Blocks weiter war Gallagher's Steakhouse, dessen bloßer Anblick schon den Cholesterinspiegel nach oben schnellen, zugleich aber auch das Herz eines jeden Fleischessers höher schlagen läßt. Das Schaufenster sah aus wie ein riesiger, gläserner Kühlraum, in dem jedes nur erdenkliche Stück Fleisch zur Schau gestellt wurde. Das Innere des Lokals war über und über mit Autogrammbildern bepflastert, so daß es aussah wie eine Wallfahrtskapelle der Prominentenverehrung.
Es war laut, und der Barkeeper mixte unsere Drinks sehr stark. Ich zündete eine Zigarette an und ließ meine Blicke durchs Lokal schweifen. Die Tische standen, wie in New Yorker Restaurants üblich, sehr eng beieinander. Links von uns waren zwei Geschäftsleute in ein Gespräch vertieft, und der Tisch zu unserer Rechten war leer, aber an dem dahinter saß ein umwerfend gutaussehender junger Mann, der sich die *New York Times* und ein Bier zu Gemüte führte. Ich sah Mark lange an und versuchte, in seinem Gesicht zu lesen. Er hatte einen angespannten Zug um die Augen und spielte mit seinem Scotch.
»Warum bin ich wirklich hier, Mark?« fragte ich.
»Vielleicht wollte ich dich einfach einmal wieder zum Essen ausführen«, erwiderte er.

»Ich meine es ernst.«
»Ich auch. Oder macht es dir etwa keinen Spaß?«
»Wie kann mir etwas Spaß machen, bei dem ich jeden Moment darauf gefaßt sein muß, daß eine Bombe hochgeht?« fragte ich.
Er knöpfte sein Jackett auf. »Laß uns erst bestellen. Dann können wir reden.«
So hatte er es schon immer mit mir gemacht. Erst stachelte er meine Neugier an, und dann ließ er mich warten. Vielleicht war das der Anwalt in ihm. Schon früher hatte mich das auf die Palme gebracht, und das tat es auch jetzt.
»Das Rumpsteak soll ausgezeichnet sein«, bemerkte er, als wir auf die Speisekarte schauten. »Ich glaube, das werde ich nehmen. Und einen Spinatsalat. Es ist zwar nichts Ausgefallenes, aber die Steaks hier sind die besten in der ganzen Stadt.«
»Warst du denn vorher noch nie hier?« fragte ich.
»Nein. Aber Sparacino war hier«, antwortete er.
»Hat er dir dieses Lokal empfohlen? Und vermutlich auch das Hotel?« Langsam litt ich unter Verfolgungswahn.
»Stimmt«, bestätigte er und studierte die Weinkarte. »Das ist so üblich. Alle Mandanten, die nach New York kommen, steigen im Omni ab, weil es in der Nähe der Kanzlei liegt.«
»Und dann essen eure Mandanten hier?«
»Sparacino war ein paarmal hier, wenn er das Theater besuchte. Daher kennt er das Lokal«, erwiderte Mark.
»Was kennt Sparacino sonst noch alles?« fragte ich. »Kennt er zum Beispiel den Grund, aus dem du heute abend hier bist? Hast du ihm erzählt, daß du dich mit mir triffst?«
Er sah mir in die Augen und sagte: »Nein.«
»Aber wie ist das möglich, wo doch deine Kanzlei mich in dem Hotel untergebracht hat, das Sparacino zusammen mit diesem Lokal empfohlen hat?«

»Er hat *mir* das Hotel empfohlen, Kay. Irgendwo muß ich ja schließlich auch übernachten. Und essen. Sparacino hat mich eingeladen, heute abend mit ihm und ein paar anderen Anwälten zum Essen zu gehen, aber ich habe abgesagt. Ich gab vor, noch ein paar Papiere durchsehen zu müssen. Ich sagte, ich würde höchstwahrscheinlich irgendwo auf die schnelle ein Steak essen, und da hat er mir dieses Lokal empfohlen.«
Langsam dämmerte es mir, und ich war mir nicht sicher, ob ich mich peinlich berührt oder verärgert fühlte. Vielleicht beides. Orndorff & Berger hatten gar nicht für diese Reise bezahlt. Es war Mark gewesen, und seine Kanzlei wußte nichts davon.
Der Kellner kam an unseren Tisch, und Mark bestellte. Ich verspürte schon fast keinen Appetit mehr.
»Ich bin gestern abend hier gelandet«, erklärte er, »nachdem Sparacino mich gestern morgen in Chicago angerufen und gesagt hatte, daß er mich sofort sprechen müsse. Wie du sicher schon erraten hast, ging es um Beryl Madison.« Er sah betreten aus.
»Und?« trieb ich ihn mit wachsender Unruhe an.
Er atmete tief durch und fuhr fort: »Sparacino weiß von unserer Verbindung . . . ich meine, er weiß alles über dich und mich. Über unsere Vergangenheit . . .«
Mein Blick stoppte ihn.
»Du Mistkerl!« Ich schob meinen Stuhl zurück und warf die Serviette auf den Tisch.
»Kay!«
Mark packte mich am Arm und zog mich auf den Stuhl zurück. Ich schüttelte ihn ärgerlich ab, saß stocksteif da und blickte ihn böse an. In einem anderen Restaurant, in Georgetown, hatte ich den schweren goldenen Armreif, den er mir geschenkt hatte, ausgezogen und ihm in die Muschelsuppe

geworfen. Es war eine kindische Reaktion und einer der seltenen Momente in meinem Leben gewesen, in denen ich vollkommen die Fassung verloren und eine Szene gemacht hatte.
»Schau«, sagte er und senkte seine Stimme. »Ich nehme es dir nicht übel, denn ich weiß, was du denkst. Aber es ist ganz anders. Ich nütze unsere Vergangenheit nicht zu meinem Vorteil aus. Bitte, hör mir wenigstens eine Minute lang zu. Das Ganze ist sehr kompliziert und hat mit Sachen zu tun, von denen du nichts weißt. Ich schwöre dir, daß ich nur dein Bestes will. Eigentlich dürfte ich gar nicht mit dir reden. Wenn Sparacino oder gar Berger etwas davon erfährt, macht er mir Feuer unter dem Hintern.«
Ich schwieg und war so verwirrt, daß ich nicht denken konnte.
Er lehnte sich vor. »Denk bloß mal an folgendes: Berger ist hinter Sparacino her, und jetzt ist Sparacino hinter dir her.«
»Hinter mir?« stieß ich hervor. »Ich habe den Mann noch nie getroffen. Wie kann er da hinter mir her sein?«
»Auch das hat alles mit Beryl zu tun«, entgegnete Mark. »Sparacino war nämlich schon seit Beginn ihrer Karriere ihr Anwalt. Zu unserer Kanzlei ist er erst gestoßen, als wir unser Büro hier in New York aufmachten. Davor war er selbständig. Wir brauchten einen Anwalt, der ein Spezialist auf dem Gebiet des Medienrechts ist. Sparacino ist schon seit einunddreißig Jahren in New York und brachte eine Menge Mandanten mit. Erinnerst du dich, daß ich dir im Zusammenhang mit meinem Treffen mit Beryl von einem Lunch im Algonquin erzählt habe?«
Ich nickte, und der Kampf in meinem Inneren flaute ab.
»Nun, die Geschichte war getürkt. Ich war nicht zufällig dort. Berger hat mich hingeschickt.«
»Wozu?«

Er blickte sich im Restaurant um und antwortete: »Weil Berger sich Sorgen macht. Die Kanzlei steht hier in New York erst am Anfang; weißt du, es ist fürchterlich schwierig, in dieser Stadt ein Bein auf die Erde zu bekommen, sich einen Kreis solider Mandanten und einen guten Ruf aufzubauen. Das letzte, was wir dabei brauchen können, ist ein Arschloch wie Sparacino, das den guten Namen unserer Kanzlei in den Schmutz zieht.«

Er verstummte, als der Kellner mit den Salaten erschien und feierlich eine Flasche Cabernet Sauvignon entkorkte. Mark nahm den obligatorischen Schluck und ließ unsere Gläser vollschenken.

»Berger wußte, als er Sparacino einstellte, daß der Bursche ein wenig halbseiden war, daß er gerne hoch pokerte und dabei auch manchmal verlor«, erklärte Mark. »Das ist nun mal Sparacinos Stil, könnte man meinen. Manche Anwälte sind vorsichtig, und andere wiederum machen eine Menge Lärm. Das Problem ist nur, daß Berger und ein paar andere von uns erst vor einigen Monaten herausfanden, wie weit Sparacino wirklich bereit war zu gehen. Sagt dir der Name Christie Riggs etwas?«

Es dauerte einen Moment, bis es bei mir klick machte. »Ist das die Schauspielerin, die den Footballstar geheiratet hat?«

Er nickte und fuhr fort: »Sparacino hat das Ganze eingefädelt und vom Anfang bis zum bitteren Ende inszeniert. Christie hat als Fotomodell, das nach oben wollte, hier in der Stadt ein paar Werbespots gedreht. Das war vor etwa zwei Jahren, als Leon Jones auf den Titelseiten aller Illustrierten abgebildet war. Die beiden trafen sich auf einer Party, und ein Fotograf schoß ein Bild, das zeigte, wie die beiden zusammen weggingen und in Jones' Maserati stiegen. Wenig später saß Christie Riggs im Vorzimmer von Orndorff & Berger. Sie hatte einen Termin bei Sparacino.«

»Willst du mir weismachen, daß alles, was mit den beiden passierte, Sparacinos Werk war?« fragte ich ungläubig.
Christie Riggs und Leon Jones hatten letztes Jahr geheiratet und waren sechs Monate später wieder geschieden worden. Ihre stürmische Ehe und die schmutzige Scheidung, die folgte, hatten Abend für Abend für Meldungen in den Nachrichtensendungen gesorgt.
»Ja«, bestätigte Mark und trank von seinem Wein.
»Erklär mir das.«
»Sparacino stürzt sich auf Christie«, sagte er. »Sie sieht toll aus, ist gescheit und ehrgeizig. Aber das allerbeste an ihr ist, daß sie im Moment eine Affäre mit Jones hat. Und Sparacino hat schon ein fertiges Szenario für sie. Sie will berühmt werden. Und reich. Alles, was sie dafür tun muß, ist, Jones in ihr Netz zu locken und später vor laufenden Kameras schluchzend über das Privatleben mit ihm auszupacken. Sie beschuldigt ihn, sie geschlagen zu haben, und sagt ihm nach, daß er ein Säufer und Psychopath sei, der mit Kokain herumspielt und die Einrichtung zerschlägt. Kurz darauf trennt sie sich von Jones und unterschreibt einen Buchvertrag über eine Million Dollar.«
»Da bekommt man ja direkt ein wenig Mitleid mit Jones«, murmelte ich.
»Das Schlimmste dabei ist, daß er sie vermutlich wirklich geliebt hat. Er war einfach nicht schlau genug zu erkennen, wie übel ihm mitgespielt wurde. Sein Footballspiel wurde immer schlechter, und schließlich landete er in der Betty-Ford-Klinik. Seitdem hat man nichts mehr von ihm gehört. Einer von Amerikas besten Quarterbacks wird übers Ohr gehauen und ruiniert, und indirekt trägt Sparacino die Schuld daran. Dieses Im-Schmutz-Herumwühlen und Verleumden ist nicht unser Stil. Orndorff & Berger ist eine

traditionsreiche und berühmte Kanzlei, Kay. Als Berger Wind davon bekam, was sein Medienanwalt wirklich tat, war er nicht gerade glücklich darüber.«

»Warum wirft ihn deine Firma dann nicht einfach hinaus?« fragte ich und stocherte in meinem Salat.

»Weil wir ihm nichts beweisen können, wenigstens im Moment noch nicht. Sparacino weiß, wie er sich überall herauswinden kann. Und er hat Einfluß, besonders hier in New York. Es ist, als halte man eine Schlange in der Hand. Wie läßt man sie fallen, ohne daß sie einen beißt? Und die Liste seiner Missetaten ist noch viel länger.« Ärger flammte in Marks Augen auf.

»Wenn man Sparacinos beruflichen Werdegang zurückverfolgt und einige Fälle untersucht, an denen er noch allein gearbeitet hat, kann man wirklich nur noch den Kopf schütteln.«

»Was für Fälle, zum Beispiel?« Es war mir direkt unangenehm zu fragen.

»Jede Menge Prozesse. Wenn irgendein Schreiberling eine nichtautorisierte Biographie von Elvis, John Lennon oder Sinatra geschrieben hat und die Veröffentlichung kurz bevorsteht, verklagt der Prominente oder seine Nachkommen den Autor. Die Sache wird in den Talkshows und im *People*-Magazin breitgetreten. Das Buch kommt natürlich trotzdem heraus, und zwar mit jeder Menge kostenloser Publicity. Jeder will der erste sein, der es gelesen hat, denn wenn das Buch so einen Wirbel verursacht hat, dann müssen auch wirklich saftige Dinge drinstehen. Wir haben nun den Verdacht, daß Sparacino sich darauf spezialisiert hat, den Autor eines solchen Buches zu vertreten und gleichzeitig dem Opfer unter der Hand Geld zu geben, wenn es einen Riesenskandal entfesselt. Es ist alles ein abgekartetes Spiel und klappt so gut wie immer.«

»Da fragt man sich, was man eigentlich noch glauben kann.«
Eigentlich fragte ich mich das nicht erst seit heute.
Der Kellner servierte die Rumpsteaks. Als er damit fertig war, erkundigte ich mich bei Mark: »Wie, um alles in der Welt, konnte sich Beryl jemals mit ihm einlassen?«
»Über Cary Harper«, erwiderte Mark. »Das ist ja die Ironie bei der Geschichte. Sparacino vertrat Harper jahrelang. Als Beryl dann anfing zu schreiben, schickte Harper sie zu ihm. Sparacino hatte sie schon seit ihren Anfängen unter seinen Fittichen, als eine Mischung aus Agent, Rechtsanwalt und Pate. Ich glaube, daß Beryl irgendwie eine Schwäche für ältere Männer verspürte. Ihre Karriere verlief ja auch ziemlich glatt, bis zu dem Punkt, an dem sie sich entschloß, dieses autobiographische Buch zu schreiben. Ich vermute, daß Sparacino sie auf die Idee gebracht hat. Wie auch immer, Harper jedenfalls hatte seit seinem Pulitzerpreis-Roman nichts mehr veröffentlicht. Er ist Vergangenheit, eine lebende Legende und für Typen wie Sparacino nur insofern noch von Interesse, als man vielleicht Kapital aus ihm schlagen kann.«
Ich überlegte. »Ist es möglich, daß Sparacino mit den beiden sein Spielchen trieb? Mit anderen Worten, Beryl beschließt, ihr Schweigen zu brechen – und damit auch den Vertrag mit Cary Harper –, und Sparacino spielt mit ihnen ein doppeltes Spiel. Hinter den Kulissen stachelt er Harper an, Ärger zu machen.«
Mark schenkte nach und antwortete: »Ja, ich glaube auch, daß er einen Schaukampf inszenierte, wobei weder Beryl noch Harper sich dessen bewußt waren. Wie ich schon sagte, so etwas ist genau sein Stil.«
Eine Weile aßen wir schweigend. Gallagher's Steakhouse machte seinem Ruf alle Ehre. Das Rumpsteak zerging auf der Zunge. Schließlich bekannte Mark: »Schlimm daran ist,

jedenfalls für mich, Kay«, – er sah mich an, und sein Gesicht war auf einmal hart – »als Beryl bei dem besagten Lunch im Algonquin erwähnte, daß sie jemand mit dem Tode bedrohe . . .« Er zögerte. »Um die Wahrheit zu sagen, nach allem, was ich über Sparacino wußte . . .«

». . . hast du ihr nicht geglaubt«, beendete ich den Satz für ihn.

»Stimmt«, gestand er. »Ich habe ihr wirklich nicht geglaubt. Ganz offen gesagt, mir kam die Geschichte vor wie einer von seinen Publicity-Tricks. Ich hatte den Verdacht, daß Sparacino sie dazu überredet hatte, die ganze Geschichte zu inszenieren, um damit ihr Buch besser verkaufen zu können. Nicht genug, daß sie mit Harper im Streit lag, nein, obendrein wollte irgend jemand sie auch noch umbringen. Das, was sie erzählte, erschien mir nicht allzu glaubwürdig.« Er machte eine Pause. »Aber ich habe mich geirrt.«

»Sparacino wird doch nicht so weit gehen«, wagte ich anzudeuten, »oder willst du sagen . . .«

»Ich glaube, daß Sparacino höchstens Harper so lange reizte, bis dieser ausrastete und so in Wut geriet, daß er zu ihr fuhr und total durchdrehte oder jemanden anheuerte, um sie zu ermorden.«

»Wenn das der Fall wäre«, entgegnete ich ruhig, »dann müßte er schon aus der Zeit, in der Beryl bei ihm lebte, eine ganze Menge zu verbergen haben.«

»Könnte sein«, gab Mark zu und lenkte seine Aufmerksamkeit auf sein Essen zurück. »Und selbst, wenn er nichts zu verbergen haben sollte, kennt er zumindest Sparacino und seine Methoden. Dem ist es doch egal, ob etwas wahr ist oder nicht. Wenn Sparacino Stunk machen will, dann macht er ihn, und später erinnert sich niemand an die Wahrheit, sondern nur an die Beschuldigungen.«

»Und jetzt ist er hinter mir her?« fragte ich zweifelnd. »Das

verstehe ich nicht. Was habe ich denn mit der Geschichte zu tun?«
»Eine ganze Menge. Sparacino will Beryls Manuskript haben, Kay. Das Buch ist jetzt, nach allem, was der Autorin zugestoßen ist, mehr denn je zuvor ein ganz heißes Eisen.« Er sah mich an. »Sparacino glaubt, daß deine Behörde das Manuskript erhalten hat, weil es ein Beweismittel darstellt. Und jetzt ist es verschwunden.«
Ich nahm mir noch etwas Sauerrahm und sagte betont ruhig: »Warum glaubst du, daß es verschwunden ist?«
»Sparacino hat irgendwie den Polizeibericht in die Finger bekommen«, vermutete Mark. »Ich nehme an, daß du ihn auch gelesen hast?«
»Er war eigentlich nicht ungewöhnlich, reine Routine«, antwortete ich.
Mark half meinem Gedächtnis auf die Sprünge: »Auf der letzten Seite steht eine genaue Liste der registrierten Beweisstücke, und darunter befinden sich Papiere, die auf dem Boden des Schlafzimmers gefunden wurden, und ein Manuskript, das auf der Kommode lag.«
O Gott, dachte ich, natürlich. Marino hat ja tatsächlich ein Manuskript gefunden, auch wenn es das falsche war.
»Heute morgen hat er mit dem ermittelnden Beamten gesprochen«, sagte Mark. »Einem Lieutenant Marino. Er erzählte Sparacino, daß die Polizei das Manuskript nicht hätte und daß alle Beweisstücke dem Labor in deinem Gebäude übergeben wurden. Er sagte, Sparacino sollte den Medical Examiner anrufen, mit anderen Worten, dich.«
»Das war doch nur *pro forma*«, entgegnete ich. »Die Polizei schickt alle Leute zu mir, und ich schicke sie wieder zurück zur Polizei.«
»Versuch doch mal, das Sparacino zu erzählen. Er hält sich daran, daß das Manuskript dir übergeben wurde, und zwar

zusammen mit Beryls Leiche. Und jetzt ist es nicht mehr da. Er macht deine Behörde dafür verantwortlich.«
»Das ist ja lächerlich!«
»Wirklich?« Mark sah mich fragend an. Ich fühlte mich wie in einem Kreuzverhör, als er sagte: »Ist es dann nicht richtig, daß manchmal Beweisstücke zusammen mit der Leiche eingeliefert werden, und daß du sie persönlich entgegennimmst, an die Labors weitergibst oder in dein Asservatenzimmer sperrst?«
Natürlich stimmte das.
»Gehen die Beweise in Beryls Fall auch durch deine Hände?« fragte er.
»Nicht die Beweisstücke, die am Tatort gefunden wurden, was bei persönlichen Papieren ja wohl der Fall ist«, antwortete ich gereizt. »Die Polizei hat sie den Labors übergeben und nicht ich. Tatsächlich dürfte sich der größte Teil der sichergestellten Beweisstücke aus ihrem Haus in der Asservatenkammer des Polizeipräsidiums befinden.«
Noch einmal sagte er: »Versuch das mal Sparacino zu erzählen.«
»Ich habe das Manuskript nie gesehen«, entgegnete ich nüchtern. »Meine Behörde hat es nicht und hat es auch nie gehabt. Und soweit ich weiß, ist es bisher überhaupt noch nicht aufgetaucht. Punkt.«
»Es ist noch nicht aufgetaucht? Du meinst, es sei überhaupt nicht in ihrem Haus gewesen? Die Polizei hat es nicht gefunden?«
»Richtig. Das Manuskript, das sie gefunden haben, ist nicht das, von dem du gerade sprichst. Es ist schon alt, höchstwahrscheinlich von einem Buch, das bereits vor Jahren erschienen ist. Außerdem ist es unvollständig, so an die 100 Seiten stark, wenn überhaupt. Es lag in ihrem Schlafzimmer

auf der Kommode. Marino hat es mitgenommen, um es auf Fingerabdrücke untersuchen zu lassen, für den Fall, daß der Mörder es in der Hand gehabt hat.«

Mark lehnte sich zurück.

»Wenn ihr es nicht gefunden habt«, fragte er leise, »wo ist es dann?«

»Ich habe wirklich keine Ahnung«, antwortete ich. »Es könnte weiß Gott wo sein. Vielleicht hat sie es jemandem geschickt.«

»Besaß sie einen Computer?«

»Ja.«

»Habt ihr die Festplatte überprüft?«

»Ihr Computer hat keine Festplatte, nur zwei Diskettenlaufwerke«, sagte ich. »Marino überprüft die Disketten. Ich weiß nicht, was drauf ist.«

»Das Ganze ergibt doch keinen Sinn«, fuhr er fort. »Selbst wenn sie ihr Manuskript jemandem geschickt haben sollte, hätte sie sich doch vorher eine Kopie davon gemacht. Warum war keine Kopie davon in ihrem Haus?«

»Es ergibt auch keinen Sinn, daß der große Pate Sparacino keine Kopie davon hat«, sagte ich spitz. »Ich kann mir einfach nicht vorstellen, daß er das Buch noch nicht gesehen hat. Ehrlich gesagt, ich glaube, daß er mindestens einen Entwurf davon besitzt, wenn nicht sogar die endgültige Fassung.«

»Er behauptet, daß er nichts habe, und ich bin sogar geneigt, ihm das abzunehmen, und zwar aus einem guten Grund. Nach allem, was ich über Beryl weiß, war sie sehr geheimniskrämerisch mit ihrer Arbeit und ließ niemanden, Sparacino eingeschlossen, bevor ein Buch fertig war, einen Blick darauf werfen. Sie informierte ihn am Telefon und in Briefen über den Fortgang der Arbeit. Er behauptet, er habe vor einem Monat das letzte Mal von ihr gehört. Sie hat ihm

angeblich gesagt, daß sie dabei sei, das Buch noch einmal durchzusehen, und daß sie es am ersten Januar zur Veröffentlichung fertig haben würde.«
»Vor einem Monat hat sie ihm das geschrieben?« fragte ich vorsichtig.
»Sie hat ihn angerufen.«
»Von wo aus?«
»Woher soll ich das wissen? Von Richmond aus, nehme ich an.«
»Hat er dir das erzählt?«
Mark dachte einen Moment lang nach. »Nein, er hat nicht erwähnt, von *wo* aus sie angerufen hat.« Er hielt inne. »Warum?«
»Ach, sie war eine Zeitlang nicht in der Stadt«, erwiderte ich, als wäre es nicht so wichtig. »Ich habe mich nur gefragt, ob Sparacino wußte, wo sie sich aufhielt.«
»Weiß denn die Polizei nicht, wo sie war?«
»Die Polizei weiß auch nicht alles«, sagte ich.
»Das ist keine Antwort.«
»Weißt du, was eine Antwort wäre? Daß ich den Fall überhaupt nicht mit dir besprechen sollte, Mark. Ich habe nämlich schon viel zuviel gesagt, und ich weiß immer noch nicht, warum du dich so dafür interessierst.«
»Und du bist dir nicht sicher, ob ich auch wirklich lautere Motive habe«, vermutete er. »Daß ich dich nicht bloß deshalb zum Essen einlade, weil ich einige Informationen brauche.«
»Um ehrlich zu sein, ja«, antwortete ich und schaute ihm in die Augen.
»Ich mache mir Sorgen, Kay.« Sein Gesicht verriet mir, daß er es ernst meinte, und dieses Gesicht besaß immer noch Macht über mich. Ich konnte meine Augen kaum von ihm abwenden.

»Sparacino führt irgend etwas im Schilde«, sagte er. »Ich möchte nicht, daß er dich ausquetscht.« Er schenkte den Rest des Weins in unsere Gläser.
»Was kann er schon tun, Mark?« fragte ich. »Mich anrufen und ein Manuskript verlangen, das ich nicht besitze. Na und?«
»Irgendwie habe ich das Gefühl, daß er weiß, daß du es nicht hast«, entgegnete er. »Das Problem ist nur, daß ihn das überhaupt nicht bekümmert. Natürlich will er das Manuskript. Und er wird es am Ende zwangsläufig auch bekommen, es sei denn, es ist wirklich verlorengegangen. Er ist nämlich ihr Nachlaßverwalter.«
»Wie praktisch«, bemerkte ich.
»Ich weiß genau, daß er etwas vorhat.« Mark schien mit sich selbst zu sprechen.
»Was denn? Wieder einen von seinen Publicity-Tricks?« bot ich ein wenig zu lebhaft an.
Mark nahm einen Schluck von seinem Wein.
»Ich kann mir nicht vorstellen, was er im Schilde führen sollte«, fuhr ich fort. »Jedenfalls nichts, was mit mir zu tun haben könnte.«
»Ich kann mir da schon etwas vorstellen«, entgegnete er ernst.
»Dann sprich es bitte aus«, bat ich.
Er sagte: »Schlagzeile: *Chief Medical Examiner weigert sich, umstrittenes Manuskript herauszugeben.*«
Ich lachte. »Das ist ja grotesk!«
Mark lächelte nicht. »Überleg doch mal. Da ist diese Autobiographie einer zurückgezogen lebenden Schriftstellerin, die vor kurzem ermordet wurde. Das Manuskript verschwindet, und der Medical Examiner wird beschuldigt, es gestohlen zu haben. Das verdammte Ding verschwindet einfach aus der *Leichenhalle.* O Gott! Wenn dieses Buch dann

wirklich erscheint, wird es ein Riesen-Bestseller, und ganz Hollywood prügelt sich um die Filmrechte.«
»Ich mache mir da keine Sorgen«, behauptete ich, ohne allzu überzeugend zu klingen. »Das erscheint mir doch alles sehr weit hergeholt zu sein.«
»Sparacino ist ein Meister, wenn es darum geht, aus einer Mücke einen Elefanten zu machen, Kay«, warnte Mark. »Ich möchte bloß nicht, daß es dir so ergeht wie Leon Jones.« Er sah sich nach dem Kellner um, aber seine Augen erstarrten, als sie zur Eingangstür sahen. Schnell senkte er den Blick hinunter auf sein halb gegessenes Rumpsteak und murmelte: »So ein Mist!«
Ich mußte alle meine Selbstkontrolle aufwenden, um mich nicht umzudrehen. Aber ich sah weder hoch, noch benahm ich mich in geringster Weise so, als hätte ich irgend etwas bemerkt, bis ein großer Mann an unserem Tisch stand.
»O, hallo, Mark. Ich habe mir schon gedacht, daß ich Sie hier finden würde.«
Der Mann war ungefähr Ende Fünfzig oder Anfang Sechzig. Er sprach leise und hatte ein fleischiges Gesicht mit eiskalten blauen Augen, die ihm einen harten Ausdruck verliehen. Sein Gesicht war rot, und er atmete so schwer, als würde bereits die Mühe, sein beträchtliches Gewicht mit sich herumzutragen, jede Zelle seines Körpers überanstrengen.
»Mir kam ganz plötzlich die Idee, Sie hier zu suchen und auf einen Drink einzuladen, alter Junge.« Er knöpfte seinen Kaschmirmantel auf und drehte sich um zu mir. »Ich glaube nicht, daß wir uns schon einmal begegnet sind. Ich bin Robert Sparacino.«
»Kay Scarpetta«, entgegnete ich überraschend gefaßt.

## 5

Irgendwie schafften wir es, mit Sparacino eine Stunde lang Likör zu trinken. Es war schrecklich. Er tat so, als sei ich eine Fremde für ihn. Aber er wußte genau, wer ich war, und ich war überzeugt, daß dieses Zusammentreffen kein Zufall war. Wie hätte es auch einer sein können, in einer Riesenstadt wie New York?

»Bist du sicher, daß er nicht doch irgendwie herausfinden konnte, daß ich kommen würde?« fragte ich, nachdem wir uns von Sparacino verabschiedet hatten.

»Ich kann mir nicht vorstellen, wie«, sagte Mark.

In seinen Fingerspitzen konnte ich seine Ungeduld spüren, als er mich am Arm nahm und mit mir direkt in die 75. Straße ging.

Die Carnegie Hall war leer, und nur ein paar Leute schlenderten noch auf dem Gehsteig vorbei. Es war kurz vor ein Uhr morgens, meine Gedanken schwammen im Alkohol, und meine Nerven waren überreizt.

Sparacino war mit jedem Grand Marnier munterer und anbiedernder geworden, und am Schluß hatte er sogar ein wenig gelallt. »Er läßt doch keinen Trick aus! Tut so, als sei er besoffen und könne sich morgen früh an nichts mehr erinnern! Zum Teufel, der ist immer auf höchster Alarmstufe, selbst wenn er schläft!«

»Deshalb fühle ich mich auch nicht besser«, erwiderte ich.

Wir steuerten direkt auf den Aufzug zu und fuhren in betretenem Schweigen nach oben. Eine Nummer nach der anderen blinkte an der Stockwerksanzeige auf. Ohne daß unsere Schritte auf dem Teppichboden Geräusche verursacht hätten, gingen wir den Gang entlang. Ich war froh, als ich in meinem Zimmer meine Reisetasche auf dem Bett liegen sah.

»Ist dein Zimmer in der Nähe?« erkundigte ich mich.
»Ein paar Türen weiter.« Er schaute unruhig umher. »Bietest du mir noch einen Schlummertrunk an?«
»Ich habe nichts zu trinken dabei . . .«
»Hier im Zimmer findet sich ganz sicher eine komplett bestückte Bar, darauf kannst du Gift nehmen«, sagte er.
Noch mehr Alkohol hatten wir ungefähr so nötig wie ein Loch im Kopf.
»Was wird Sparacino tun?« fragte ich.
Die »Bar« bestand aus einem kleinen Kühlschrank mit Bier, Wein und ein paar winzigen Fläschchen Schnaps.
»Er hat uns zusammen gesehen«, fuhr ich fort. »Was geschieht als nächstes?«
»Kommt drauf an, was ich ihm erzähle«, antwortete Mark.
Ich reichte ihm einen Plastikbecher mit Scotch. »Dann laß mich so fragen: Was hast du denn vor, ihm zu erzählen, Mark?«
»Eine Lüge.«
Ich setzte mich auf die Bettkante. Er zog einen Stuhl nahe heran und schwenkte die bernsteinfarbene Flüssigkeit langsam in seinem Becher herum. Unsere Knie berührten sich fast.
»Ich werde ihm sagen, daß ich versucht habe, in seinem Interesse so viel wie möglich aus dir herauszubekommen«, sagte er.
»Daß du mich benützt hast«, verbesserte ich ihn, und meine Gedanken verschwammen wie ein schlechter Radioempfang. »Und daß du das nur wegen unserer gemeinsamen Vergangenheit tun konntest.«
»Ja.«
»Und das soll eine Lüge sein?« fragte ich provozierend.
Er lachte. Ich hatte ganz vergessen, wie sehr ich sein Lachen liebte.

»Ich kann das nicht lustig finden«, protestierte ich. Es war heiß in dem Zimmer. Ich spürte, wie sich meine Wangen vom Scotch röteten. »Wenn das eine Lüge ist, Mark, was ist dann die Wahrheit?«
»Kay«, sagte er, immer noch lächelnd, und seine Augen ließen mich nicht los. »Ich habe dir die Wahrheit schon gesagt.« Er schwieg für einen Moment. Dann beugte er sich zu mir herüber, küßte mich auf die Wange, und ich erschrak darüber, wie sehr es mir gefiel.
Er lehnte sich in seinen Stuhl zurück. »Warum bleibst du nicht hier, wenigstens bis morgen nachmittag? Vielleicht sollten wir beide morgen früh zu Sparacino gehen und mit ihm reden?«
»Nein«, entgegnete ich. »Genau das will er ja.«
»Wie du meinst.«
Stunden später, als Mark mich verlassen hatte, lag ich wach und starrte in die Dunkelheit. Die kühle Leere auf der anderen Seite des Doppelbettes wurde mir schmerzlich bewußt. Auch früher war Mark nie über Nacht geblieben, und am nächsten Morgen war ich immer durch das Appartement gegangen, hatte verschiedene Kleidungsstücke, schmutzige Gläser, Geschirr und Weinflaschen weggeräumt und die Aschenbecher geleert. Damals hatten wir noch beide geraucht. Wir waren oft bis ein, zwei oder sogar bis drei Uhr morgens zusammengeblieben, hatten geredet, gelacht, getrunken, geraucht und geschmust. Und manchmal hatten wir uns gestritten. Ich hatte diese Debatten, die sich viel zu oft zu einem bösartigen Schlagabtausch auswuchsen, immer gehaßt. Auge um Auge, Zahn um Zahn. Wie du mir, so ich dir. Strafrechtsparagraphen hier gegen große philosophische Wahrheiten dort. Immer hatte ich darauf gewartet, daß er mir sagte, er liebe mich. Er hatte es nie getan.
Am Morgen hatte ich immer dasselbe leere Gefühl gehabt,

das ich als Kind gespürt hatte, wenn Weihnachten vorbei gewesen war und ich meiner Mutter hatte helfen müssen, das liegengelassene Geschenkpapier unter dem Baum wegzuräumen. Ich hatte nicht gewußt, was ich wollte. Hatte es vielleicht nie gewußt. Wir hätten nicht zusammenkommen dürfen, denn der emotionale Abstand war einfach zu groß gewesen. Trotzdem hatte ich nichts daraus gelernt, und nichts hatte sich geändert. Hätte er mich in seine Arme genommen, dann hätte ich alle Vernunft über Bord geworfen. Sehnsucht ist nicht rational erklärbar, und meine Sehnsucht nach Wärme hatte nie aufgehört. Jahrelang hatte ich die Vorstellung von seinen Lippen auf den meinen, von seinen Händen und unserem Heißhunger aufeinander nicht mehr heraufbeschworen. Jetzt auf einmal quälte mich die Erinnerung daran.

Ich hatte vergessen, einen Weckruf zu bestellen, und mit dem Einstellen des Weckers auf dem Nachttisch hatte ich mich nicht herumschlagen wollen. Ich hatte meine innere Uhr auf sechs Uhr früh gestellt, und genau um diese Zeit wachte ich auch auf. Ich stand auf und fühlte mich genau so schlecht, wie ich aussah. Auch eine heiße Dusche und sorgfältiges Schminken konnten nicht die gedunsenen, dunklen Ringe unter meinen Augen und meine bleiche Gesichtsfarbe verdecken. Das Badezimmerlicht war brutal und ehrlich. Ich rief bei United Airlines an, und um sieben Uhr klopfte ich an Marks Tür.

»Hi«, strahlte er und sah widerwärtig frisch und gut gelaunt aus.

»Na, hast du's dir anders überlegt?«

»Ja«, antwortete ich. Der altvertraute Duft seines Rasierwassers ließ meine Gedanken durcheinanderpurzeln wie die bunten Glasstückchen in einem Kaleidoskop.

»Ich wußte es.«

»Und woher wußtest du es?«
»Du hast noch nie vor einem Kampf gekniffen«, sagte er und schaute mich im Wandspiegel an, vor dem er sich gerade seinen Krawattenknoten band.
Mark und ich hatten vereinbart, uns am frühen Nachmittag im Büro von Orndorff & Berger zu treffen. Die Eingangshalle der Kanzlei war groß und ungemütlich. Auf schwarzem Teppichboden thronte eine massive, schwarze Konsole. An der Decke hingen Lichtschienen aus poliertem Messing, und ein massiver Messingblock diente als Tisch zwischen zwei Stühlen aus schwarzem Acryl. Es fiel auf, daß sich sonst keine Möbel, Pflanzen oder Gemälde in der Halle befanden, nur ein paar bizarre Skulpturen, die wahllos in der riesigen Leere des Raumes verteilt waren, die sie ein wenig abmildern sollten.
»Kann ich Ihnen helfen?« fragte mich die Empfangsdame hinter ihrer Konsole mit einem geübten Lächeln.
Bevor ich antworten konnte, öffnete sich lautlos eine Tür, die mir an der dunklen Wand vorher nicht aufgefallen war, und Mark nahm mir meine Tasche ab und führte mich in einen langen, breiten Gang. Wir gingen an vielen Türen zu geräumigen Büros vorbei, die alle riesige Fenster mit Ausblick über ein graues Manhattan hatten. Alle Räume waren menschenleer, vermutlich war jedermann beim Lunch.
»Wer, um Himmels willen, hat denn eure Eingangshalle entworfen?« flüsterte ich.
»Der Herr, den wir jetzt gleich sehen werden«, erwiderte Mark.
Sparacinos Büro war doppelt so groß wie alle anderen, mit einem riesigen Schreibtisch aus Ebenholz, auf dem Briefbeschwerer aus polierten Halbedelsteinen herumlagen. An den Wänden standen lauter Bücherregale. Der Anwalt der Showstars und Literaten trug einen teuren Maßanzug, mit

einem blutroten Einstecktuch in der Brusttasche als Farbtupfer, und sah nicht weniger furchteinflößend aus als am Abend zuvor. Er saß lässig und entspannt in seinem Stuhl und rührte sich nicht, als wir eintraten und uns setzten. Einen eisigen Moment lang sah er uns noch nicht einmal an.
»Ich nehme an, Sie sind auf dem Weg zum Lunch«, bemerkte er schließlich.
Er schaute uns mit seinen blauen Augen an, während seine dicken Finger einen Aktendeckel schlossen. »Ich verspreche, daß ich Sie nicht allzulange aufhalten werde, Dr. Scarpetta. Mark und ich haben gerade über ein paar Einzelheiten gesprochen, die den Fall meiner Klientin Beryl Madison betreffen. Es dürfte ziemlich klar sein, wofür ich mich als ihr Anwalt und Nachlaßverwalter interessiere, und ich bin sicher, daß Sie mir helfen können, die Dinge ihren Wünschen entsprechend zu regeln.«
Ich sagte nichts. Meine Suche nach einem Aschenbecher verlief erfolglos.
»Robert braucht alle ihre Papiere«, stellte Mark ohne Nachdruck fest. »Genauer gesagt, das Manuskript eines Buches, an dem sie gerade schrieb, Kay. Bevor du kamst, habe ich ihm erklärt, daß sich solche persönlichen Dinge nicht im Gewahrsam des Medical Examiners befinden, zumindest nicht in diesem Fall.«
Wir hatten beim Frühstück diese Unterhaltung schon durchgesprochen. Mark wollte sich, bevor ich eintraf, um Sparacino »kümmern«, aber ich hatte jetzt schon das Gefühl, daß Sparacino sich wohl mehr um mich kümmern würde.
Ich schaute ihn geradeheraus an und sagte: »Die Gegenstände, die meinem Büro übergeben wurden, sind ausschließlich Beweisstücke. Irgendwelche Papiere, die für Sie von Interesse sein könnten, sind nicht dabei.«

»Wollen Sie damit sagen, daß Sie das Manuskript nicht haben?« fragte er.
»So ist es.«
»Und Sie wissen auch nicht, wo es sich befindet?«
»Ich habe keine Ahnung.«
»Nun, was Sie da sagen, bereitet mir doch ein wenig Kopfzerbrechen.«
Mit ausdruckslosem Gesicht öffnete er den Aktendeckel und holte ein Schriftstück, das ich als Fotokopie von Beryls Polizeibericht erkannte, heraus.
»Laut Angaben der Polizei wurde am Tatort ein Manuskript gefunden«, stellte er fest. »Sie wiederum behaupten, daß es kein Manuskript gibt. Wie soll ich das verstehen?«
»Es wurden Teile eines Manuskripts gefunden«, antwortete ich. »Aber ich glaube nicht, daß es das ist, wonach Sie suchen, Mr. Sparacino. Sie scheinen nicht neueren Datums zu sein, und vor allen Dingen wurden sie mir niemals übergeben.«
»Wie viele Seiten?« fragte er.
»Ich habe sie nie gesehen«, antwortete ich.
»Wer hat sie denn gesehen?«
»Lieutenant Marino. Eigentlich sollten Sie die Angelegenheit mit ihm besprechen«, sagte ich.
»Das habe ich bereits, und er hat mir erzählt, daß er das Manuskript an Sie weitergegeben habe.«
Ich glaubte nicht, daß Marino das behauptet hatte.
»Das muß ein Mißverständnis sein«, antwortete ich. »Ich glaube, Marino hat gemeint, daß er Teile eines Manuskripts dem forensischen Labor übergeben hat, und zwar Seiten zu einem Buch, das vermutlich längst erschienen ist. Die forensischen Untersuchungslabors sind eine eigenständige Dienststelle, die nur zufällig im gleichen Gebäude wie meine untergebracht ist.«

Ich schaute hinüber zu Mark. Sein Gesicht wirkte angespannt, und der Schweiß stand ihm auf der Stirn.
Leder knarzte, als sich Sparacino in seinem Stuhl bewegte.
»Ich will ganz offen mit Ihnen sein, Dr. Scarpetta«, sagte er.
»Ich glaube Ihnen nicht.«
»Ich kann nichts dafür, wenn Sie mir nicht glauben«, entgegnete ich sehr ruhig.
»Ich habe lange über die Sache nachgedacht«, fuhr er ebenso ruhig fort. »Die Geschichte ist doch die: Dieses Manuskript ist nur ein Haufen wertlosen Papiers, solange man nicht von seiner Bedeutung für gewisse Leute weiß. Ich kenne mindestens zwei Personen – Verleger nicht mit eingeschlossen –, die viel Geld für das Buch bezahlen würden, an dem Beryl arbeitete, bevor sie starb.«
»All das geht mich nichts an«, antwortete ich. »Meine Dienststelle hat dieses Manuskript nicht. Und, das füge ich ausdrücklich hinzu, hat es auch nie gehabt.«
»Irgend jemand muß es haben.« Er starrte aus dem Fenster. »Ich kannte Beryl besser als jeder andere. Ich kannte ihre Gewohnheiten, Dr. Scarpetta. Sie war längere Zeit verreist und erst seit ein paar Stunden wieder zu Hause, als sie ermordet wurde. Ich kann einfach nicht glauben, daß sie ihr Manuskript nicht bei sich gehabt habe, daß es weder in ihrem Arbeitszimmer noch in ihrer Aktentasche, noch in einem ihrer Koffer gewesen sein soll.« Die kleinen blauen Augen blickten mich wieder durchdringend an. »Sie hatte kein Bankschließfach und auch sonst keinen Aufbewahrungsort dafür, und außerdem wäre das sowieso nicht ihre Art gewesen. Sie nahm es mit, als sie verreiste, und hat daran gearbeitet. Sie muß das Manuskript bei sich gehabt haben, als sie nach Richmond zurückkehrte.«
»Sie war also längere Zeit verreist?« wiederholte ich. »Woher wissen Sie das?«

Mark vermied es, mich anzuschauen.
Sparacino lehnte sich in seinem Stuhl zurück und faltete die Hände vor seinem dicken Bauch.
»Ich weiß, daß Beryl nicht zu Hause war«, erwiderte er. »Ich habe wochenlang versucht, sie anzurufen. Vor etwa einem Monat schließlich rief sie mich an. Sie wollte mir nicht verraten, wo sie sich aufhielt, aber sie sagte, sie sei – Zitat – ›in Sicherheit‹ – Zitatende. Sie berichtete ferner, daß das Buch Fortschritte mache und daß sie hart daran arbeite. Kurz und gut, ich habe ihr nicht nachspioniert. Beryl hatte Angst vor diesem Psychopathen und ist weggelaufen. Mir war es eigentlich egal, wohin, wenn sie nur fleißig arbeitete und ihren Abgabetermin einhielt. Das klingt vielleicht gefühllos, aber Geschäft ist Geschäft.«
»Wir wissen nicht, wo Beryl war«, erklärte mir Mark. »Anscheinend wollte Marino nichts dazu sagen.«
Sein Gebrauch der persönlichen Fürwörter verletzte mich. Mit »wir« hatte er sich und Sparacino gemeint.
»Wenn du willst, daß ich dir diese Frage beantworte . . .«
»*Ich* will das«, mischte sich Sparacino ein. »Irgendwann wird es ja doch herauskommen, ob sie ihre letzten paar Monate in North Carolina, Washington, Texas oder wo auch immer verbracht hat, aber ich muß es jetzt wissen. Sie behaupten, Sie hätten das Manuskript nicht. Die Polizei sagt, bei ihr sei es auch nicht. Es gibt nur einen einzigen sicheren Weg, dieser Sache auf den Grund zu gehen, nämlich herauszufinden, wo sie sich zuletzt aufgehalten hat, und dort die Spur des Manuskripts aufzunehmen. Vielleicht hat jemand sie zum Flughafen gefahren. Vielleicht hat sie Freunde gefunden, wo auch immer sie war. Vielleicht hat irgend jemand eine Ahnung, was aus dem Buch geworden sein könnte. Hat sie es zum Beispiel mit sich herumgetragen, als sie ins Flugzeug stieg?«

»Sie müssen sich diese Information schon von Lieutenant Marino holen«, antwortete ich. »Ich bin nicht befugt, Einzelheiten dieses Falles mit Ihnen zu erörtern.«

»Das habe ich mir gedacht«, sagte Sparacino. »Und zwar höchstwahrscheinlich deshalb, weil Sie ganz genau wissen, daß sie es tatsächlich im Flugzeug nach Richmond bei sich hatte, und weil es mit ihrer Leiche zu Ihnen geschickt wurde und jetzt verschwunden ist.«

Er hielt inne, seine kalten Augen schauten direkt in die meinen. »Wieviel haben Sie von Cary Harper, seiner Schwester oder von beiden dafür bekommen, daß Sie es ihnen ausgehändigt haben?«

Mark hatte anscheinend Sendepause. Sein Gesicht war ausdruckslos.

»Wieviel? Zehn-, zwanzig-, fünfzigtausend?«

»Für mich ist diese Unterredung beendet, Mr. Sparacino«, entgegnete ich und griff nach meiner Handtasche.

»Aber für mich noch nicht, Dr. Scarpetta«, gab Sparacino zurück.

Er blätterte wie nebenbei durch die Akte vor ihm. Genauso nebenbei warf er ein paar Papiere über den Tisch zu mir herüber. Ich spürte, wie mir das Blut aus dem Gesicht wich, als ich die Blätter aufhob. Es handelte sich um Fotokopien von Artikeln, die vor etwas mehr als einem Jahr in den Richmonder Zeitungen erschienen waren. Schon der erste war mir auf bedrückende Weise vertraut:

LEICHENFLEDDEREI:
MEDICAL EXAMINER UNTER VERDACHT

»Timothy Smathers, der letzten Monat vor seinem Haus erschossen wurde, trug zum Zeitpunkt seines Todes eine goldene Uhr am Handgelenk, einen goldenen Ring am Finger, sowie 83 Dollar Bargeld in seiner Hosentasche. Diese Angaben machte seine Frau, die Zeugin des Mordes war, den allem Anschein nach ein unzufriedener früherer Angestellter des Opfers beging. Die Polizei und die Besatzung des Rettungswagens, die kurz nach dem Mord bei Smathers Haus eintraf, gaben zu Protokoll, daß sich die genannten Wertsachen bei Smathers Leiche befunden hätten, als diese für eine Autopsie ins Gebäude des Medical Examiners gebracht wurde . . .«

Der Artikel war damit noch lange nicht zu Ende, und ich mußte nicht erst weiterlesen, um zu wissen, was in den anderen Ausschnitten stand. Der Smathers-Fall war für meine Dienststelle ihre bisher schlechteste Publicity gewesen. Ich gab die Fotokopien weiter in Marks ausgestreckte Hand. Sparacino hatte mich am Haken, und ich war entschlossen, mich nicht zu winden.

»Wenn Sie die Geschichten gelesen haben«, sagte ich, »ist Ihnen vielleicht aufgefallen, daß der Fall gründlich untersucht und meine Dienststelle von jeglichem Verdacht auf Unkorrektheiten reingewaschen wurde.«

»Aber sicher«, entgegnete Sparacino. »Sie selbst höchstpersönlich haben die genannten Wertsachen einem Bestattungsunternehmen übergeben. Danach erst verschwanden sie. Das Problem war nur, das auch zu beweisen. Mrs. Smathers ist nach wie vor der Auffassung, daß das Büro des Chief Medical Examiners das Geld und den Schmuck ihres Mannes gestohlen hat. Ich habe mit ihr gesprochen.«

»Ihr Büro wurde entlastet«, steuerte Mark mit monotoner Stimme bei, während er die Artikel überflog. »Trotzdem steht hier, daß Mrs. Smathers einen Scheck über den ungefähren finanziellen Wert der gestohlenen Gegenstände erhielt.«

»Das stimmt«, bestätigte ich kühl.

»Ideelle Werte kann man nicht so einfach mit Geld bezahlen«, bemerkte Sparacino. »Sie hätten ihr einen Scheck über das Zehnfache des finanziellen Wertes geben können, und sie wäre immer noch unglücklich gewesen.«
Das sollte wohl ein Witz sein. Mrs. Smathers wurde noch immer von der Polizei verdächtigt, hinter der Ermordung ihres Mannes gesteckt zu haben, und hatte, noch bevor das Gras über dem Grab ihres Mannes überhaupt angefangen hatte zu wachsen, einen wohlhabenden Witwer geheiratet.
»Die Zeitungen schrieben weiter«, fuhr Sparacino fort, »daß Ihre Dienststelle bis heute noch nicht eine Empfangsquittung vorlegen konnte, die klipp und klar bewiesen hätte, daß Mr. Smathers' persönliche Habe wirklich dem Beerdigungsunternehmen übergeben wurde. Nun, ich kenne die Einzelheiten. Die Quittung wurde angeblich von einem Verwaltungsangestellten verlegt, der inzwischen woanders beschäftigt ist. Das Ganze lief schließlich darauf hinaus, daß Ihr Wort gegen das des Beerdigungsinstituts stand, und obwohl die Geschichte niemals zufriedenstellend geklärt wurde, zumindest meiner Meinung nach nicht, kräht heute kein Hahn mehr danach.«
»Was wollen Sie damit sagen?« fragte Mark, immer noch tonlos. Sparacino blickte kurz hinüber zu ihm, bevor er seine Aufmerksamkeit wieder mir zuwandte. »Diese Smathers-Geschichte war leider nicht die einzige derartige Anschuldigung. Im vergangenen Juli erhielt Ihre Dienststelle die Leiche eines alten Mannes namens Henry Jackson, der eines natürlichen Todes gestorben war. Als seine Leiche bei Ihnen eingeliefert wurde, hatte sie 52 Dollar Bargeld in einer Tasche. Wieder verschwand das Geld, und Sie waren gezwungen, dem Sohn des Mannes einen Scheck über die Summe auszustellen. Der Sohn erzählte alles einem lokalen Fernseh-

sender. Ich habe eine Videoaufnahme von der Sendung, wenn es Sie interessiert.«
»Jackson hatte wirklich zweiundfünfzig Dollar in seinen Taschen«, antwortete ich und war kurz davor, richtig wütend zu werden. »Er war stark verwest und das Geld so verrottet, daß nicht einmal der verzweifeltste Dieb es angefaßt hätte. Ich weiß nicht, was damit passiert ist, aber es scheint so, daß das Geld versehentlich zusammen mit Jacksons gleichermaßen verfaulten und von Maden wimmelnden Kleidern verbrannt wurde.«
»Mein Gott!« murmelte Mark.
»Ihre Dienststelle steckt offensichtlich in Schwierigkeiten, Dr. Scarpetta.« Sparacino lächelte.
»Jede Dienststelle hat ihre Schwierigkeiten«, fauchte ich und stand auf. »Wenn Sie etwas aus Beryl Madisons Besitz haben wollen, dann wenden Sie sich an die Polizei.«
»Es tut mir leid«, sagte Mark, als wir im Aufzug nach unten fuhren. »Ich hatte keine Ahnung, daß dir der Bastard mit diesem Mist kommen würde. Du hättest es mir erzählen sollen, Kay . . .«
»Was?« Ich starrte ihm ungläubig ins Gesicht. »Was hätte ich dir erzählen sollen?«
»Die Geschichte von den verschwundenen Wertsachen, von dem ganzen Skandal. Das ist doch genau die Sorte von Dreck, in der Sparacino für sein Leben gerne wühlt. Weil ich es nicht wußte, habe ich uns beide in seinen Hinterhalt geführt. Verdammt!«
»Ich habe es dir nicht erzählt«, entgegnete ich und wurde lauter, »weil es mit Beryls Fall nicht das geringste zu tun hat. Beide Geschichten waren nur ein Sturm im Wasserglas gewesen. Das hausgemachte Chaos, das zwangsläufig ab und zu entsteht, wenn einem Leichen in jedem nur erdenklichen Zustand vor die Haustüre gelegt werden und alle fünf

Minuten jemand vom Beerdigungsinstitut oder von der Polizei hereinschneit, um irgendwelche persönlichen Habseligkeiten abzuholen.«
»Jetzt werde doch bitte nicht wütend auf mich!«
»Ich bin nicht wütend auf dich.«
»Schau, ich habe dich vor Sparacino gewarnt. Ich versuche, dich vor ihm zu beschützen.«
»Ich bin mir nicht sicher, was du wirklich versuchst, Mark.«
Wir redeten hitzig weiter, während er sich abzappelte, um ein Taxi herbeizuwinken. Der Verkehr war kurz vor dem totalen Stillstand. Hupen tröteten, Motoren brummten, und meine Nerven waren am Überschnappen. Endlich erschien ein Taxi, Mark öffnete die schwarze Tür und stellte meine Tasche auf den Boden. Als er, nachdem ich eingestiegen war, dem Fahrer ein paar Geldscheine in die Hand drückte, merkte ich, was los war. Mark fuhr nicht mit. Er schickte mich allein und ohne Lunch zurück zum Flughafen. Bevor ich das Fenster herunterkurbeln und mit ihm sprechen konnte, schoß das Taxi davon in den dichten Verkehr.
Ich fuhr schweigend nach La Guardia und hatte noch drei Stunden Zeit, bis mein Flugzeug startete. Ich war wütend, verletzt und verwirrt. Ich haßte solche Abschiede. In einer Bar fand ich einen leeren Stuhl, bestellte mir einen Drink und zündete eine Zigarette an. Ich schaute dem blauen Rauch zu, wie er aufstieg und in der dunstigen Luft verflog. Ein paar Minuten später steckte ich einen Vierteldollar in ein öffentliches Telefon.
»Orndorff & Berger«, meldete sich eine geschäftsmäßig klingende Frauenstimme.
Ich stellte mir die schwarze Konsole vor, als ich fragte: »Könnte ich bitte Mark James sprechen?«
Nach einer Pause antwortete die Frau: »Es tut mir leid, Sie müssen die falsche Nummer gewählt haben.«

»Er arbeitet bei Ihrer Kanzlei in Chicago und ist hier auf Besuch. Ich habe ihn heute mittag in Ihrem Büro getroffen«, sagte ich.
»Können Sie einen Moment dranbleiben?«
Sie ließ mich etwa zwei Minuten lang eine zu seichtem Gedudel verunstaltete Version von Jerry Raffertys »Bakerstreet« hören.
»Es tut mir leid«, informierte mich die Empfangsdame, als sie wieder am Apparat war. »Hier gibt es niemanden mit diesem Namen.«
»Aber ich habe ihn doch vor weniger als zwei Stunden in Ihrer Empfangshalle getroffen«, rief ich ungeduldig aus.
»Ich habe nachgefragt, Madam. Es tut mir leid, aber vielleicht haben Sie uns mit einer anderen Firma verwechselt.«
Ich fluchte unhörbar und schmettterte den Hörer auf die Gabel. Dann rief ich die Auskunft an, ließ mir die Nummer von Orndorff & Berger in Chicago geben und den Anruf über meine Kreditkarte laufen. Ich wollte Mark ausrichten lassen, daß er mich so bald wie möglich anrufen solle. Das Blut gefror mir fast in den Adern, als die Empfangsdame in Chicago sagte: »Es tut mir leid, Madam, aber in dieser Kanzlei gibt es keinen Mark James.«

## 6

Marks Nummer stand nicht im Chicagoer Telefonbuch. Es gab dort fünf Mark James und drei M. James. Als ich zu Hause war, rief ich jede einzelne dieser Nummern an. Es war immer entweder eine Frau oder ein mir unbekannter Mann an der Strippe. Ich war so durcheinander, daß ich nicht schlafen konnte.
Erst am nächsten Morgen dachte ich daran, Diesner anzuru-

rufen, den Chief Medical Examiner in Chicago, den Mark angeblich getroffen hatte.
Ich beschloß, möglichst direkt zur Sache zu kommen, und sagte zu Diesner nach den üblichen Höflichkeiten: »Ich suche Mark James, einen Anwalt aus Chicago. Ich nehme an, Sie kennen ihn.«
»James . . .«, wiederholte Diesner nachdenklich. »Ich fürchte, der Name sagt mir nichts, Kay. Sie glauben, er sei Anwalt hier in Chicago?«
»Ja.« Mein Herz wurde schwer. »Bei Orndorff & Berger.«
»Also, Orndorff & Berger kenne ich. Eine sehr angesehene Kanzlei. Aber ich kann mich an keinen Mark James dort erinnern . . .« Ich hörte, wie er eine Schublade aufzog und irgendwo herumblätterte. Nach einer langen Pause stellte Diesner fest: »Nein. Im Branchentelefonbuch steht er auch nicht.«
Nach dem Telefongespräch goß ich mir noch eine Tasse schwarzen Kaffee ein und schaute aus dem Küchenfenster auf das leere Vogelhaus. Der graue Morgen sah nach Regen aus. In der Stadt wartete ein Schreibtisch auf mich, für den ich bald einen Bulldozer benötigen würde.
Es war Samstag. Am Montag war ein Feiertag. Sicher war das Büro längst leer und meine Mitarbeiter im verlängerten Wochenende. Eigentlich hätte ich die Ruhe nutzen und meine Rückstände aufarbeiten sollen. Aber es war mir gleichgültig. Ich mußte die ganze Zeit an Mark denken. Es schien mir auf einmal, als ob er gar nicht wirklich existierte, als wäre er nur Einbildung und Traum gewesen. Je mehr ich versuchte, mir einen Reim auf die Geschichte zu machen, desto mehr verhedderten sich meine Gedanken. Was, um alles in der Welt, ging da eigentlich vor?
Aus lauter Verzweiflung versuchte ich, von der Auskunft Robert Sparacinos Privatnummer zu bekommen, und war ins-

geheim erleichtert, daß er eine Geheimnummer hatte. Es wäre auch glatter Selbstmord gewesen, ihn anzurufen. Mark hatte mich angelogen. Daß er in Chicago lebe, bei Orndoff & Berger arbeite, daß er Diesner kenne – nichts davon stimmte! Die ganze Zeit hoffte ich, daß das Telefon klingeln und Mark mich anrufen würde. Ich putzte das Haus von oben bis unten, erledigte die Wäsche, bügelte, kochte Tomatensoße mit Fleischbällchen und sah meine Post durch.
Erst um fünf Uhr nachmittags klingelte das Telefon.
»Na, Doc? Hier spricht Marino«, begrüßte mich eine vertraute Stimme. »Ich möchte Sie ja nicht in Ihrem Wochenende stören, aber ich habe Sie zwei gottverdammte Tage lang gesucht. Ich wollte mich nur vergewissern, daß es Ihnen gutgeht.«
Marino spielte schon wieder Schutzengel.
»Ich habe da ein Videoband, das Sie sicher interessiert«, sagte er. »Ich dachte, ich könnte mal kurz bei Ihnen vorbeischauen, wenn Sie zu Hause sind. Haben Sie einen Videorecorder?«
Er wußte genau, daß ich einen hatte. Er hatte schon einmal mit Videobändern »vorbeigeschaut«.
»Was für ein Videoband?« fragte ich.
»Von dem Penner, mit dem ich den ganzen Vormittag verbracht habe. Ich habe ihn zum Fall Beryl Madison befragt.«
Er war still. Ich wußte, daß er stolz auf sich war.
Je länger wir uns kannten, desto häufiger zog mich Marino ins Vertrauen. Teilweise führte ich das darauf zurück, daß er mir einmal das Leben gerettet hatte. Dieses Ereignis hatte uns zu einem ungleichen Paar zusammengeschweißt.
»Sind Sie im Dienst?« fragte ich.
»Verdammt, ich bin immer im Dienst«, brummte er.
»Im Ernst.«
»Nicht offiziell, okay? Seit vier habe ich Schluß, aber meine

Frau ist in Jersey bei ihrer Schwester, und ich muß mir noch auf so viele offene Fragen einen Reim machen, daß ich mir schon wie ein Dichter vorkomme.«

Seine Frau war verreist. Seine Kinder erwachsen. Und heute war ein kalter, grauer Samstag. Marino wollte nicht nach Hause in sein leeres Haus. Ich selber fühlte mich in meinem leeren Haus auch nicht gerade glücklich und zufrieden. Ich dachte an den Topf mit Soße, der auf dem Herd vor sich hinköchelte.

»Ich habe nichts Besonderes vor«, sagte ich. »Kommen Sie ruhig mit Ihrem Videoband vorbei, und wir sehen es uns gemeinsam an. Mögen Sie Spaghetti?«

Er zögerte. »Nun ja . . .«

»Mit Fleischbällchen. Ich bin gerade dabei, die Nudeln zu kochen. Essen Sie mit?«

»Ja«, murmelte er, »ich glaube schon.«

Wenn Beryl Madison ihr Auto waschen wollte, fuhr sie normalerweise zu Masterwash auf der Southside.

Marino hatte das herausgefunden, indem er alle teuren Waschanlagen in der Stadt abgeklappert hatte. Es gab nicht allzu viele, höchstens ein Dutzend, in denen das fahrerlose Auto automatisch durch eine Straße mit weichen, rotierenden Bürsten gezogen wird, während Düsen nadelfeine Wasserstrahlen daraufspritzen. Nach einer schnellen Heißlufttrocknung wird der Wagen dann von einem menschlichen Wesen bemannt und zu einem Stand gefahren, wo Angestellte ihn einwachsen, den Innenraum aussaugen und die Stoßstangen und andere Chromteile auf Hochglanz polieren. Eine Masterwash »Super-Deluxe-Wäsche«, informierte mich Marino, koste stolze 15 Dollar.

»Ich hatte unglaubliches Glück«, sagte Marino und wickelte mit Hilfe eines Suppenlöffels Spaghetti auf seine Gabel. »Wie geht man so einer Sache nach, ha? Die Penner wienern

da jeden Tag so an die siebzig, nein, hundert Karren. Und da sollen sie sich an einen schwarzen Honda erinnern? Wohl kaum.«
Marino strahlte. Das Jagdglück war ihm hold gewesen. Er hatte einen ganz großen Vogel abgeschossen. Als ich ihm letzte Woche den vorläufigen Bericht über die Faserfunde gab, wußte ich, daß er nun jede Waschanlage in der ganzen Stadt unter die Lupe nehmen würde. Eines mußte man Marino lassen, er drehte bei seinen Untersuchungen wirklich jeden Stein um.
»Gestern stieß ich dann auf pures Gold«, fuhr er fort. »Und zwar, als ich bei Masterwash vorbeischaute. Der Schuppen war einer der letzten auf meiner Liste, weil er so abgelegen ist. Ich war mir ziemlich sicher, daß Beryl ihren Honda irgendwo im Westend waschen ließ. Aber nein, sie fuhr in die Southside. Vielleicht, so glaube ich wenigstens, weil sie dort eine Innenreinigung anbieten und eine Karosseriewerkstatt haben. Ich fand heraus, daß sie kurz nach dem Kauf ihres neuen Wagens im Dezember letzten Jahres dort für hundert Mäuse den Unterboden schützen und den Lack versiegeln ließ. Sie ließ sich sogar als Stammkundin registrieren, sparte dadurch zwei Dollar bei jeder Wäsche und bekam jedes Mal eine Tasse Kaffee gratis.«
»Und so haben Sie auch die Waschanlage gefunden«, vermutete ich, »über diese Registrierung.«
»Genau«, bestätigte er. »Sie haben dort noch keinen Computer. Ich mußte die ganzen verdammten Rechnungen durchsuchen, bis ich eine über Beryls Aufnahmegebühr fand. So, wie ihr Wagen aussah, als wir ihn in der Garage gefunden haben, hat sie ihn bestimmt nicht lange, bevor sie nach Key West abdüste, dort beim Waschen gehabt. Ich habe auch in ihren Papieren herumgesucht, besonders in ihren Kreditkartenabrechnungen. Da ist nur einmal Masterwash

aufgeführt, und zwar dieser Hundert-Dollar-Posten, von dem ich Ihnen erzählt habe. Anscheinend bezahlte sie in bar, wenn sie ihr Auto dort reinigen ließ.«

»Die Angestellten in der Waschanlage«, sagte ich. »Was für eine Kleidung tragen sie?«

»Auf jeden Fall nichts Orangenes, was mit der komischen Faser, die Sie gefunden haben, übereinstimmen könnte. Die meisten tragen Jeans und Turnschuhe, und alle haben diese blauen Hemden an, mit ›Masterwash‹ in Weiß auf die Brusttasche gestickt. Als ich dort war, habe ich mich genau umgesehen. Mir ist nichts aufgefallen. Sonst konnte ich an faserndem Zeug nur noch die auf Rollen gewickelten weißen Tücher entdecken, mit denen sie die Wagen trockenwischen.«

»Das klingt ja nicht gerade vielversprechend«, bemerkte ich und schob meinen Teller weg. Marino aß wenigstens mit Appetit. Mir lag immer noch New York im Magen, und ich überlegte mir, ob ich ihm erzählen sollte, was dort passiert war.

»Vielleicht haben Sie recht«, meinte er. »Aber einer von den Typen dort hat bei mir ein Glöckchen zum Klingeln gebracht.«

Ich wartete.

»Sein Name ist Al Hunt, achtundzwanzig, Weißer. Er ist mir sofort aufgefallen. Er stand dort draußen und überwachte die fleißigen Arbeitsbienen. Und irgendwie kam er mir komisch vor. Er wirkte deplaziert, so sauber und smart, wie er war. Eigentlich mehr der Typ, der mit Anzug und Aktentasche herumläuft. Ich fragte mich, was ein Kerl wie er in einem Schuppen wie diesem verloren hat.« Marino machte eine Pause, um seinen Teller mit Knoblauchbrot sauberzuwischen. »Ich trabe also hinüber zu ihm und plaudere drauflos. Ich frage ihn nach Beryl, zeige ihm das Foto aus ihrem

Führerschein. Frage, ob er sie vielleicht schon mal hier gesehen hat und – Boing! Er wird nervös.«
Unwillkürlich dachte ich, daß ich wohl auch nervös werden würde, wenn Marino zu mir »rübergetrabt« käme. Er hatte den armen Mann vermutlich überfahren wie ein Fernlaster.
»Was passierte dann?« fragte ich.
»Wir gingen rein, tranken Kaffee und redeten ein ernstes Wörtchen miteinander«, antwortete Marino. »Dieser Al Hunt hat sie wahrlich nicht alle beieinander. Zuallererst einmal: Der Kerl war auf dem College. Er machte seinen Magister in Psychologie, und danach hat er ein paar Jahre als *männliche Krankenschwester* im Metropolitan-Krankenhaus gearbeitet. Können Sie sich das vorstellen? Und als ich ihn frage, warum er denn in dem Krankenhaus aufgehört hat und bei Masterwash arbeitet, finde ich heraus, daß der ganze Schuppen seinem Alten gehört. Papa Hunt hat überall in der Stadt seine Finger mit drin. Masterwash ist nur eine von seinen Klitschen. Er betreibt außerdem noch ein paar Parkplätze und ist Besitzer von fast der Hälfte aller Mietbruchbuden an der Northside. Eigentlich müßte Klein Al doch darauf vorbereitet werden, einmal in Daddys Fußstapfen zu treten, oder?« Die Sache fing an, interessant zu werden.
»Aber Al hat keinen Anzug an, obwohl er aussieht, als sollte er in einem stecken, und das heißt nichts anderes, als daß dieser Al ein Verlierer ist. Sein Alter Herr vertraut ihm nicht genug, um ihn im Nadelstreifenanzug hinter einen Schreibtisch zu setzen. Ich meine, der Kerl steht da draußen in der Waschanlage und sagt den Pennern, wie sie den Lack wachsen und die Stoßstangen polieren sollen. Da kann doch irgendwas hier oben nicht ganz in Ordnung sein.« Er tippte mit einem fettigen Finger an seine Schläfe.
»Vielleicht sollten Sie darüber mal mit seinem Vater reden«, schlug ich vor.

»Richtig. Und der wird mir erzählen, daß sein hoffnungsvoller Sprößling eine taube Nuß ist.«
»Wie wollen Sie jetzt weiter vorgehen?« fragte ich.
»Ich bin schon weiter vorgegangen«, antwortete er. »Schauen Sie sich das Videoband an, das ich mitgebracht habe, Doc. Ich habe den ganzen Morgen mit Al Hunt auf dem Präsidium verbracht. Der Kerl kann einem ein Loch in den Bauch reden, und er interessiert sich auffällig für das, was Beryl zugestoßen ist. Er sagt, er habe darüber in den Zeitungen gelesen –«
»Woher wußte er, wer Beryl war?« unterbrach ich. »Die Zeitungen und die Fernsehsender haben keine Fotos von ihr gebracht. Hat er ihren Namen erkannt?«
»Er sagte, er habe keine Ahnung gehabt, daß sie die blonde Lady aus der Waschstraße sei, bevor ich ihm das Bild auf ihrem Führerschein gezeigt habe. Dann spielte er den Geschockten und wäre fast zusammengebrochen. Er saugte mir die Worte förmlich von den Lippen, wollte unbedingt über sie reden und war überhaupt viel zu interessiert für jemanden, der sie angeblich überhaupt nicht kannte.« Er legte seine verknitterte Serviette auf den Tisch. »Aber am besten schauen Sie es sich selber an.«
Ich räumte das schmutzige Geschirr ab und setzte eine Kanne Kaffee auf. Dann gingen wir ins Wohnzimmer und starteten das Videoband. Ich kannte die Szenerie recht gut. Das Verhörzimmer des Polizeipräsidiums war klein und holzgetäfelt, mit nichts als einem leeren Tisch in der Mitte. Neben der Tür befand sich ein Lichtschalter, dessen oberste Schraube fehlte, was aber nur Eingeweihten oder Experten auffallen konnte. Hinter diesem winzigen schwarzen Loch befand sich eine Spezialkamera mit einem extremen Weitwinkelobjektiv und ein Videoraum. Auf den ersten Blick sah Al Hunt nicht gerade furchterregend aus. Er war hellblond, hatte eine teigige Gesichtsfarbe und Geheimratsecken. Er

hätte eigentlich nicht schlecht ausgesehen, hätte er nicht ein stark fliehendes Kinn gehabt, so daß sein Gesicht direkt in seinen Hals überzugehen schien. Er trug Jeans und eine kastanienfarbene Lederjacke. Seine spitzen Finger fummelten nervös mit einer Dose Seven-up, während er Marino, der ihm direkt gegenübersaß, beobachtete.

»Wie war das mit Beryl Madison genau?« fragte Marino. »Warum ist sie Ihnen aufgefallen? Es kommen doch jeden Tag eine Menge Wagen in Ihre Waschstraße. Können Sie sich denn an alle Ihre Kunden erinnern?«

»An mehr, als Sie vielleicht annehmen«, antwortete Hunt. »Ganz besonders an Kunden, die regelmäßig kommen. Kann sein, daß ich mich nicht an ihre Namen erinnere, aber dafür um so mehr an ihre Gesichter, denn die meisten Leute stehen draußen bei mir herum, während die Angestellten ihre Autos polieren. Viele Kunden sind sehr aufmerksam, wenn Sie wissen, was ich meine. Sie behalten ihre Autos im Auge, damit auch wirklich alles erledigt wird. Manche von ihnen schnappen sich ein Tuch und helfen mit, besonders, wenn sie in Eile sind. Oder sie sind die Art von Kunden, die einfach nicht stillstehen können, die etwas tun müssen.«

»Was für eine Art von Kunde war Beryl? Hat sie ihr Auto im Auge behalten?«

»Nein, Sir. Sie setzte sich normalerweise auf eine der Bänke, die wir draußen aufgestellt haben. Manchmal las sie die Zeitung oder ein Buch. Sie hat sich eigentlich nicht um die Angestellten gekümmert und war nicht besonders leutselig. Vielleicht ist sie mir deshalb aufgefallen.«

»Was meinen Sie damit?« fragte Marino.

»Ich meine damit, daß sie Signale ausgesendet hat. Ich habe sie empfangen.«

»Signale?«

»Die Leute senden alle möglichen Signale aus«, erklärte

Hunt. »Ich kann sie verstehen. Ich empfange sie. Anhand der Signale, die eine Person aussendet, kann ich viel über sie sagen.«
»Sende ich Signale aus, Al?«
»Ja, Sir. Jeder sendet welche aus.«
»Und was für Signale sende ich aus?«
Hunts Gesicht war überaus ernst, als er antwortete: »Hellrot.«
»Wie?« Marino sah verdutzt aus.
»Ich empfange diese Signale als Farben. Vielleicht finden Sie das merkwürdig, aber ich bin nicht der einzige. Es gibt einige Menschen, die von anderen ausgestrahlte Farben spüren können. Das sind die Signale, von denen ich spreche. Und die, die ich von Ihnen empfange, sind hellrot. Einerseits warm, andererseits gereizt. Wie ein Warnsignal. Es zieht einen in seinen Bann, aber es sagt auch, daß da eine Art Gefahr lauert –«
Marino stoppte das Band und grinste mich dabei verschlagen an.
»Ist der Kerl plemplem oder nicht?« fragte er.
»Also mir kommt er eigentlich ziemlich clever vor«, erwiderte ich, »Sie sind irgendwie warm, wütend und gefährlich.«
»Unfug, Doc. Der Kerl hat einen Hau weg. Wenn man dem glaubt, dann sind die Leute ein einziger, verdammter Regenbogen.«
»Was er sagt, ist aus psychologischer Sicht nicht ganz falsch«, bemerkte ich schlicht. »Viele Gefühle werden mit Farben assoziiert. Aufgrund dieser Erkenntnisse wählt man bestimmte Farben für öffentliche Gebäude, Hotelzimmer und Irrenhäuser aus. Blau, zum Beispiel, verbindet man mit Depressionen. Sie werden kaum ein blau gestrichenes Zimmer in einem psychiatrischen Kranken-

haus finden. Rot steht für Wut, Gewalt und Leidenschaft. Schwarz ist morbid, unheilvoll und so weiter. Ich erinnere mich, daß Sie gesagt haben, Hunt habe einen Magister in Psychologie.«

Marino sah verärgert aus und ließ das Band weiterlaufen.

»– ich vermute, das könnte etwas mit der Rolle zu tun haben, die Sie spielen. Sie sind Kriminalpolizist«, sagte Hunt. »Im Moment brauchen Sie meine Aussage, aber darüber hinaus trauen Sie mir nicht, und wenn ich etwas zu verbergen hätte, könnten Sie mir sogar gefährlich werden. Soviel zum warnenden Teil des Hellrots. Der warme ist Ihre extrovertierte Persönlichkeit. Sie wollen, daß sich die Leute bei Ihnen wohl fühlen. Vielleicht suchen Sie die Nähe anderer Menschen. Sie tun so, als seien Sie knallhart, aber eigentlich wollen Sie, daß die Leute Sie mögen . . .«

»Okay«, unterbrach Marino. »Kommen wir auf Beryl Madison zurück. Haben Sie von ihr auch Farben empfangen?«

»O ja. Das hat mich sofort an ihr fasziniert. Sie war anders, wirklich anders.«

»Wie?« Marinos Stuhl knarzte laut, als er sich zurücklehnte und die Arme verschränkte.

»Sehr zurückhaltend«, antwortete Hunt. »Ich empfing arktische Farben von ihr. Kühles Blau, helles Gelb wie schwaches Sonnenlicht und ein Weiß, so kalt, daß es schon wieder heiß war, wie Trockeneis. Es erweckte den Eindruck, als würde jeder verbrennen, der sie berührte. Dieses Weiß war es, was sie so einmalig machte. Von vielen Frauen empfange ich Pastellfarben. Weibliche Farben, in denen sie sich auch kleiden. Rosa, Gelb, zarte Blau- und Grüntöne. Diese Ladies sind passiv, kühl und zerbrechlich. Manchmal sehe ich eine Frau, die dunklere, stärkere Farben aussendet, wie Marineblau oder Burgunderrot. Die ist dann von einem stärkeren Typ. Normalerweise aggressiv, vielleicht eine Anwältin oder Ärztin oder auch eine Geschäftsfrau. Solche Frauen tragen häufig auch ein Kostüm in diesen Farben. Sie bleiben oft bei ihren Autos stehen und stemmen die Hände in die Hüften, während sie alles, was die Angestellten tun, genau beobachten. Und sie zögern nicht, auf Streifen auf der Windschutzscheibe oder übersehene Schmutzflecken aufmerksam zu machen.«

»Mögen Sie diese Art von Frauen?« fragte Marino.

Er zögerte. »Ehrlich gesagt: nein, Sir.«

Marino lachte, beugte sich vor und vertraute ihm an: »Hey, ich mag diesen Typ auch nicht. Da gefallen mir die Pastellmiezen schon besser.«

Ich bedachte den realen Marino mit einem schrägen Blick. Er beachtete mich nicht, und der Marino auf dem Bildschirm sagte zu Hunt: »Erzählen Sie mir mehr über Beryl, über das, was sie ausgesendet hat.«

Hunt runzelte die Stirn und dachte angestrengt nach. »An den Pastellfarben, die sie aussandte, war eigentlich nichts ungewöhnlich, es sei denn, daß sie auf mich nicht so zerbrechlich wirkten. Und auch nicht passiv. Diese Farben waren kühler, arktisch, wie ich schon gesagt habe, und nicht blumenfarben wie sonst. So, als wolle sie in Ruhe gelassen werden, als wolle sie auf Distanz bleiben und ihre Freiheit haben.«

»Wirkte sie nicht vielleicht auch ein wenig frigide?«

Hunt fingerte wieder mit seiner Seven-up-Dose herum. »Nein, Sir, ich glaube, das würde ich nicht sagen. Ich denke nicht, daß ich so etwas empfangen habe. Sie strahlte einfach Distanziertheit aus. Eine starke Distanziertheit, die man überwinden hätte müssen, wenn man ihr hätte näherkommen wollen. Wenn es aber tatsächlich jemand gegen ihren Widerstand geschafft hätte, dann wäre er an ihr verbrannt. Hier haben wir die weißglühenden Signale, die sie für mich so außergewöhnlich machten. Sie strahlte eine unglaubliche Intensität aus. Außerdem hatte ich das Gefühl, daß sie hochintelligent und sehr kompliziert war. Sogar wenn sie allein auf ihrer Bank saß und niemanden beachtete, war ihr Verstand an der Arbeit und nahm alles, was um sie herum geschah, auf. Sie war so weit entfernt und weißglühend wie ein Stern.«

»Wissen Sie, ob sie allein lebte?«

»Sie trug keinen Ehering«, antwortete Hunt sofort. »Ich nahm an, daß sie allein sei. Auch an ihrem Auto entdeckte ich nichts, was auf das Gegenteil hingedeutet hätte.«

»Das verstehe ich nicht.« Marino sah verwirrt aus. »Wie können Sie das an ihrem Auto erkennen?«

»Als sie zum zweiten- oder drittenmal da war, sah ich zu, wie einer der Jungs das Innere ihres Autos säuberte, und konnte nichts Männliches darin entdecken. Da war, zum Beispiel, ihr Regenschirm. Er lag auf dem Boden unter den Rücksitzen und war einer von diesen schlanken, blauen Regenschirmen, wie sie üblicherweise nur Frauen besitzen. Männer bevorzugen im Gegensatz dazu schwarze Schirme mit großen Holzgriffen. Auf dem Rücksitz lagen ein paar Tüten von der Reinigung, die aussahen, als seien nur Frauenkleider darin, keine Männeranzüge. Die meisten verheirateten Frauen nehmen die Kleidung ihrer Männer aus der Reinigung mit, wenn sie ihre eigene abholen. Und dann der Kofferraum. Keine Werkzeuge, Starthilfekabel oder ähnliches. Überhaupt nichts Männliches. Es kommt Ihnen vielleicht komisch vor, aber wenn Sie den ganzen Tag lang Autos sehen, fangen Sie an, solche Einzelheiten zu bemerken und Mutmaßungen über die Fahrer anzustellen, ohne daß es Ihnen bewußt wird.«

»Es sieht so aus, als wäre es Ihnen aber in Beryls Fall bewußt geworden«, erwiderte Marino. »Haben Sie jemals daran gedacht, sie zu fragen, ob sie mit Ihnen ausgehen will, Al?

Sind Sie sicher, daß Sie ihren Namen wirklich nicht wußten, daß Sie nicht vielleicht doch mal kurz auf den Zettel der Chemischen Reinigung geschaut haben oder auf einen Briefumschlag, der zufällig in ihrem Auto lag?«
Hunt schüttelte den Kopf. »Ich wußte ihren Namen nicht. Vielleicht wollte ich ihn gar nicht wissen.«
»Warum nicht?«
»Keine Ahnung . . .« Er wurde unruhig und konfus.
»Na los, Al. Mir können Sie's doch sagen. Hey, wahrscheinlich hätte ich sie auch gefragt, ob sie mit mir ausgehen will. Also, ich hätte mir da was einfallen lassen und mir irgendwie hintenrum ihren Namen beschafft, vielleicht hätte ich sie sogar angerufen.«
»Also ich jedenfalls habe das nicht getan«, beharrte Hunt und starrte auf seine Hände. »Ich habe nichts von dem, was Sie da sagen, getan.«
»Und warum nicht?«
Stille.
Dann fuhr Marino fort: »Vielleicht, weil Sie schon einmal eine Frau wie sie hatten, eine, die Sie verbrannt hat?«
Schweigen.
»Hey, das ist doch jedem von uns schon mal passiert, Al.«
»Im College«, antwortete Hunt, kaum hörbar. »Ich ging damals zwei Jahre lang mit einem Mädchen. Bis sie was mit einem Medizinstudenten angefangen hat. Solche Frauen . . . wollen alle denselben Typ Mann. Ich meine, wenn sie dran denken, eine Familie zu gründen.«
»Sie wollen alle nur die großen Tiere.« Marinos Stimme wurde jetzt zunehmend schärfer. »Wie Rechtsanwälte, Ärzte oder Banker. Sie wollen keine Burschen, die in Autowaschanlagen arbeiten.«
Hunts Kopf schnellte hoch. »Ich habe damals noch nicht in einer Autowaschanlage gearbeitet.«

»Darum geht's doch nicht, Al. Champagnerbräute wie Beryl Madison würden Ihnen doch nicht einmal sagen, wie spät es ist, stimmt's? Ich wette, daß Beryl überhaupt nicht wußte, daß Sie existierten, daß sie Sie nicht erkannt hätte, wenn Sie ihr irgendwo vor ihr verdammtes Auto gelaufen wären . . .«

»Sagen Sie nicht so etwas . . .«

»Stimmt's etwa nicht?«

Hunt starrte auf seine geballten Fäuste.

»Vielleicht haben Sie doch etwas für Beryl übriggehabt, ha?« fuhr Marino gnadenlos fort. »Vielleicht haben Sie die ganze Zeit an diese weißglühende Lady gedacht, haben sich ausgemalt, wie es wohl wäre, mit ihr auszugehen und mit ihr ins Bett zu steigen. Vielleicht haben Sie nur nicht den Mut aufgebracht, sie anzusprechen, weil Sie dachten, daß sie Sie für einen Untermenschen hielt –«

»Hören Sie auf! Sie wollen mich bloß fertigmachen. Hören Sie auf! Hören Sie auf!« schrie Hunt mit schriller Stimme. »Lassen Sie mich in Ruhe!«

Marino blickte ihn ohne die geringste Rührung über den Tisch hinweg an.

»Jetzt rede ich genauso wie Ihr Alter Herr, Al, oder nicht?« Marino zündete eine Zigarette an und wedelte damit herum. »Papa Hunt, der seinen einzigen Sohn für einen Scheiß-Schwulen hält, weil er kein brutaler, mit allen Wassern gewaschener Vermieter von Bruchbuden sein will, der sich einen Dreck um die Gefühle oder das Wohlergehen von irgendwem schert.« Er blies den Rauch seiner Zigarette in die Luft und sagte dann freundlich: »Ich weiß alles über den allmächtigen Papa Hunt. Ich weiß auch, daß er allen seinen Kumpanen erzählt hat, daß Sie ein Homo sind, und daß er sich, seit Sie als männliche Krankenschwester gearbeitet haben, dafür schämt, daß sein Blut in Ihren Adern fließt. Sie arbeiten nur deshalb in dieser verdammten Waschanlage, weil er damit gedroht hat, Sie zu enterben, wenn Sie es nicht täten.«

»Das wissen Sie? Woher wissen Sie das?« stammelte Hunt verunsichert.

»Ich weiß eine ganze Menge. Ich weiß zum Beispiel auch, daß die Leute im Metropolitan gesagt haben, Sie wären ausgezeichnet gewesen, und daß Sie mit den Patienten wirklich sanft umgegangen wären. Man bedauert es dort sehr, daß Sie aufgehört haben. Ich glaube, das Wort, mit dem sie Sie beschrieben haben, war ›sensibel‹. Vielleicht sind Sie ein wenig zu sensibel, was, Al? Das erklärt vielleicht, warum Sie keine Frauen haben, warum Sie mit keiner ausgehen. Sie haben Angst davor. Auch Beryl hat Ihnen schreckliche Angst gemacht, stimmt's?«

Hunt atmete tief durch.

»Wollten Sie deshalb ihren Namen nicht wissen? Damit Sie nicht in die Versuchung kämen, sie anzurufen oder irgend etwas mit ihr anzustellen?«

»Sie ist mir nur aufgefallen«, antwortete Hunt nervös. »Das war wirklich alles. Ich habe nie in der Weise an sie gedacht, wie Sie gesagt haben. Sie hat auf mich nur einen, äh, sehr starken Eindruck gemacht. Aber weiter ist es nie gegangen. Ich habe ja nicht einmal mit ihr gesprochen, außer als sie zum letzten Mal kam –«

Marino drückte wieder auf die Stopptaste. Er sagte: »Jetzt kommt der wichtigste Teil . . .« Auf einmal verstummte er und sah mich genau an.

»Hey, sind Sie okay?«

»Mußten Sie denn wirklich so brutal sein?« fragte ich emotionsgeladen.

»Wenn Sie meinen, daß das brutal war, dann kennen Sie mich aber schlecht«, entgegnete Marino.

»Pardon. Ich habe ganz vergessen, daß ich mit Attila dem Hunnen hier in meinem Wohnzimmer sitze.«
»Das ist doch nur eine Rolle, die ich spiele«, verteidigte er sich verletzt.
»Erinnern Sie mich daran, daß ich Sie für den Oskar nominieren lasse.«
»Ach, Doc, seien Sie doch nicht so.«
»Sie haben ihn vollkommen demoralisiert«, sagte ich.
»Das ist eine Verhörmethode, okay? Sie wissen schon, so bringt man die Leute zum Reden über Dinge, über die sie sonst nie etwas erzählen würden.« Er wandte sich wieder dem Recorder zu und fügte, als er den Wiedergabeknopf drückte, hinzu: »Das, was er jetzt gleich sagen wird, rechtfertigt das ganze Verhör.«
»Wann war das?« fragte Marino Hunt. »Wann kam sie das letzte Mal vorbei?«
»Ich erinnere mich nicht mehr an das genaue Datum«, antwortete Hunt. »Es muß vor ein paar Monaten gewesen sein, aber ich weiß noch genau, daß es an einem Freitag war, am späten Vormittag. Ich erinnere mich deshalb so genau, weil ich an diesem Tag mit meinem Vater zum Lunch gehen sollte, um Geschäftliches zu besprechen.« Er griff nach seinem Seven-up. »Ich ziehe mich am Freitag immer ein wenig besser an; und an diesem Tag trug ich eben eine Krawatte.«
»Also Beryl kam am späten Freitagvormittag, um ihr Auto waschen zu lassen«, drängte Marino. »Und bei dieser Gelegenheit haben Sie sie angesprochen.«
»Eigentlich hat sie mich angesprochen«, antwortete Hunt, als ob das wichtig wäre. »Als ihr Wagen aus der Waschstraße kam, trat sie auf mich zu und sagte, daß sie etwas im Kofferraum verschüttet habe. Sie wollte wissen, ob wir den Fleck wieder herausbekommen würden. Sie brachte mich zu ihrem Wagen, öffnete den Kofferraum, und ich sah, daß

der Teppich völlig durchnäßt war. Offensichtlich hatte sie Lebensmittel in ihrem Kofferraum verstaut, und eine Flasche mit Orangensaft war dabei zerbrochen. Vermutlich hat sie nur deshalb ihren Wagen gleich in die Waschstraße gefahren.«

»Waren die Lebensmittel noch im Kofferraum, als sie zu Ihnen kam?«

»Nein«, antwortete Hunt.

»Können Sie sich erinnern, was für Kleidung sie an diesem Tag trug?«

Hunt zögerte. »Tenniskleidung und eine Sonnenbrille. Es sah so aus, als habe sie gerade gespielt. Ich erinnere mich daran, weil sie noch nie so hergekommen war. Sie hatte bisher immer normale Straßenkleidung angehabt. Außerdem ist mir aufgefallen, daß ein Tennisschläger und ein paar andere Sportsachen in ihrem Kofferraum lagen. Sie nahm das Zeug heraus, damit wir ihn einschamponieren konnten. Sie hat sie abgewischt und auf den Rücksitz gelegt.«

Marino zog einen Terminkalender aus seiner Brusttasche. Er öffnete ihn und blätterte ein paar Seiten zurück. Er fragte: »Könnte das in der zweiten Juliwoche gewesen sein? Am Freitag, den 12.?«

»Das wäre möglich.«

»Erinnern Sie sich noch an irgend etwas anderes? Hat sie vielleicht noch etwas gesagt?«

»Sie war fast freundlich«, antwortete Hunt. »Daran erinnere ich mich gut. Ich vermute, weil ich ihr aus der Patsche half, indem ich mich darum kümmerte, daß ihr Kofferraum ordentlich gereinigt wurde, obwohl das eigentlich gar nicht meine Aufgabe war. Ich hätte ihr auch sagen können, sie solle ihr Auto für dreißig Dollar spezialreinigen lassen. Aber ich half ihr gerne. Ich blieb in der Nähe, während die Jungs an die Arbeit gingen, und da sah ich die Beifahrertür ihres

Autos. Sie war beschädigt, und zwar auf eine ganz unheimliche Art und Weise. Es sah so aus, als habe jemand seinen Schlüssel genommen und damit ein Herz und einige Buchstaben direkt unter dem Türgriff in den Lack gekratzt. Als ich sie fragte, wie das passiert sei, ging sie um das Auto herum und besah sich den Schaden. Sie stand einfach da und starrte auf die Tür. Sie wurde weiß wie ein Laken, das kann ich beschwören. Offensichtlich hatte sie den Schaden noch gar nicht bemerkt, bevor ich sie darauf aufmerksam machte. Ich versuchte, sie zu beruhigen, und sagte ihr, ich könne gut verstehen, warum sie das so mitnähme. Der Honda war brandneu und hatte keinen einzigen Kratzer. Er hatte gut und gerne zwanzigtausend Dollar gekostet. Und dann macht irgendein Idiot so etwas. Vermutlich ein Jugendlicher, der nichts Besseres zu tun hat.«
»Was hat sie sonst noch gesagt, Al?« fragte Marino. »Hatte sie irgendeine Erklärung für den Schaden?«
»Nein, Sir. Sie sprach überhaupt nicht viel. Es schien mir, als habe sie Angst, denn sie schaute sich ständig um und war völlig durcheinander. Dann fragte sie mich nach dem nächsten Telefon, und ich sagte ihr, daß drinnen ein Münztelefon sei. Als sie zurückkam, war ihr Wagen fertig, und sie fuhr weg –«
Marino stoppte das Band und holte es aus dem Recorder. Ich erinnerte mich an den Kaffee, ging in die Küche und holte uns zwei Tassen. »Sieht aus, als ob damit wenigstens eine unserer Fragen beantwortet wäre«, sagte ich, als ich zurückkam.
»Ja, sicher«, bestätigte Marino und nahm Sahne und Zucker. »Ich könnte mir vorstellen, daß Beryl von dem Münztelefon aus ihre Bank angerufen hat oder vielleicht die Fluggesellschaft, um einen Platz zu buchen. Dieser kleine, in die Tür gekratzte Liebesgruß war der Tropfen, der das Faß zum

Überlaufen brachte. Sie drehte durch. Von der Waschstraße fuhr sie direkt zu ihrer Bank. Ich habe mich dort erkundigt. Am zwölften Juli hat sie um zwölf Uhr 50 fast zehntausend Dollar in bar abgehoben. Sie war dort eine sehr gute Kundin gewesen, und niemand hat ihr eine Frage gestellt, weil sie ihr Konto aufgelöst hat.«

»Hat sie sich das Geld in Reiseschecks geben lassen?«

»Nein, ob Sie's glauben oder nicht«, antwortete er. »Deswegen vermute ich, daß sie mehr Angst davor hatte, entdeckt zu werden, als davor, beraubt zu werden. Sie hat da drunten auf den Key-Inseln alles bar bezahlt. Wenn sie keine Kreditkarte oder einen Reisescheck benützte, mußte sie auch niemandem ihren Namen sagen.«

»Sie muß wirklich fürchterliche Angst gehabt haben«, bemerkte ich ruhig. »Ich kann mir gar nicht vorstellen, soviel Bargeld mit mir herumzuschleppen. Dazu müßte ich entweder verrückt oder aber bis zur Verzweiflung verängstigt sein.«

Er zündete sich eine Zigarette an. Ich tat dasselbe. Ich löschte das Streichholz und fuhr fort: »Halten Sie es für möglich, daß das Herz in die Wagentür gekratzt wurde, während der Wagen in der Waschanlage war?«

»Ich habe Hunt dieselbe Frage gestellt, um zu sehen, wie er darauf reagiert«, antwortete Marino. »Er beteuerte, daß es in der Waschanlage niemand hätte tun können, ohne dabei beobachtet zu werden. Ich für meinen Teil bin mir da nicht so sicher. Verdammt, wenn man in einem solchen Schuppen bloß fünfzig Cent im Auto liegen läßt, sind sie weg, wenn man die Karre wiederbekommt. Die Leute dort klauen wie die Raben. Geld, Regenschirme, Scheckbücher, alles mögliche verschwindet einfach, und niemand hat irgendwas gesehen, wenn man nachfragt. Hunt hätte es selber tun können, wenn Sie mich fragen.«

»Er ist ein bißchen sonderbar«, gab ich zu. »Ich finde es merkwürdig, daß Beryl ihm so sehr auffiel. Sie war doch nur eine von vielen Leuten, die jeden Tag durch die Waschanlage fahren. Wie häufig kam sie wohl hin? Einmal im Monat oder noch seltener?«

Er nickte. »Aber ihm fiel sie auf wie ein bunter Hund. Mag sein, daß er vollkommen unschuldig ist. Aber vielleicht ist er es auch nicht.«

Ich dachte daran, daß Mark gesagt hatte, Beryl sei »bemerkenswert« gewesen.

Marino und ich tranken schweigend unseren Kaffee, und meine Gedanken verfinsterten sich wieder. Mark. Es war sicher alles ein Mißverständnis, es mußte einfach eine logische Erklärung dafür geben, warum man ihn bei Orndorff & Berger nicht kannte. Vielleicht hatte man seinen Namen im Telefonverzeichnis vergessen, oder die Firma war erst kürzlich auf Computer umgestellt worden, und man hatte ihn falsch eingegeben, so daß sein Name dem Rechner unbekannt war, wenn ihn die Empfangsdame eintippte. Vielleicht waren beide Empfangsdamen noch nicht lange in der Firma und kannten noch nicht alle Anwälte. Aber warum stand er nicht im Chicagoer Telefonbuch?

»Sie sehen aus, als ob Sie an irgend etwas herumkauen würden«, sagte Marino schließlich, »und zwar die ganze Zeit schon, seit ich hier bin.«

»Ich bin nur müde«, entgegnete ich.

»Unfug!« Er nahm einen Schluck von seinem Kaffee.

Ich verschluckte mich fast an meinem, als er fortfuhr: »Rose hat mir erzählt, daß Sie mal kurz verreist waren. Hatten Sie einen kleinen, produktiven Plausch mit Sparacino in New York?«

»Wann hat Rose Ihnen das erzählt?«

»Das tut nichts zur Sache. Und werden Sie nicht wütend

auf Ihre Sekretärin«, antwortete er. »Sie erwähnte nur, daß Sie etwas außerhalb der Stadt zu tun hätten. Sie sagte nicht, wo, mit wem und wozu. Das habe ich allein herausgefunden.«
»Wie?«
»Sie haben es mir doch eben erzählt«, erwiderte er. »Indem Sie es nicht abgestritten haben, oder? Also, worüber haben Sie mit Sparacino gesprochen?«
»Er behauptete, mit Ihnen gesprochen zu haben. Vielleicht sollten Sie mir zuerst von dieser Unterhaltung berichten«, antwortete ich.
»Da gibt es nichts zu berichten.« Marino holte seine Zigarette wieder aus dem Aschenbecher. »Er rief mich neulich abends zu Hause an. Fragen Sie mich nicht, wo, um alles in der Welt, er meinen Namen und meine Telefonnummer herhatte. Er verlangte Beryls Papiere, und ich wollte sie ihm nicht aushändigen. Vielleicht hätte ich mich ja ein wenig kooperativer gezeigt, wenn der Kerl nicht so ein Arschloch gewesen wäre. Fing an herumzukommandieren und benahm sich wie King Lui höchstpersönlich. Sagte, er sei ihr Nachlaßverwalter, und drohte mir sogar.«
»Und Sie haben sich elegant aus der Affäre gezogen, indem Sie diesen Haifisch an mein Büro weiterverwiesen haben«, warf ich ihm vor.
Marino schaute mich mit leerem Gesichtsausdruck an. »Nein. Ich habe Sie nicht einmal erwähnt.«
»Sind Sie sicher?«
»Natürlich bin ich sicher. Die ganze Unterhaltung dauerte ungefähr drei Minuten, nicht länger. Ihr Name wurde überhaupt nicht genannt.«
»Was ist mit dem Manuskript, das Sie im Polizeibericht aufgelistet haben? Hat Sie Sparacino danach gefragt?«
»Ja«, bestätigte Marino. »Ich habe ihm keine Einzelheiten

erzählt. Ich sagte ihm, daß alle ihre Papiere als Beweismittel untersucht würden und dann noch das Übliche, daß ich nicht befugt sei, über diesen Fall mit ihm zu sprechen.«
»Sie haben ihm nicht gesagt, daß Sie dieses Manuskript meinem Büro übergeben haben?« fragte ich.
»Ganz sicher nicht.« Er sah mich merkwürdig an. »Warum hätte ich ihm das sagen sollen? Es stimmt doch gar nicht. Ich habe Vander das Ding auf Fingerabdrücke untersuchen lassen. Dabei stand ich neben ihm. Dann nahm ich es mit aus dem Haus. Ich habe es mit dem anderen Krempel in den Asservatenraum gelegt, und da ist es jetzt noch.« Er hielt inne. »Warum? Was hat Sparacino Ihnen erzählt?«
Ich stand auf und holte frischen Kaffee. Dann schilderte ich Marino die ganze Geschichte. Als ich fertig war, starrte er mich ungläubig an, und etwas in seinen Augen machte mich ausgesprochen nervös. Ich glaube, es war das erste Mal, daß ich sah, daß Marino Angst hatte.
»Was werden Sie tun, wenn er Sie anruft?« fragte er.
»Wenn Mark anruft?«
»Nein, die sieben Zwerge«, erwiderte Marino in sarkastischem Ton.
»Ich werde ihn um eine Erklärung bitten. Ich werde ihn fragen, wie er für Orndorff & Berger arbeiten und in Chicago leben kann, wenn er dort völlig unbekannt ist.« Ich wurde immer frustrierter. »Ich weiß nicht, aber ich werde versuchen herauszufinden, was, in drei Teufels Namen, wirklich los ist.«
Marino schaute an mir vorbei, und seine Kiefermuskulatur arbeitete.
»Sie fragen sich, ob Mark etwas mit der Sache zu tun hat, . . . ob er mit Sparacino unter einer Decke steckt und in illegale Aktivitäten oder Verbrechen verwickelt ist«, ver-

mutete ich und war kaum in der Lage, seinen Verdacht, der mich frösteln ließ, in Worte zu fassen.
Grollend zündete er wieder eine Zigarette an. »Was soll ich denn sonst denken? Sie haben Ihren Ex-Romeo mehr als zehn Jahre lang nicht mehr gesehen, haben weder mit ihm gesprochen noch auch nur ein einziges Wort von ihm gehört. Es ist, als ob er vom Erdboden verschluckt gewesen wäre. Dann steht er urplötzlich vor Ihrer Tür. Woher wollen Sie wissen, was er in all der Zeit wirklich gemacht hat? Das können Sie doch gar nicht. Alles, was Sie wissen, ist das, was er Ihnen erzählt hat –«
Wir fuhren beide hoch, als das Telefon schrillte. Ich ging in die Küche und blickte automatisch auf meine Uhr. Es war nicht ganz zehn, und mein Herz zog sich vor Furcht zusammen, als ich den Hörer abnahm.
»Kay?«
»Mark?« Ich schluckte schwer. »Wo bist du?«
»Zu Hause. Ich bin zurück nach Chicago geflogen und gerade hereingekommen . . .«
»Ich habe versucht, dich in New York und Chicago zu erreichen, im Büro . . .«, stammelte ich. »Ich habe vom Flughafen aus angerufen.«
Am anderen Ende der Leitung entstand eine bedeutungsvolle Pause.
»Hör zu, ich habe nicht viel Zeit. Ich wollte nur anrufen, um dir zu sagen, wie leid es mir tut, daß alles so gelaufen ist, und um mich zu vergewissern, daß es dir gutgeht. Ich melde mich wieder.«
»Wo bist du?« fragte ich wieder. »Mark? Mark!«
Ich hörte auf einmal nur noch das Freizeichen.

# 7

Der nächste Tag war ein Sonntag. Ich verschlief das Läuten des Weckers, verschlief die Zeit des Gottesdiensts und das Mittagessen, und als ich endlich aus dem Bett stieg, fühlte ich mich träge und aus dem Gleichgewicht geraten. Ich konnte mich nicht mehr erinnern, was ich geträumt hatte, aber es war jedenfalls nichts Angenehmes gewesen.

Kurz nach sieben Uhr abends, als ich gerade Zwiebeln und Paprika für ein Omelett schnitt, klingelte das Telefon. Wenig später raste ich in meinem Auto den dunklen Highway 64 in östlicher Richtung entlang. Auf dem Armaturenbrett hatte ich einen Zettel befestigt, auf dem ich mir den Weg notiert hatte. Meine Gedanken bewegten sich wie ein festgefahrenes Computerprogramm in einer endlosen Schleife. Sie drehten sich ständig im Kreis um ein und dieselbe Information. Cary Harper war ermordet worden. Als er vor einer Stunde von einer Taverne in Williamsburg nach Hause kam und aus dem Auto stieg, wurde er angegriffen. Alles geschah sehr schnell und mit äußerster Brutalität. Wie schon Beryl Madison wurde auch ihm die Kehle durchgeschnitten.

Außerhalb der Stadt war es sehr dunkel. Nebelbänke reflektierten das Abblendlicht meines Wagens. Ich konnte beinahe nichts mehr sehen, und der Highway, den ich schon unzählige Male befahren hatte, war mir auf einmal völlig fremd. Ich wußte nicht mehr genau, wo ich mich eigentlich befand. Als ich mir angespannt eine Zigarette anzündete, bemerkte ich, daß sich von hinten die Scheinwerfer eines Autos näherten. Ein dunkler Wagen, den ich nicht genau erkennen konnte, fuhr gefährlich nahe auf und ließ sich dann langsam zurückfallen. Meile um Meile folgte er mir im immer gleichen Abstand, egal, ob ich beschleunigte oder

langsam wurde. Als endlich die richtige Ausfahrt kam, bog ich ab, und der Wagen hinter mir tat das gleiche.
An der unbefestigten Straße, in die ich als nächstes einbog, befand sich kein Wegweiser. Die Scheinwerfer klebten immer noch an meiner hinteren Stoßstange. Ich hatte meine 38er zu Hause gelassen und nichts als die kleine Dose Tränengasspray in meiner Arzttasche, um mich zu verteidigen.
Als hinter einer Biegung das große Haus auftauchte, war ich so erleichtert, daß ich laut »Danke, lieber Gott!« rief. In der halbkreisförmigen Auffahrt blinkten die Blau- und Rotlichter der dicht aneinanderstehenden Polizei- und Rettungsfahrzeuge. Als ich parkte, bremste der andere Wagen, der immer noch hinter mir war, scharf ab und hielt an. Ich war völlig perplex, als Marino ausstieg und seinen Mantelkragen hochschlug.
»Großer Gott!« schrie ich gereizt, »ich kann's kaum glauben!«
»Ganz meinerseits«, knurrte er. »Ich kann es auch kaum glauben.« Er schaute finster zu dem breiten Lichtkegel der hellen Scheinwerfer hinüber, die um einen alten weißen Rolls-Royce aufgestellt waren, der vor dem Hintereingang des Hauses stand.
»Mist. Das ist alles, was ich dazu sagen kann. Verdammter Mist!«
Überall wimmelte es von Polizisten. Ihre Gesichter sahen in dem grellen, künstlichen Licht unnatürlich bleich aus. Motoren brummten, und Wortfetzen aus den Funkgeräten schallten durch die feuchtkalte Luft. Gelbes Markierungsband aus Plastik war an das Geländer der Hintertreppe gebunden und zog sich im Rechteck um den Tatort. Ein Polizist in Zivil, der eine abgewetzte braune Lederjacke trug, trat auf uns zu. »Dr. Scarpetta?« fragte er. »Ich bin Detective Poteat.«

Ich öffnete meine Arzttasche und nahm ein Paar Latexhandschuhe und eine Taschenlampe heraus.
»Niemand hat die Leiche angerührt«, berichtete Poteat, »genau, wie Dr. Watts es angeordnet hat.«
Dr. Watts war praktischer Arzt und zugleich einer von 500 ehrenamtlichen Leichenbeschauern, die für meine Dienststelle über den ganzen Staat verstreut tätig waren. Er war auch eine der zehn schlimmsten Nervensägen, die ich kannte. Die Polizei hatte ihn am frühen Abend an den Tatort gerufen, und er hatte mich sofort informiert. Es war Vorschrift, den Chief Medical Examiner zu benachrichtigen, wenn eine Person des öffentlichen Interesses plötzlich oder unter mysteriösen Umständen ums Leben kam. Watts pflegte, wenn er konnte, sich vor einem Fall wie diesem zu drücken, ihn weiterzugeben oder zu ignorieren, weil er sich nicht mit mühevollem Papierkrieg belasten wollte. Er war bekannt dafür, daß er an einem Tatort einfach nicht erschien, und auch jetzt konnte ich keine Spur von ihm entdecken.
»Ich kam fast gleichzeitig mit den Streifenwagen hier an«, erklärte Poteat. »Ich habe aufgepaßt, daß die Jungs nichts durcheinanderbrachten. Niemand hat ihn umgedreht, seine Kleider berührt oder sonst irgend etwas an der Leiche gemacht. Er war schon tot, als wir eintrafen.«
»Vielen Dank«, erwiderte ich geistesabwesend.
»Es sieht so aus, als habe ihm jemand den Schädel eingeschlagen und mit einem Messer verletzt. Vielleicht wurde er auch erschossen, denn wir haben überall Schrotkugeln entdeckt. Sie werden es ja gleich selber sehen. Bis jetzt haben wir noch keine Waffe gefunden. So, wie es aussieht, ist er gegen Viertel nach sieben angekommen und hat sein Auto dort abgestellt, wo es jetzt immer noch steht. Offensichtlich wurde er angegriffen, als er aus dem Auto stieg.«
Er blickte hinüber zu dem weißen Rolls-Royce. Dichte Bü-

sche, die älter und höher als er waren, warfen um ihn herum tiefschwarze Schatten.
»War die Fahrertür offen, als Sie eintrafen?« fragte ich.
»Nein, Madam«, antwortete Poteat. »Die Autoschlüssel liegen auf der Erde. Wahrscheinlich hat er sie in der Hand gehalten, als er zusammenbrach. Wie schon gesagt, wir haben nichts berührt und auf Ihr Eintreffen gewartet. Nur wenn das Wetter schlechter geworden wäre, hätten wir weitergemacht. Es wird sicher bald regnen.« Er blinzelte hinauf zu der dichten Wolkendecke. »Es könnte sogar schneien. Im Auto konnten wir kein Zeichen eines Kampfes entdecken. Wir vermuten, daß der Mörder sich in den Büschen versteckt und auf ihn gewartet hat. Ich kann nur sagen, daß es sehr schnell passiert sein muß, Doc. Seine Schwester im Haus sagt, daß sie weder einen Schuß noch sonst irgend etwas gehört habe.«
Ich ließ ihn und Marino stehen und schlüpfte unter der Absperrung hindurch. Ich ging hinüber zu dem Rolls-Royce, wobei ich automatisch jeden Zentimeter des Weges genau in Augenschein nahm. Der Wagen parkte etwa drei Meter entfernt parallel zu den Stufen des Hintereingangs. Die Fahrertür war dem Haus zugewandt. Ich ging um die Kühlerhaube mit ihrer unverwechselbaren Zierfigur herum und nahm meine Kamera aus der Tasche.
Cary Harper lag auf dem Rücken, sein Kopf war nur wenige Zentimeter vom rechten Vorderreifen des Wagens entfernt. Auf dem weißen Kotflügel sah ich eine Menge Blutstropfen und Blutspritzer, und Harpers beigefarbener Fischerpullover war rot durchtränkt. Nicht weit von seiner Hüfte entfernt lag ein Schlüsselbund. Im gleißenden Licht der Scheinwerfer erblickte ich zunächst überall nur glänzendes, klebriges Rot. Harpers weißes Haar war blutverklebt, und auf seinem Gesicht und seiner Kopfhaut klafften große

Platzwunden, die wohl von einem mit voller Wucht auf ihn getroffenen stumpfen Gegenstand herrührten. Die Kehle war von einem Ohr zum anderen durchschnitten, so daß der Kopf fast vom Hals abgetrennt war. Überall glitzerten Schrotkugeln wie kleine Perlen aus Zinn im Licht meiner Taschenlampe. Hunderte davon lagen auf seinem Körper und daneben verstreut herum, ein paar fand ich sogar auf der Kühlerhaube des Autos. Der Schrot war ganz offensichtlich nicht aus einer Waffe abgefeuert worden.
Nachdem ich einige Fotos geschossen hatte, ging ich in die Hocke, steckte ein langes Präzisionsthermometer vorsichtig unter Harpers Pullover und schob es unter seine linke Armbeuge. Die Leiche hatte eine Temperatur von 33,5 Grad, die Luft eine von 0,5 Grad. Leichen kühlen bei Temperaturen um den Gefrierpunkt relativ schnell ab, etwa drei Grad in der Stunde, besonders wenn sie, wie Harper, nicht besonders warm angezogen sind. In den kleineren Muskeln hatte die Totenstarre bereits eingesetzt. Ich schätzte, daß er weniger als zwei Stunden tot war.
Als nächstes suchte ich nach Spuren, die bei einem Transport ins Leichenschauhaus verlorengehen könnten. Fasern, Haare und andere Partikel, die am Blut klebten, konnten warten. Als ich gerade die Leiche und den sie umgebenden Boden nach losen Partikeln absuchte, huschte der Strahl der Taschenlampe über einen kleinen grünlichen Klumpen. Erstaunt beugte ich mich hinunter, ohne ihn zu berühren. Er sah aus wie Plastilin, in das einige Schrotkugeln eingebettet waren. Ich verpackte den Klumpen sorgfältig in eine kleine Plastiktüte, als die Hintertüre des Hauses aufging und ich auf einmal direkt in die verängstigten Augen einer Frau schaute. Sie stand neben einem Polizeibeamten, der ein Klemmbrett aus Metall in seiner Hand hielt.
Von hinten hörte ich Schritte auf mich zukommen. Es waren

Marino und Poteat. Als sie unter der Absperrung hindurchschlüpften, gesellte sich der Beamte mit dem Klemmbrett zu ihnen. Die Hintertür schloß sich leise.

»Bleibt jemand bei ihr?« fragte ich.

»Ja, sicher«, antwortete der Beamte mit dem Klemmbrett. Sein Atem dampfte in der kalten Luft. »Miß Harper sagt, daß eine Freundin zu ihr kommen werde. Es geht ihr gut. Wir werden ein paar Streifenwagen in der Nähe lassen, falls der Kerl noch einmal zurückkommen sollte.«

»Wonach suchen wir eigentlich?« wollte Poteat von mir wissen. Er steckte die Hände in die Taschen seiner Lederjakke und schüttelte sich vor Kälte. Schneeflocken, so groß wie Vierteldollarstücke, begannen in Spiralen vom Himmel zu schweben.

»Wir suchen mehrere Waffen«, antwortete ich. »Die Verletzungen an Kopf und Gesicht stammen von einem stumpfen Gegenstand.« Ich deutete mit einem blutigen, behandschuhten Finger auf die Leiche. »Die Wunde am Hals wurde ganz offensichtlich von einem scharfen Instrument verursacht, und zu den Schrotkugeln ist zu sagen, daß sie weder deformiert noch in seinen Körper eingedrungen sind.«

Marino starrte verblüfft auf die überall herumliegenden Schrotkugeln.

»Das war auch mein Eindruck«, bestätigte Poteat und nickte. »Der Schrot sah so aus, als wäre er nicht abgefeuert worden, aber ich war mir nicht ganz sicher. Dann sollten wir also wohl gar nicht nach einer Schrotflinte suchen. Eher nach einem Messer und einem stumpfen Gegenstand, vielleicht einem Wagenheber?«

»Möglicherweise, aber nicht unbedingt«, antwortete ich. »Alles, was ich jetzt schon mit Sicherheit sagen kann, ist, daß sein Hals mit einem scharfen Instrument durchschnitten

wurde und daß ihn jemand mit einem stumpfen, geraden Gegenstand geschlagen hat.«
»Da kommen aber eine Menge Dinge in Frage, Doc«, meinte Poteat stirnrunzelnd.
»Stimmt, alles mögliche«, bestätigte ich.
Obwohl ich, wegen der Schrotkörner, einen bestimmten Verdacht hegte, enthielt ich mich jeglicher Mutmaßungen. Aufgrund langer, leidvoller Erfahrung hatte ich gelernt, daß ganz allgemeine Feststellungen oft zu wörtlich genommen wurden. Einmal war die Polizei im Wohnzimmer eines Opfers seelenruhig an einer blutigen Tapeziernadel vorbeimarschiert, weil ich gesagt hatte, die Tatwaffe müsse »in etwa wie ein« Schaschlikspieß aussehen.
»Sie können ihn jetzt wegbringen lassen«, sagte ich und streifte die Handschuhe ab.
Harpers Leiche wurde in ein sauberes, weißes Tuch gewickelt und in einen Leichensack mit Reißverschluß gepackt. Ich stand neben Marino und sah zu, wie der Krankenwagen langsam die dunkle, verlassene Auffahrt verließ. Ohne Blaulicht und Sirene, denn Leichentransporte haben es nicht mehr eilig. Der Schnee fiel jetzt dichter und blieb liegen.
»Fahren Sie auch zurück?« fragte Marino.
»Warum, wollen Sie mich schon wieder verfolgen?« Ich lächelte nicht, als ich das sagte.
Er starrte hinüber zu dem alten Rolls-Royce in seinem Kreis aus milchigem Licht. Schneeflocken schmolzen auf dem Kies der Auffahrt, der mit Harpers Blut getränkt war.
»Ich habe Sie nicht verfolgt«, erwiderte Marino ernst. »Ich war schon fast wieder in Richmond, als ich die Nachricht über Funk bekam –«
»Fast wieder in Richmond?« unterbrach ich ihn. »Fast schon wieder zurück von wo?«
»Von hier«, sagte er und suchte in seinen Taschen nach dem

Wagenschlüssel. »Ich hatte herausgefunden, daß Harper Stammgast in Culpeppers Taverne war. Also beschloß ich, ihn mir vorzuknöpfen. Ich fuhr hin und redete eine halbe Stunde mit ihm, bis er mir zu verstehen gab, daß ich mich gefälligst verpissen sollte. Dann ging er. Ich fuhr zurück und war vielleicht 15 Meilen vor Richmond, als mir Poteat über Funk mitteilen ließ, was dort unten geschehen war. Ich raste wie ein Blöder zurück und sah auf einmal Ihren Schlitten vor mir. Ich blieb nur deshalb die ganze Zeit hinter Ihnen, um sicherzugehen, daß Sie sich nicht verfahren würden.«

»Sie haben also tatsächlich heute abend in der Taverne mit Harper gesprochen?« fragte ich erstaunt.

»Sicher«, bestätigte er. »Ein paar Minuten bevor er abgemurkst wurde.« Marino war aufgekratzt und zappelig und wollte zu seinem Auto gehen. »Ich fahre zu Poteat und sehe zu, was ich noch aus ihm herausbekomme. Morgen früh schaue ich bei Ihnen vorbei, wenn's Ihnen recht ist.«

Ich sah zu, wie er wegging und sich den Schnee aus den Haaren schüttelte. Als ich in meinem Plymouth saß und den Zündschlüssel herumdrehte, war er schon fort. Die Scheibenwischer schoben eine dünne Schneeschicht vor sich her und blieben auf einmal mitten auf der Windschutzscheibe stehen. Der Motor meines Dienstwagens machte noch einen kränklichen Versuch anzuspringen, bevor er zur zweiten Leiche dieses Abends wurde.

Die Harpersche Bibliothek war ein warmer, gemütlicher Raum mit roten Perserteppichen und antiken Möbeln aus feinsten Hölzern. Ich war mir ziemlich sicher, daß das Sofa echtes Chippendale war. Ich hatte noch nie echtes Chippendale gesehen, geschweige denn darauf gesessen. Die hohe Decke war reich mit Stuck verziert, und in den Regalen an den Wänden standen unzählige Bücher, die meisten von ihnen ledergebunden. Ich saß vor einem Kamin aus Marmor, in dem gerade frisch nachgelegte Scheite knisterten. Ich lehnte mich vor, wärmte meine Hände an den Flammen und betrachtete das Ölgemälde über dem Kaminsims. Es war das Porträt eines wunderschönen jungen Mädchens in einem weißen Kleid. Es saß auf einer kleinen Bank. Seine Haare waren lang und sehr blond, und seine Hände spielten graziös um eine silberne Haarbürste auf seinem Schoß. Seine Augen unter den schweren Lidern und die halbgeöffneten, vollen Lippen flimmerten in der aufsteigenden Hitze des Feuers. Das tiefausgeschnittene Dekolleté des Kleides zeigte porzellanweiße, noch nicht vollständig entwickelte Brüste. In dem Augenblick, als ich mich fragte, warum gerade dieses Porträt einen solchen Ehrenplatz einnahm, trat Cary Harpers Schwester ein und schloß die Tür ebenso leise, wie sie sie geöffnet hatte.

»Das wird Sie aufwärmen«, meinte sie und gab mir ein Glas Wein.

Sie stellte das Tablett auf den Couchtisch und setzte sich auf einen barocken Sessel mit roten Samtkissen. Sie überschlug ihre Beine nach einer Seite, wie es wohlerzogene Damen von ihren Müttern und Tanten gelernt haben.

»Vielen Dank«, sagte ich. Es klang entschuldigend.

Die Batterie meines Dienstwagens war so mausetot, daß ihr auch ein Starthilfekabel nicht mehr helfen konnte. Die Polizei hatte über Funk einen Abschleppwagen gerufen und versprochen, mich mit nach Richmond zu nehmen, wenn sie mit der Spurensicherung fertig war. Ich hatte keine Wahl. Ich wollte nicht draußen im Schnee herumstehen oder eine Stunde lang im Streifenwagen sitzen. Also klopfte ich an Miß Harpers Tür.

Sie trank ihren Wein und starrte mit leerem Blick ins Feuer. Sie war eine der elegantesten Frauen, die ich je gesehen hatte, fein und edel wie die teuren Gegenstände, die sie umgaben. Silberweißes Haar umrahmte ihr aristokratisches Gesicht mit den hohen Backenknochen und den kultivierten Zügen. Sie trug einen beige Kapuzenpullover und einen Kordrock, die ihre geschmeidige, wohlproportionierte Figur erahnen ließen. Sterling Harper sah überhaupt nicht wie eine alte Jungfer aus.

Sie schwieg. Schneeflocken legten sich kalt an die Fensterscheiben, und der Wind seufzte um die Giebel. Ich konnte mir nicht vorstellen, alleine in diesem Haus leben zu müssen.

»Haben Sie sonst noch jemanden in der Familie?« fragte ich.

»Niemanden, der noch am Leben ist«, antwortete sie.

»Das tut mir leid, Miss Harper . . .«

»Bitte, Sie dürfen das nicht immer wieder sagen, Dr. Scarpetta.«

Als sie ihr Glas wieder an den Mund hob, funkelte ein Ring mit einem großen Smaragd im Feuerschein. Sie blickte mich an. Ich dachte an die Angst, die ich in ihren Augen gesehen hatte, als sie in der Tür gestanden war und ich gerade ihren toten Bruder untersucht hatte. Jetzt wirkte sie bemerkenswert gefaßt.

»Cary hätte vorsichtiger sein sollen«, bemerkte sie plötzlich. »Ich glaube, am meisten hat mich erschreckt, *wie* es passiert ist. Ich hätte nie gedacht, daß jemand es wagen würde, ihm hier am Haus aufzulauern.«

»Und Sie haben wirklich nichts gehört?« fragte ich.

»Ich hörte, wie sein Auto herfuhr. Danach hörte ich nichts mehr. Als er dann nicht ins Haus kam, ging ich zur Tür und schaute nach. Dann rief ich sofort die Polizei.«

»Ging er auch manchmal woandershin, außer zu Culpepper?« erkundigte ich mich.

»Nein, nirgendwo. Er besuchte die Taverne jeden Abend«,

erzählte sie. Ihr Blick schweifte von mir ab. »Ich habe ihn davor gewarnt, dort hinzufahren, bei all den Gefahren, die heutzutage überall lauern. Wissen Sie, er trug ständig Bargeld mit sich herum, und außerdem hatte Cary die Gabe, andere Leute zu beleidigen. Er blieb nie lange bei Culpepper. Eine Stunde, höchstens mal zwei. Er sagte immer, er brauche diesen Kontakt mit den einfachen Leuten zu seiner Inspiration. Nach *The Jagged Corner* hatte Cary nichts mehr zu sagen.«

Ich hatte das Buch gelesen, als ich an der Cornell-Universität studierte, und hatte nur noch ein paar vage Eindrücke davon. Es zeigte einen brutalen, rückständigen Süden voller Gewalt, Inzest und Rassismus, so wie ihn ein junger Schriftsteller sieht, der auf einer Farm in Virginia aufgewachsen ist. Ich erinnerte mich daran, daß es mich deprimiert hatte.

»Das Talent meines Bruders reichte unglücklicherweise nur für ein einziges Buch.«

»Das war bei vielen hervorragenden Schriftstellern der Fall«, sagte ich.

»Das einzige Leben, das er wirklich gelebt hat, war das, zu dem er als junger Mann gezwungen wurde«, fuhr sie in einem beunruhigend monotonen Singsang fort. »Danach war er leergepumpt und lebte in stiller Verzweiflung. Alles, was er später schrieb, waren literarische Fehlgeburten. Kaum hatte er damit angefangen, warf er sie schon wieder ins Feuer und beobachtete verbittert, wie die Seiten verbrannten. Dann lief er wie ein wildgewordener Stier durchs Haus, bis er es irgendwann erneut versuchte. Das ging nun schon so lange so, daß ich aufgehört habe, die Jahre zu zählen.«

»Sie gehen mit Ihrem Bruder aber sehr hart ins Gericht«, bemerkte ich ruhig.

»Ich gehe auch mit mir selber sehr hart ins Gericht, Dr. Scarpetta«, erwiderte sie und blickte mich an. »Cary und ich

sind aus demselben Holz geschnitzt. Der Unterschied zwischen uns besteht darin, daß ich nicht ständig an etwas herumanalysiere, das ohnehin nicht zu ändern ist. Er mußte ständig in seiner Vergangenheit und seinem Charakter herumwühlen, um herauszufinden, was ihn geformt hat. Deshalb hat er auch den Pulitzerpreis gewonnen. Ich für meinen Teil habe beschlossen, nicht gegen das anzukämpfen, was immer schon klar war.«
»Und was ist das?«
»Die Familie Harper ist am Ende. Wir sind degeneriert und unfruchtbar. Mit uns beiden stirbt die Linie aus«, antwortete sie.
Der Wein war billiger Burgunder aus Kalifornien, trocken, aber mit einem metallischen Nachgeschmack. Wie lange würde die Polizei denn noch brauchen? Ich glaubte, daß ich vor einiger Zeit schon einen Dieselmotor gehört hatte. Vermutlich war es der Abschleppwagen gewesen, der mein Auto abgeholt hatte.
»Daß ich mich mein Leben lang um meinen Bruder kümmern mußte und damit unserer Familie das Aussterben leichter machte, habe ich als mein Schicksal akzeptiert«, bemerkte Miss Harper. »Aber ich werde Cary nur deshalb vermissen, weil er mein Bruder war. Ich werde nicht hier sitzen und sagen, wie wundervoll er war, denn das wäre eine Lüge. Sie denken jetzt sicher, daß ich eiskalt bin.«
Kalt war nicht das richtige Wort dafür. »Ich schätze Ihre Ehrlichkeit«, erwiderte ich.
»Cary hatte Phantasie und leidenschaftliche Gefühle. Ich habe nur sehr wenig von beidem, denn wenn das nicht so gewesen wäre, dann hätte ich das alles nicht geschafft. Ich hätte dann bestimmt nicht hier gelebt.«
»Ich könnte mir vorstellen, daß man hier sehr einsam lebt.« Ich glaubte, daß Miss Harper das gemeint hatte.

»Die Einsamkeit macht mir nichts aus«, entgegnete sie.
»Was ist es dann, Miss Harper?« fragte ich und langte nach meinen Zigaretten.
»Möchten Sie noch ein Glas Wein?« fragte sie. Eine Seite ihres Gesichts lag im Schatten des Feuers.
»Nein, vielen Dank.«
»Ich wünschte, wir wären nie hierhergezogen. In diesem Haus geschieht nichts Gutes«, sagte sie.
»Was werden Sie jetzt machen, Miss Harper?« Die Leere in ihren Augen ließ mich frösteln. »Werden Sie hierbleiben?«
»Ich habe nichts, wo ich sonst hingehen könnte, Dr. Scarpetta.«
»Ich könnte mir vorstellen, daß sich Cutler Grove nicht allzu schwer verkaufen ließe«, antwortete ich. Meine Aufmerksamkeit wurde wieder von dem Porträt über dem Kamin gefesselt. Das Lächeln des jungen, weißgekleideten Mädchens hatte im Schein des Feuers etwas Unheimliches an sich, als berge es Geheimnisse, die es niemals verraten würde.
»Es ist schwer, seine eiserne Lunge zu verlassen, Dr. Scarpetta.«
»Wie meinen Sie das?«
»Ich bin zu alt, um mich noch einmal zu verändern«, erklärte sie. »Ich bin zu alt, um Glück, Gesundheit und neue Beziehungen zu suchen. Mich beseelt die Vergangenheit. In ihr lebe ich. Sie sind noch jung, Dr. Scarpetta. Irgendwann einmal werden Sie begreifen, was es bedeutet, nach rückwärts zu schauen. Sie werden merken, daß es daraus kein Entkommen gibt. Und Sie werden erkennen, daß Ihre Vergangenheit Sie immer wieder in dieselben, altbekannten Räume zurückholt. Räume, in denen ironischerweise genau die Dinge vorgefallen sind, die Ihre Entfremdung vom Leben erst verursacht haben. Und so findet man die harten Bänke des Kummers mit der Zeit immer bequemer und die

Menschen, die einen verraten haben, immer freundlicher. Sie werden sehen, man wirft sich demselben Schmerz in die Arme, vor dem man früher weggelaufen ist. Es ist einfacher. Mehr kann ich dazu nicht sagen. Es ist einfacher.«

»Können Sie sich vorstellen, wer Ihrem Bruder das angetan hat?« Ich fragte sie so direkt, weil ich unbedingt das Thema wechseln wollte.

Sie erwiderte nichts, sondern starrte mit weit geöffneten Augen ins Feuer.

»Was wissen Sie über Beryl?« bohrte ich weiter.

»Ich weiß nur, daß sie Monate, bevor es passiert ist, schon bedroht wurde.«

»Monate vor ihrem Tod?« fragte ich.

»Ja. Sie bekam Drohungen«, bestätigte sie.

»Hat sie Ihnen *erzählt*, daß sie Drohungen erhielt, Miss Harper?

»Ja, natürlich«, sagte sie.

Marino hatte Beryls Telefonrechnungen durchgesehen. Er hatte keine Belege für Ferngespräche nach Williamsburg gefunden, und auch keine Briefe, die Beryl von Miss Harper oder ihrem Bruder erhalten hätte.

»Dann standen Sie all die Jahre in Kontakt mit ihr?« fragte ich.

»In sehr engem Kontakt«, antwortete sie. »Soweit es möglich war, sollte ich besser sagen, nachdem sie angefangen hatte, dieses Buch zu schreiben, das ja einen klaren Bruch ihres Übereinkommens mit meinem Bruder bedeutete. Das alles hat sich zu einer ziemlich häßlichen Angelegenheit entwickelt. Cary war außer sich vor Zorn.«

»Woher wußte er überhaupt, was sie tat? Hat sie ihm gesagt, daß sie dieses Buch schrieb?«

»Ihr Anwalt hat es ihm mitgeteilt«, erwiderte sie.

»Sparacino?«

»Ich weiß nicht, was er Cary im einzelnen erzählt hat«, sagte sie mit hartem Gesicht, »aber mein Bruder wußte von Beryls Buch. Er wußte genug davon, um sich fürchterlich aufzuregen. Der Anwalt heizte die Geschichte hintenrum sogar noch an. Er lief von Beryl zu Cary und wieder zurück und gab jedem der beiden das Gefühl, daß er auf seiner Seite stünde, je nachdem, mit wem er gerade sprach.«
»Wissen Sie, was aus dem Buch geworden ist?« fragte ich vorsichtig. »Hat es vielleicht Sparacino? Ist er dabei, es zu veröffentlichen?«
»Vor ein paar Tagen rief er Cary an. Ich hörte ein paar Fetzen dieses Gesprächs. Anscheinend ist das Manuskript verschwunden. Ihre Dienststelle wurde auch erwähnt. Ich hörte, wie Cary etwas über den Medical Examiner sagte. Damit hat er vermutlich Sie gemeint. Und er wurde wütend. Ich schloß daraus, daß Mr. Sparacino hatte herausfinden wollen, ob mein Bruder vielleicht das Manuskript besaß.«
»Wäre das möglich?« wollte ich wissen.
»Beryl hätte es Cary niemals gegeben«, antwortete sie mit Leidenschaft. »Es hätte überhaupt keinen Sinn ergeben, wenn sie ihm ihre Arbeit überlassen hätte. Er war ja so unnachgiebig in dieser Hinsicht.«
Einen Augenblick lang waren wir still.
Dann fragte ich: »Miss Harper, wovor hatte Ihr Bruder solche Angst?«
»Vor dem Leben.«
Ich wartete und sah sie genau an. Sie starrte wieder ins Feuer.
»Je mehr Angst er davor hatte, desto mehr zog er sich zurück«, bemerkte sie in einem sonderbaren Tonfall. »Wenn man sich so abkapselt, dann passieren seltsame Dinge im Kopf. Das Innerste wird nach außen gekehrt, und Ideen und Gedanken drehen sich so lange um sich selbst, bis sie merk-

würdig hin- und herschwanken und schließlich eine bizarre Richtung einschlagen. Ich glaube, daß Beryl die einzige Person war, die mein Bruder jemals geliebt hat. Er wollte sie festhalten, hatte ein überwältigendes Bedürfnis, sie zu besitzen und an sich zu ketten. Als er sich von ihr verraten fühlte und merkte, daß er keine Macht mehr über sie besaß, wurde sein Wahn noch viel schlimmer. Ich bin mir sicher, daß er sich ausmalte, daß sie die haarsträubendsten Dinge über ihn und unser Leben hier verbreiten würde.«

Ihre Hand zitterte, als sie wieder nach ihrem Weinglas griff. Sie redete über ihren Bruder, als ob er schon seit Jahren tot wäre. Wenn sie von ihm sprach, bekam ihre Stimme einen schneidenden Ton, und es schien mir so, als hätte sie die tiefe Liebe zu ihrem Bruder hinter Mauern aus Zorn und Schmerz vergraben.

»Cary und ich hatten niemanden, bevor Beryl auftauchte«, fuhr sie fort. »Unsere Eltern waren gestorben, und wir hatten nur noch uns beide. Und Cary war so schwierig. Ein Teufel, der wie ein Engel schreiben konnte. Er brauchte jemanden, der sich um ihn kümmerte. Also nahm ich es auf mich, ihn in seinen Bestrebungen, sich in dieser Welt ein Denkmal zu setzen, zu unterstützen.«

»Solche Opfer ziehen oft Groll nach sich«, wagte ich zu bemerken.

Sie schwieg. Das Licht des Feuers flackerte auf ihrem fein geschnittenen Gesicht.

»Wie haben Sie Beryl gefunden?« erkundigte ich mich.

»Sie hat uns gefunden. Sie wohnte damals in Fresno bei ihrem Vater und ihrer Stiefmutter und schrieb wie eine Besessene.«

Miß Harper hörte nicht auf, ins Feuer zu starren. »Eines Tages erhielt Cary über seinen Verleger einen Brief von ihr, dem eine handgeschriebene Kurzgeschichte beigelegt war.

Ich kann mich noch gut daran erinnern. Beryl war vielversprechend, eine im Keim vorhandene Begabung, die nur noch richtig gefördert werden mußte. Also kam es zu einem Briefwechsel, und ein paar Monate später lud Cary sie ein, uns zu besuchen. Er schickte ihr sogar ein Flugticket. Bald darauf kaufte er dieses Haus und fing an, es zu restaurieren. Er hat viel für Beryl getan. Dieses hübsche junge Mädchen hat seine Welt verzaubert.«

»Und Sie?« fragte ich.

Zunächst antwortete sie nicht.

Im Kamin fielen ein paar Scheite zusammen und ließen Funken aufprasseln.

»Nachdem wir hier eingezogen waren, verlief unser Leben nicht ohne Komplikationen, Dr. Scarpetta«, erwiderte sie schließlich. »Ich mußte mit ansehen, was zwischen den beiden vorging.«

»Zwischen Ihrem Bruder und Beryl.«

»Ich wollte nicht, daß er sie so einsperrte«, meinte sie. »Nur weil Cary unaufhörlich versuchte, Beryl an sich zu binden und sie für sich alleine zu haben, hat er sie verloren.«

»Sie müssen Beryl sehr geliebt haben«, vermutete ich.

»Es ist unmöglich, das jemandem zu erklären«, gestand sie, und ihre Stimme überschlug sich dabei. »Es war sehr schwierig, mit der ganzen Situation fertig zu werden.«

Ich sondierte weiter: »Wollte Ihr Bruder nicht, daß Sie mit ihr engeren Kontakt pflegten?«

»Ganz besonders nicht während der letzten paar Monate, seit sie dieses Buch schrieb. Cary wollte nichts mehr mit ihr zu tun haben. Ihr Name durfte in diesem Haus nicht mehr genannt werden. Er verbot mir ausdrücklich jeden Kontakt mit ihr.«

»Aber Sie erhielten ihn trotzdem aufrecht«, sagte ich.

»In einem sehr beschränkten Umfang«, antwortete sie mühsam.

»Es muß Ihnen sehr weh getan haben, von jemand abgeschnitten zu sein, den Sie so sehr geliebt haben.«
Sie schaute wieder in die Flammen und fort von mir.
»Miss Harper, wann haben Sie von Beryls Tod erfahren?«
Sie antwortete nicht.
»Hat irgendwer Sie angerufen?«
»Ich erfuhr es am Morgen danach aus dem Radio«, murmelte sie.
Großer Gott, dachte ich. Wie schrecklich!
Sie sagte nichts mehr. So gern ich ihr auch ein paar Worte des Trosts gespendet hätte, konnte ich ihr in ihrem Schmerz nicht beistehen. Also saßen wir schweigend da, sehr lange, wie mir schien. Als ich schließlich verstohlen auf die Uhr blickte, war es fast Mitternacht.
Das Haus war sehr still. Zu still, dachte ich und erschrak. In der Eingangshalle war es, nach der Wärme in der Bibliothek, eisig kalt wie in einer Kathedrale. Ich öffnete die Hintertür und mußte vor lauter Schrecken nach Luft ringen. Die Auffahrt lag im milchigen Schneegestöber unter einer geschlossenen, weißen Decke, auf der sich nur noch schwach die Reifenspuren der verdammten Polizisten, die weggefahren waren, ohne mich mitzunehmen, erahnen ließen. Verdammt. Verdammt. Verdammt.
Als ich wieder in die Bibliothek zurückkam, legte Miss Harper eben ein neues Scheit aufs Feuer.
»Es scheint so, als ob mein Auto ohne mich weggefahren wäre«, sagte ich und wußte, daß ich verärgert klang. »Dürfte ich mal Ihr Telefon benützen?«
»Ich fürchte, das wird nicht möglich sein«, antwortete sie gleichmütig. »Die Telefonleitung ist, kurz nachdem der Polizist gegangen ist, zusammengebrochen. Das passiert hier relativ häufig, wenn das Wetter schlecht ist.«
Ich sah zu, wie sie zwischen den brennenden Scheiten her-

umstocherte. Dünne Rauchfahnen stiegen auf, und Funken schwärmten den Kamin hinauf.
Auf einmal kam mir etwas in den Sinn, was ich ganz vergessen hatte.
»Ihre Freundin . . .«, begann ich.
Sie rüttelte wieder an den Scheiten.
»Von der Polizei hörte ich, daß eine Freundin auf dem Weg zu Ihnen sei, die heute nacht bei Ihnen bleiben wollte.«
Miss Harper stand langsam auf und drehte sich um. Ihr Gesicht war rot von der Hitze.
»Ja, Dr. Scarpetta«, sagte sie. »Wie nett von Ihnen, daß Sie gekommen sind.«

## 8

Die hohe Standuhr im Gang schlug gerade zwölf, als Miss Harper mit einer neuen Flasche Wein zurückkam.
»Die Uhr geht schon seit Ewigkeiten zehn Minuten nach«, fühlte sie sich anscheinend genötigt zu sagen.
Ich hatte die Telefone des Hauses überprüft, sie waren wirklich tot. Um zu Fuß zur nächsten Stadt zu gelangen, hätte ich einige Meilen durch mittlerweile schon über zehn Zentimeter hohen Schnee laufen müssen. Also blieb ich hier.
Ihr Bruder und Beryl waren tot. Miss Harper war die einzige, die noch übrig war, was hoffentlich nichts zu bedeuten hatte. Ich zündete mir eine Zigarette an und nahm einen Schluck von dem Wein. Miss Harper verfügte nicht über die Körperkraft, die notwendig gewesen wäre, um ihren Bruder und Beryl umzubringen. Was aber, wenn der Mörder es jetzt auf Miss Harper abgesehen hatte? Was, wenn er zurückkam?
Meine 38er lag bei mir zu Hause.

Die Polizei wollte die Gegend überwachen.
*Aber womit denn? Mit Schneemobilen?*
Ich bemerkte, daß Miss Harper mit mir sprach.
»Pardon?« fragte ich und zwang mich zu lächeln.
»Sie sehen aus, als würden Sie frieren«, wiederholte sie.
Mit seelenruhigem Gesicht setzte sie sich auf den Barocksessel und schaute wieder ins Feuer. Die prasselnden Flammen knatterten wie eine Flagge im Wind, und ab und zu blies ein Luftzug ein wenig Asche aus dem Kamin. Daß ich hiergeblieben war, schien ihr wieder etwas Sicherheit zurückgegeben zu haben. Ich an ihrer Stelle wäre auch nicht gerne allein geblieben.
»Ich bin okay«, log ich. Es war wirklich kalt.
»Ich hole Ihnen gern eine Wolljacke.«
»Bitte, bemühen Sie sich nicht. Ich finde es wirklich recht angenehm so.«
»Es ist unmöglich, dieses Haus richtig zu beheizen«, fuhr sie fort. »Bei den hohen Decken. Und nichts ist isoliert. Aber man gewöhnt sich daran.«
Ich dachte an mein modernes, gasgeheiztes Haus in Richmond. Ich dachte an mein riesiges Bett mit seiner festen Matratze und seiner elektrisch beheizbaren Decke. Ich dachte an die Stange Zigaretten im Küchenschrank neben dem Kühlschrank und den guten Scotch in meiner Bar. Und ich dachte an den zugigen, staubigen und dunklen ersten Stock hier in Cutler Grove.
»Ich könnte ja hier unten auf dem Sofa schlafen«, schlug ich vor.
»Unsinn. Das Feuer wird bald ausgehen.« Sie spielte nervös mit einem Knopf an ihrer Jacke, ihre Augen blickten immer noch in die Flammen.
»Miss Harper«, versuchte ich es ein letztes Mal. »Haben Sie irgendeine Ahnung, wer die Morde an Beryl und Ihrem Bruder begangen haben könnte? Und warum?«

»Sie glauben, daß es derselbe Mann ist.« Sie äußerte diesen Satz als Feststellung, nicht als Frage.
»Das muß ich in Betracht ziehen.«
»Ich wünschte, ich könnte Ihnen etwas sagen, was Ihnen weiterhilft«, antwortete sie. »Aber vielleicht ist es auch egal. Wer auch immer es getan hat, man kann es nicht wieder ungeschehen machen.«
»Wollen Sie denn gar nicht, daß der Mörder für seine Tat bestraft wird?«
»Es gibt schon genug Strafe auf der Welt. Strafe kann einem auch niemanden zurückgeben«, sagte sie.
»Meinen Sie nicht, daß Beryl gewollt hätte, daß er gefaßt wird?«
Sie drehte sich zu mir um und erwiderte mit weit offenen Augen: »Ich wünschte, Sie hätten sie gekannt.«
»Ich glaube, daß ich sie in gewisser Weise doch kenne«, bemerkte ich sanft.
»Ich kann es Ihnen nicht erklären . . .«
»Das müssen Sie auch nicht, Miss Harper.«
»Es hätte alles so schön sein können . . .«
Ich sah, wie der Schmerz ihr Gesicht, das sofort danach wieder kontrolliert war, einen Augenblick lang verzerrte. Sie mußte den Gedanken nicht zu Ende führen. Es hätte so schön sein können, jetzt, wo niemand mehr Beryl und Miss Harper voneinander trennte. Als Gefährtinnen. Freundinnen. Das Leben ist so leer, wenn man alleine ist, wenn man niemanden mehr hat, den man lieben kann.
»Es tut mir leid«, sagte ich mitfühlend. »Es tut mir so schrecklich leid, Miss Harper.«
»Wir haben erst Mitte November«, antwortete sie und schaute wieder weg von mir. »Das ist ungewöhnlich früh für Schnee. Er wird nicht lange liegenbleiben, Dr. Scarpetta. Sie werden am Vormittag sicher hier wegfahren können. Die

Leute, die Sie gestern vergessen haben, werden sich bis dahin bestimmt an Sie erinnern. Es war wirklich lieb von Ihnen, daß Sie hereingeschaut haben.«
Irgendwie schien sie gewußt zu haben, daß ich zu ihr kommen würde. Ich hatte das unheimliche Gefühl, daß sie es vielleicht auf irgendeine Weise geplant hatte. Aber natürlich war das völlig ausgeschlossen.
»Ich möchte Sie nur um eines bitten«, sagte sie.
»Und was ist das, Miss Harper?«
»Kommen Sie im Frühjahr wieder. Kommen Sie vorbei, wenn wir April haben«, sprach sie zu den Flammen.
»Das würde ich gern tun«, antwortete ich.
»Wenn die Vergißmeinnicht blühen. Der Rasen schimmert dann ganz blau von ihnen. Es ist herrlich, für mich die schönste Zeit im Jahr. Beryl und ich haben sie oft gemeinsam gepflückt. Haben Sie sie mal aus der Nähe betrachtet? Oder sind Sie wie die meisten Leute, denen sie so selbstverständlich vorkommen, so klein und unscheinbar, daß sie sie völlig übersehen? Sie sind so schön, wenn man sie aus der Nähe betrachtet. So wunderschön, als ob sie aus Porzellan und von Gottes eigener Hand bemalt wären. Wir trugen sie immer im Haar und stellten sie im Haus in Schalen auf, Beryl und ich. Sie müssen mir versprechen, daß Sie im April wiederkommen. Wollen Sie das tun?« Sie drehte sich wieder zu mir, und die Gefühlsbewegung in ihren Augen tat mir weh.
»Ja, ja. Natürlich komme ich«, antwortete ich und meinte es auch.
»Wünschen Sie irgendwas Besonderes zum Frühstück?« fragte sie und stand auf.
»Ich schließe mich da Ihnen an.«
»Ich habe eine Menge im Kühlschrank«, bemerkte sie mit einem seltsamen Unterton. »Nehmen Sie Ihren Wein mit, ich zeige Ihnen jetzt Ihr Zimmer.«

Ihre Hand hielt sich am Geländer fest, während sie mit mir die phantastisch geschnitzte Holztreppe in den ersten Stock hinaufstieg. An der Decke war kein Licht, nur einzelne Lampen beleuchteten unseren Weg, und die muffige Luft war kalt wie in einem Keller.
»Ich schlafe auf der anderen Seite des Ganges, drei Türen weiter, falls Sie irgend etwas brauchen sollten«, sagte sie und führte mich in ein kleines Gästezimmer.
Die Möbel waren aus Mahagoni mit Intarsien aus Zitronenholz, und an den blaßblau tapezierten Wänden hingen Blumenstilleben und eine Ansicht des Flusses in Öl. Auf dem frisch gemachten Himmelbett lagen dicke Tagesdecken. Ein Durchgang führte in ein gekacheltes Badezimmer. Die Luft war abgestanden und roch nach Staub, als wären sehr lange Zeit die Fenster nicht geöffnet worden. Nur noch Erinnerungen wohnten hier, und ich war mir sicher, daß viele, viele Jahre lang niemand mehr in diesem Zimmer geschlafen hatte.
»In der obersten Schublade der Kommode liegt ein Nachthemd aus Flanell. Im Bad hängen frische Handtücher und alles übrige«, sagte Miss Harper. »Brauchen Sie sonst noch irgend etwas?«
»Nein. Vielen Dank.« Ich lächelte ihr zu. »Gute Nacht.«
Ich schloß die Tür und legte den winzigen Riegel vor. Das Nachthemd war das einzige Bekleidungsstück in der Kommode, darunter lag noch ein Säckchen mit Lavendel, das längst seinen Duft verloren hatte. Alle anderen Schubladen waren leer. Im Bad befanden sich eine in Zellophan verpackte Zahnbürste, eine kleine Tube mit Zahnpasta, ein unbenütztes Stück Lavendelseife und jede Menge Handtücher, wie es Miss Harper versprochen hatte. Das Waschbecken war staubtrocken, und als ich die Hähne aufdrehte, sah das Wasser, das dann herauskam, aus wie flüssiger Rost. Es

dauerte eine Ewigkeit, bis es klar und warm genug floß und ich es wagen konnte, mein Gesicht damit zu waschen.
Das Nachthemd, das alt, aber sauber war, war verwaschen und blau wie ein Vergißmeinnicht. Ich stieg ins Bett und zog mir die muffig riechende Tagesdecke bis zum Kinn, bevor ich das Licht ausknipste. Das Kissen wölbte sich unförmig, und als ich es mir in eine bequemere Form drückte und schob, spürte ich die harten Federkiele. Ich war hellwach und fror an der Nase. Ich setzte mich in der Dunkelheit im Bett auf und trank den Rest von meinem Wein. Ich war mir jetzt fast sicher, daß dies einmal Beryls Zimmer gewesen sein mußte. Das Haus war so ruhig, daß ich mir einbildete, die alles aufsaugende Stille des vor dem Fenster fallenden Schnees hören zu können.
Ich war mir nicht bewußt, daß ich eingedöst war, aber als ich die Augenlider aufriß, klopfte mein Herz wie wild, und ich wagte es nicht, mich zu bewegen. Ich wußte nicht mehr, was für einen Alptraum ich geträumt hatte. Zuerst erinnerte ich mich auch nicht mehr, wo ich war, und ob ich wirklich ein Geräusch gehört hatte. Der Wasserhahn im Bad war nicht ganz dicht, und ein Tropfen nach dem anderen klirrte langsam in das Waschbecken. Dann knarrte auf einmal kaum hörbar der Fußboden hinter der verriegelten Tür meines Zimmers.
Meine Gedanken rasten über eine Hindernisbahn voller möglicher Erklärungen. Bodenbretter zogen sich in der Kälte zusammen. Mäuse. Oder irgend jemand schlich vorsichtig den Gang entlang. Ich hielt den Atem an und hörte, wie Füße in Pantoffeln ganz leise an meiner Tür vorbeigingen. Miss Harper, dachte ich. Es klang so, als ginge sie die Treppe hinunter. Eine Stunde lang, wie mir schien, wälzte ich mich ruhelos von einer Seite auf die andere. Schließlich knipste ich die Lampe an und stand auf. Es war halb vier Uhr morgens, und an

Einschlafen war nicht mehr zu denken. Weil ich in meinem geliehenen Nachthemd fror, zog ich meinen Mantel an, bevor ich den Riegel zurückschob und mich den stockdunklen Gang entlangtastete, bis ich in den Schatten die geschwungene Silhouette des Treppengeländers erahnen konnte.
Die Eingangshalle war eiskalt und vom Mondlicht, das durch zwei kleine Fenster beiderseits der Vordertüre hereinfiel, schwach beleuchtet. Es hatte aufgehört zu schneien, und zwischen den Zweigen der Bäume und Sträucher, die ihre Formen unter einem weißen Überzug versteckten, konnte ich die Sterne sehen. Der Gedanke an ein warm knisterndes Feuer zog mich in die Bibliothek.
Miss Harper saß in eine Wolldecke gehüllt auf dem Sofa. Sie starrte in die Flammen, und ihre Augen waren naß von Tränen, die abzuwischen sie sich nicht die Mühe gemacht hatte. Ich räusperte mich und rief leise ihren Namen. Ich wollte sie nicht erschrecken.
Sie bewegte sich nicht.
»Miss Harper?« sagte ich noch einmal, dieses Mal lauter. »Ich hörte, wie Sie nach unten gingen . . .«
Sie saß an der serpentinenförmig geschwungenen Rückenlehne des Sofas, ihre Augen starr auf das Feuer gerichtet. Als ich mich schnell neben ihr niederließ, um am Hals ihren Puls zu fühlen, fiel ihr Kopf schlaff zur Seite. Sie war noch sehr warm, hatte aber keinen Puls mehr. Ich zog sie auf den Teppich und machte wie eine Verrückte abwechselnd Mund-zu-Mund-Beatmung und Herzmassage. Wie lange ich das tat, weiß ich nicht mehr. Als ich dann schließlich aufgab, waren meine Lippen taub, und meine Arm- und Rückenmuskulatur schmerzte. Ich zitterte am ganzen Körper.
Das Telefon funktionierte noch immer nicht. Ich konnte niemanden anrufen, konnte überhaupt nichts tun. So stand ich am Fenster der Bibliothek und schaute zwischen den halb-

geöffneten Vorhängen mit Tränen in den Augen hinaus auf das unglaubliche, vom Mondlicht überglitzerte Weiß, hinter dem der schwarze Fluß so breit dahinfloß, daß ich das andere Ufer nicht erkennen konnte. Irgendwie schaffte ich es, Miss Harpers Leiche wieder auf das Sofa zu setzen. Ich deckte sie vorsichtig mit der Wolldecke zu, während das Feuer herunterbrannte und das Mädchen auf dem Porträt in den Schatten verschwand. Sterling Harpers völlig unerwarteter Tod erschütterte mich schwer. Ich hockte auf dem Teppich vor dem Sofa und sah zu, wie das Feuer langsam erlosch. Nicht einmal das konnte ich am Leben erhalten, aber ich versuchte es auch nicht.

Als mein Vater starb, hatte ich nicht geweint. Er war viele Jahre krank gewesen, und ich hatte gelernt, meine Gefühle abzutöten. Fast meine ganze Kindheit über war er ans Bett gefesselt. Als er schließlich eines Abends zu Hause starb, floh ich vor dem schrecklichen Schmerz meiner Mutter in eine erzwungene Gleichgültigkeit, und von dieser scheinbar sicheren Warte aus perfektionierte ich die Kunst, dem Untergang interessiert zuzusehen.

Mit einer scheinbar durch nichts zu beeindruckenden Reserviertheit war ich Zeugin des chaotischen Kampfs zwischen meiner Mutter und meiner jüngeren Schwester Dorothy, die sich schon vom Tag ihrer Geburt an nur egozentrisch und verantwortungslos benommen hatte.

Ich stahl mich immer häufiger von dem Gebrüll und Gestreite davon, aber in Wahrheit rannte ich dabei um mein Leben. Ich wurde zur Deserteurin aus diesem häuslichen Kleinkrieg und verbrachte nach der Schule immer längere Zeit bei den Klosterschwestern und verkroch mich in die Bibliothek, wo mir langsam klar wurde, daß ich mit meiner früh entwickelten Intelligenz durchaus etwas erreichen konnte. Ich war eine exzellente Schülerin in den Naturwissenschaften, und der menschliche Körper faszinierte mich ganz besonders. Schon

im Alter von 15 Jahren verschlang ich Grays Anatomie, und dieses Buch wurde der ständige Begleiter meiner autodidaktischen Studien, die Bibel meiner persönlichen Offenbarung. In einer Zeit, in der Frauen Lehrerinnen, Sekretärinnen oder Hausfrauen wurden, wollte ich Ärztin werden.
Auf der High School hatte ich nur Einser und spielte viel Tennis. In den Sommerferien las ich ein Buch nach dem anderen, während sich der Rest meiner Familie gegenseitig aufrieb. Sie kamen mir vor wie verwundete Südstaatenveteranen in einer Welt, in der längst der Norden gesiegt hatte. Ich hatte wenig Interesse an Jungen und auch nur wenige Freundinnen. Ich machte den Abschluß als Klassenbeste und ging mit einem Stipendium nach Cornell aufs College. Danach studierte ich Medizin auf der Johns-Hopkins- und Jura auf der Georgetown-Universität. Mir war eigentlich nur schemenhaft bewußt, was ich tat. Der Tod meines Vaters kam mir wie ein schreckliches Verbrechen vor, und die Karriere, die ich eingeschlagen hatte, führte mich immer wieder an seinen Schauplatz zurück. Tausendmal nahm ich den Tod auseinander und setzte ihn wieder zusammen. Ich durchschaute seine Gesetze und stellte ihn vor Gericht. Ich lernte ihn in- und auswendig kennen. Aber all das brachte mir meinen Vater nicht wieder zurück, und das Kind in mir hörte niemals auf zu trauern.
Verglühte Scheite zerfielen im Kamin, während ich unruhig vor mich hindöste und ab und zu verstört aufschreckte.
Stunden später ließ die Morgendämmerung die Einzelheiten meines Gefängnisses in ihrem kalten blauen Licht neu entstehen. Mit Schmerzen im Rücken und steifen Beinen rappelte ich mich auf und ging langsam zum Fenster. Die Sonne schwebte wie ein fahles Ei über dem schiefergrauen Fluß, die kahlen Bäume standen schwarz vor dem Weiß des Schnees. Der Kamin war erloschen, und zwei Fragen poch-

ten tief in meinem fiebernden Gehirn. Wäre Miss Harper auch dann gestorben, wenn ich nicht dagewesen wäre? Daß ich mich in ihrem Haus aufgehalten hatte, hatte es ihr leichter gemacht. Aber warum war sie hinunter in die Bibliothek gegangen? Ich vermutete, daß sie das Feuer noch einmal geschürt und sich auf das Sofa gesetzt und daß sie, als ihr Herz einfach aufgehört hatte zu schlagen, in die Flammen gestarrt hatte. Oder hatte sie, kurz bevor sie starb, noch einmal das Porträt über dem Kamin betrachtet?
Ich knipste alle Lampen an und schob einen Stuhl vor den Kamin. Ich stieg hinauf und nahm das sperrige Gemälde von seinem Haken. Aus der Nähe sah das Porträt gar nicht so beunruhigend aus, weil der Gesamteindruck in subtile Farbschattierungen und zarte Pinselstriche dicker Ölfarbe zerfiel. Staub stieg von der Leinwand auf, als ich vom Stuhl stieg und das Gemälde auf den Boden legte. Es trug weder eine Signatur noch ein Datum. Der Maler hatte es absichtlich in gedämpften Farben gemalt, damit es älter aussah, aber es zeigte nicht die kleinsten Anfänge von Sprüngen in der Oberfläche des Farbauftrags.
Ich drehte es um und untersuchte die Rückseite aus braunem Papier. In der Mitte sah ich den goldenen Aufkleber eines Rahmengeschäfts in Williamsburg. Ich notierte ihn, kletterte auf den Stuhl und hängte das Bild wieder an seinen Platz. Dann kniete ich mich vor den Kamin und stocherte mit einem Bleistift, den ich aus meiner Arzttasche genommen hatte, in der Asche herum. Über den verbrannten Holzstücken befand sich eine merkwürdige, filmartige Schicht weißer Asche, die zart wie Spinnweben war und beim kleinsten Windhauch davonwehte. Darunter lag ein Klumpen, der aussah wie geschmolzenes Plastik.

* * *

»Nehmen Sie's mir nicht übel, Doc«, bemerkte Marino, als er seinen Wagen rückwärts aus dem Parkplatz fuhr, »aber Sie sehen fürchterlich aus.«

»Vielen Dank«, murmelte ich.

»Ich sagte schon, nehmen Sie's mir nicht übel. Ich kann mir vorstellen, daß Sie kaum zum Schlafen gekommen sind.«

Als ich am Morgen nicht da war, um mich um Cary Harpers Autopsie zu kümmern, verschwendete Marino keine Zeit und rief die Polizei in Williamsburg an. Am frühen Vormittag erschien dann mit klappernden Schneeketten, die tiefe Spuren in den schweren, glatten Schnee fraßen, ein Auto mit zwei einfältigen Polizeibeamten vor dem Haus. Nach ein paar deprimierenden Fragen zum Tod von Sterling Harper wurde ihre Leiche in einem Krankenwagen nach Richmond geschickt, und die beiden Polizisten lieferten mich in der Polizeizentrale von Williamsburg ab, wo ich mich mit Kaffee und Krapfen herumquälte, bis Marino kam und mich abholte.

»Also ich wäre auf gar keinen Fall die ganze Nacht in diesem Haus geblieben«, fuhr Marino fort. »Und wenn es draußen 30 Grad minus gehabt hätte. Lieber würde ich mir den Arsch abfrieren, als eine Nacht mit einer Toten . . .«

»Wissen Sie, wo die Princess Street ist?« unterbrach ich ihn.

»Warum?« Seine verspiegelte Sonnenbrille drehte sich in meine Richtung.

Der Schnee glitzerte in der Sonne wie weißes Feuer, aber auf den Straßen verwandelte er sich bereits in Matsch.

»Ich interessiere mich für die Princess Street Nummer 507«, antwortete ich in einem Tonfall, der ihm keine andere Wahl ließ, als mich dort hinzufahren. Die Straße lag beim Merchants Square am Rande der historischen Altstadt, wo auch noch einige andere Läden waren. Auf dem vor kurzem geräumten Parkplatz stand ein knappes Dutzend Autos mit

dicken Schneehauben auf den Dächern. Erleichtert stellte ich fest, daß der »Village Frame Shop & Gallery« geöffnet hatte.
Marino stellte keine Fragen, als ich aus dem Wagen stieg. Er spürte vermutlich, daß ich momentan nicht in der Stimmung war zu antworten. In der Galerie hielt sich außer mir nur noch ein anderer Kunde auf, ein junger Mann in einem schwarzen Mantel, der lässig einen Stapel mit Drucken durchblätterte. Eine Frau mit langen blonden Haaren tippte hinter der Ladentheke auf einer Rechenmaschine herum.
»Kann ich Ihnen helfen?« fragte sie und sah höflich auf.
»Das kommt darauf an, wie lange Sie schon hier arbeiten«, erwiderte ich.
Die kühle, zweifelnde Art, mit der sie mich musterte, machte mir deutlich, daß ich vermutlich wirklich fürchterlich aussah. Ich hatte in meinem Mantel geschlafen, und meine Haare waren schrecklich zerzaust. Als ich mir verunsichert eine widerspenstige Strähne glattstreichen wollte, bemerkte ich, daß ich irgendwo einen Ohrring verloren hatte. Ich stellte mich der Frau vor, und um der Sache Nachdruck zu verleihen, zeigte ich ihr meine dünne schwarze Brieftasche mit meiner Medical-Examiner-Dienstmarke aus Messing.
»Ich arbeite hier seit zwei Jahren«, sagte sie.
»Es geht um ein Gemälde, das vermutlich vor Ihrer Zeit hier gerahmt wurde«, erklärte ich. »Ein Porträt, das vielleicht Cary Harper vorbeigebracht hat.«
»O Gott. Ich habe heute morgen im Radio gehört, was ihm zugestoßen ist. O Gott, wie schrecklich«, sprudelte sie hervor. »Am besten sprechen Sie gleich mit Mr. Hilgeman.«
Sie verschwand nach hinten, um ihn zu holen.
Mr. Hilgeman war ein elegant aussehender Herr in einem Tweedjackett, der unmißverständlich verkündete: »Cary Harper ist schon seit Jahren nicht mehr in diesem Laden

gewesen, und außerdem war er niemandem hier näher bekannt, soweit ich weiß.«

»Mr. Hilgeman«, sagte ich, »über dem Kaminsims in Cary Harpers Bibliothek hängt das Porträt eines blonden Mädchens. Es ist in Ihrem Laden gerahmt worden, möglicherweise schon vor vielen Jahren. Können Sie sich daran erinnern?«

In den grauen Augen, die mich über die Ränder einer schmalen Lesebrille anblickten, erschien nicht der leiseste Funken einer Erinnerung.

»Es sieht sehr alt aus«, erklärte ich. »Eine gute Imitation, aber eine ziemlich merkwürdige Interpretation des Motivs. Das Mädchen ist neun oder zehn, höchstens zwölf, aber es ist eher angezogen wie eine junge Frau, in Weiß, und es sitzt auf einer schmalen Bank und hält eine silberne Haarbürste in seinen Händen.«

Ich hätte mir am liebsten einen Tritt in den Hintern gegeben, weil ich kein Polaroidfoto von dem Bild gemacht hatte. Die Kamera war die ganze Zeit in meiner Arzttasche gewesen, und ich hatte nie daran gedacht. Ich war zu sehr mit anderen Dingen beschäftigt gewesen.

»Wissen Sie«, sagte Mr. Hilgeman, und jetzt leuchteten seine Augen auf, »ich glaube, ich erinnere mich an das Gemälde. Ein sehr hübsches, aber ungewöhnliches Mädchen. Ja, ein ziemlich zweideutiges Bild, wenn ich mich recht erinnere.«

Ich drängte ihn nicht.

»Das muß mindestens fünfzehn Jahre her sein, . . . lassen Sie mich mal sehen.« Er legte einen Zeigefinger auf seine Lippen. »Nein.« Er schüttelte den Kopf. »Das war ich nicht.«

»Sie waren es nicht?« fragte ich. »*Was* waren Sie nicht?«

»Ich habe das Bild nicht gerahmt. Das muß Clara gemacht haben, eine Assistentin, die damals hier arbeitete. Ich glaube – oder besser, ich bin sicher –, daß Clara dieses Bild gerahmt hat. Es war eine ziemlich kostspielige, aufwendige Arbeit, die sich genaugenommen eigentlich nicht gelohnt hat. Das Gemälde war nämlich nicht besonders gut. Im Grunde«, fügte er stirnrunzelnd an, »stellte es einen ihrer weniger erfolgreichen Versuche dar –«

»Ihrer?« unterbrach ich. »Meinen Sie Clara?«

»Ich spreche von Sterling Harper.« Er sah mich prüfend an. »Sie hat das Bild gemalt.« Er zögerte. »Vor vielen Jahren beschäftigte sie sich intensiv mit der Malerei. Sie hatte, soviel ich weiß, sogar ein Atelier im Haus. Ich selbst war allerdings nie dort. Aber sie hat uns damals einige ihrer Arbeiten gebracht, die meisten waren Stilleben oder Landschaften. Das Gemälde, nach dem Sie gefragt haben, ist, soviel ich weiß, ihr einziges Porträt.«

»Wann hat sie es gemalt?«

»Wie ich schon sagte, vor mindestens fünfzehn Jahren.«

»Hat ihr irgend jemand dafür Modell gestanden?« wollte ich wissen.

»Sie könnte es auch von einer Fotografie abgemalt haben . . .« Wieder runzelte er die Stirn. »Aber da bin ich wirklich überfragt. Ich kann Ihnen auch nicht sagen, wer, wenn überhaupt jemand, ihr dafür Modell gestanden haben könnte.«

Ich zeigte nicht, wie überrascht ich war. Beryl war damals wohl zwischen 16 und 17 Jahre alt gewesen und hatte wahrscheinlich in Cutler Grove gewohnt. War es möglich, daß Mr. Hilgeman und die anderen Leute in der Stadt nichts davon gewußt hatten?

»Es ist doch traurig«, sinnierte er. »So talentierte, intelligente Leute. Und sie hatten keine Familie, keine Kinder.«

»Hatten sie Freunde?« fragte ich.

»Ich kenne leider keinen der beiden persönlich«, erwiderte er.

Und du wirst auch keinen von beiden mehr kennenlernen, dachte ich morbide.
Marino wischte gerade seine Windschutzscheibe mit einem Fensterleder ab, als ich auf den Parkplatz zurückkam. Der geschmolzene Schnee und das Tausalz hatten seinen schönen, schwarzen Wagen mit einer fleckigen Schmutzschicht überzogen. Er schien nicht gerade glücklich darüber zu sein. Auf dem Gehsteig neben der Fahrertür lag ein Haufen Zigarettenstummel, den er ohne viel Umschweife einfach aus dem Aschenbecher gekippt hatte.
»Zwei Dinge«, begann ich sehr ernst, als wir losfuhren. »In der Bibliothek im Haus hängt das Porträt eines jungen blonden Mädchens, das Miss Harper offensichtlich vor 15 Jahren in diesem Laden rahmen ließ.«
»Beryl Madison?« Er holte sein Feuerzeug aus der Tasche.
»Es könnte recht gut ihr Porträt sein«, erwiderte ich. »Aber wenn dem so wäre, dann stellt es sie viel jünger dar, als sie damals war. Und der Stil des Bildes ist ein wenig seltsam, lolitahaft.«
»Wie?«
»Sexy«, sagte ich platt. »Das kleine Mädchen ist so dargestellt, daß es sinnlich aussieht.«
»Ach ja. Und jetzt wollen Sie mir erzählen, daß Cary Harper ein verkappter Kinderschänder war.«
»Also erstens hat seine Schwester das Porträt gemalt«, entgegnete ich.
»Mist.«
»Und zweitens«, fuhr ich fort, »habe ich den dringenden Verdacht, daß der Besitzer des Rahmenladens keine Ahnung hatte, daß Beryl jemals bei den Harpers gewohnt hat. Da frage ich mich natürlich, ob andere Leute hier es gewußt haben. Und wenn nicht, dann stellt sich die Frage, wie das möglich ist. Sie hat doch jahrelang in dem Haus gewohnt,

Marino, und es ist nur ein paar Meilen von der Stadt entfernt. Und dies ist eine Kleinstadt.«
Er schaute beim Fahren stur geradeaus und sagte kein Wort.
»Nun«, beschloß ich, »das alles ist vielleicht auch bloße Spekulation. Schließlich lebten sie sehr zurückgezogen. Wahrscheinlich hat Cary Harper alles getan, um Beryl vor der Welt zu verstecken. Wie auch immer, die ganze damalige Konstellation scheint wohl nicht eine allzu gesunde gewesen zu sein. Aber sie muß nicht unbedingt etwas mit dem Tod der drei zu tun haben.«
»Zum Teufel«, fluchte er kurz angebunden, »gesund ist wirklich das falsche Wort. Ob sie zurückgezogen lebten oder nicht, ich kann nicht begreifen, daß niemand hier etwas von Beryl gewußt haben soll. Es sei denn, sie haben sie eingesperrt und an einen Bettpfosten gekettet, die verdammten Perverslinge. Ich hasse Leute, die sich an Kindern vergreifen. Wissen Sie das?« Er blickte mich wieder an. »Ich hasse so was wirklich. Und außerdem habe ich schon wieder so ein Gefühl.«
»Was für ein Gefühl?«
»Daß Mr. Pulitzerpreis Beryl um die Ecke gebracht hat«, antwortete Marino. »Weil sie in ihrem Buch alles ausplaudern wollte. Deshalb ist er ausgerastet und hat sie mit dem Messer besucht.«
»Und wer hat dann ihn umgebracht?«
»Na, vielleicht seine verrückte Schwester.«
Wer auch immer Cary Harper ermordet hatte, mußte so kräftig sein, daß er ihn mit ein paar wuchtigen Schlägen augenblicklich bewußtlos machen konnte. Jemandem die Kehle durchzuschneiden paßte auch nicht zu einer Frau. Mir war tatsächlich noch nie ein Fall untergekommen, in dem eine Frau so etwas getan hatte.
Nach einer langen Stille fragte Marino: »Kam Ihnen die alte Harper-Dame eigentlich senil vor?«

»Ziemlich exzentrisch, aber nicht senil«, sagte ich.
»Verrückt?«
»Nein.«
»Nach dem, wie Sie mir die Geschichte erzählt haben, scheint mir ihre Reaktion darauf, daß ihr Bruder abgemurkst wurde, nicht gerade die angemessenste gewesen zu sein.«
»Sie stand unter einem Schock, Marino. Menschen, die unter einem Schock stehen, reagieren auf nichts angemessen.«
»Glauben Sie, daß sie Selbstmord begangen hat?«
»Das wäre schon möglich«, erwiderte ich.
»Haben Sie irgendwelche Drogen gefunden?«
»Nur ein paar frei verkäufliche Medikamente, von denen keines hätte tödlich wirken können.«
»Keine Verletzungen?«
»Zumindest keine sichtbaren.«
»Woran, in drei Teufels Namen, ist sie dann gestorben?« fragte er und schaute zu mir herüber. Sein Gesicht sah hart aus.
»Nein«, antwortete ich. »Im Moment habe ich überhaupt keine Ahnung.«

»Vermutlich fahren Sie jetzt zurück nach Cutler Grove«, sagte ich zu Marino, als er hinter meinem Büro parkte.
»Ja, ich könnte mir nichts Schöneres vorstellen«, knurrte er.
»Aber Sie sollten heimgehen und sich mal richtig ausschlafen.«
»Vergessen Sie nicht, Cary Harpers Schreibmaschine unter die Lupe zu nehmen.«
Marino kramte in seiner Hosentasche nach dem Feuerzeug.
»Marke, Modell und alle gebrauchten Farbbänder«, erinnerte ich ihn.
Er zündete eine Zigarette an.

»Und jedes Schreib- oder Briefpapier im Haus. Ich schlage vor, daß Sie selbst die Asche aus dem Kamin sicherstellen. Es wird ausgesprochen schwierig sein, sie nicht zu zerstören –«
»Seien Sie mir nicht böse, Doc, aber Sie klingen genau wie meine Mutter.«
»Marino«, fauchte ich, »ich meine es ernst!«
»Ja, ja, Sie meinen es ernst, das habe ich verstanden. Und ebenso ernsthaft brauchen Sie jetzt dringend ein paar Stunden Schlaf«, entgegnete er.
Marino war so frustriert wie ich und benötigte seinen Schlaf vermutlich ebenso dringend. Die Rampe war schon verschlossen, der Betonboden davor voller Ölflecken. In der Leichenhalle fiel mir das nervtötende, elektrische Summen der Generatoren auf, das ich sonst während der Arbeitszeit kaum bemerkte. Das Geräusch, mit dem mir die übelriechende Luft entgegenströmte, als ich den Kühlraum betrat, erschien mir heute ungewöhnlich laut.
Die beiden Leichen waren auf Rollbahren gebettet, die man nebeneinander an die Rückwand geschoben hatte. Vielleicht lag es nur an meiner Müdigkeit, aber als ich das Laken von Sterling Harper zurückschlug, wurden meine Knie auf einmal weich, und meine Arzttasche fiel mir auf den Boden. Ich dachte an ihr schön geschnittenes Gesicht und den Schrecken in ihren Augen, als sie die Hintertüre des Hauses öffnete und mich über ihren toten Bruder gebeugt sah, mit Handschuhen, die hellrot von seinem Blut waren. Alles, was ich wissen wollte, war, daß Bruder und Schwester hier ordentlich eingetragen waren. Sanft deckte ich Sterling Harper wieder zu, zog das Laken über ein Gesicht, das jetzt so leer war wie eine Gummimaske. Um mich herum schauten überall nackte Füße mit Zetteln an den Zehen unter den Laken hervor.

Als ich den Kühlraum betrat, hatte ich die gelbe Filmschachtel unter Sterling Harpers Rollbahre zuerst nicht wahrgenommen. Aber jetzt, als ich mich bückte, um meine Tasche aufzuheben, fiel sie mir auf einmal ganz deutlich auf. Es war eine Filmschachtel der Marke Kodak, Kleinbild, 24 Bilder. Von der Staatlichen Beschaffungsstelle erhielt meine Dienststelle Fuji-Filme, und zwar mit 36 Aufnahmen. Als die Sanitäter Miss Harpers Leiche vor vielen Stunden hierhergebracht hatten, hatten sie bestimmt keine Fotos gemacht.
Ich kehrte zurück in den Gang, und dort fiel mir auf, daß etwas mit der Leuchtanzeige über der Aufzugtüre nicht ganz in Ordnung war. Der Aufzug hielt plötzlich im zweiten Stock. Es mußte noch jemand außer mir im Gebäude sein! Wahrscheinlich war es der Wachmann auf seinem Rundgang. Meine Kopfhaut begann auf einmal zu jucken, und ich dachte wieder an die leere Filmschachtel. Ich nahm meine Tasche fest in die Hand und beschloß, die Treppe zu nehmen. Im zweiten Stock angelangt, öffnete ich langsam die Tür des Treppenhauses und horchte, bevor ich weiterging. Die Büros im Ostflügel waren dunkel und leer. Ich ging nach rechts in den Hauptkorridor, vorbei am leeren Hörsaal, der Bibliothek und an Fieldings Büro. Ich hörte und sah niemanden. Als ich mein Büro betrat, beschloß ich dennoch, vorsichtshalber den Sicherheitsdienst anzurufen.
Dann sah ich ihn, und mir stockte der Atem. Einen schrecklichen Moment lang war ich nicht mehr in der Lage zu denken. Er blätterte geschickt und leise durch den Inhalt eines offenen Karteikastens. Der Kragen seiner Marinejacke war bis zu seinen Ohren hochgeschlagen, die Augen verbargen sich hinter einer dunklen Fliegersonnenbrille, und an den Händen trug er Gummihandschuhe. Über einer seiner breiten Schultern hing eine Kamera an einem Lederriemen. Er sah so massiv und hart wie Marmor aus, und ich konnte

nicht mehr schnell genug zurücktreten. Die Hände in den Handschuhen standen auf einmal still.
Als er lossprang, handelte ich im Reflex. Meine Arzttasche schnellte an ihrem Schulterriemen wie ein olympischer Hammer durch die Luft. Sie traf ihn mit solcher Wucht zwischen den Beinen, daß ihm vom Aufprall die Sonnenbrille von der Nase geschleudert wurde. Er fiel nach vorne, krümmte sich vor Schmerzen und war lange genug aus dem Gleichgewicht gebracht, daß ich ihn mit einem Tritt gegen den Knöchel zu Boden schicken konnte. Seinem weiteren Wohlbefinden nicht gerade zuträglich war die Tatsache, daß, als er aufschlug, sich seine Kamera ausgerechnet zwischen seinen Rippen und dem Boden befand.
Ich verstreute hastig diverse medizinische Utensilien auf dem Boden, als ich verzweifelt die Sprühdose mit Tränengas aus meiner Tasche hervorwühlte. Der harte Strahl traf ihn direkt im Gesicht, und er brüllte vor Schmerz laut auf. Er griff sich an die Augen und wälzte sich schreiend auf dem Boden, während ich das Telefon packte, um Hilfe zu holen. Sicherheitshalber verpaßte ich ihm, bevor der Wachmann hereingeeilt kam, noch eine zweite Dosis. Als schließlich die Polizei eintraf, flehte mein Gefangener sie hysterisch schluchzend an, ihn in ein Krankenhaus zu bringen, aber ein wenig mitfühlender Officer bog ihm die Arme auf den Rücken, legte ihm Handschellen an und durchsuchte ihn nach Waffen.
Aus dem Führerschein des Eindringlings ging hervor, daß er Jeb Price hieß, 34 Jahre alt war und in Washington, D.C. wohnte. Im Bund seiner Kordhose steckte eine Smith & Wesson-Automatikpistole, Kaliber neun Millimeter, mit 14 Schuß Munition im Magazin und einem in der Kammer vor dem Lauf.

* * *

Ich konnte mich später nicht mehr daran erinnern, daß ich noch in das Büro neben der Leichenhalle gegangen war und mir dort vom Schlüsselbrett die Schlüssel des zweiten Dienstwagens genommen hatte, den unsere Behörde geleast hatte. Aber ich mußte das getan haben, denn als die Nacht hereinbrach, parkte ich den dunkelblauen Kombi in der Zufahrt zu meinem Haus. Der Wagen war übergroß, weil wir damit normalerweise Leichen transportierten. An seinem Rückfenster hing ein diskreter Vorhang, und im hinteren Teil des Wagens befand sich eine herausnehmbare Ladefläche aus Sperrholz, die ein paarmal in der Woche mit dem Schlauch abgespritzt werden mußte. Der dunkelblaue Kombi war eine Mischung aus Familienkutsche und Leichenwagen, und es gab meiner Meinung nach nur ein Fahrzeug, das sich schwerer einparken ließ, und das war die *Queen Elizabeth* 2.

Wie ein Zombie wankte ich direkt nach oben, ohne meinen Anrufbeantworter abzuhören oder ihn auszuschalten. Meine rechte Schulter und mein rechter Ellenbogen taten mir weh. Die Knöchel meiner rechten Hand ebenfalls. Ich legte meine Kleider über einen Stuhl, nahm ein heißes Bad und fiel wie betäubt ins Bett, in tiefen, tiefen Schlaf. In einen Schlaf, der fast so tief war wie der Tod. Die Dunkelheit lastete schwer auf mir, und ich versuchte hindurchzuschwimmen. Mein Körper wog schwer wie Blei, und das Telefon, das neben meinem Bett geklingelt hatte, war plötzlich wieder still. Mein Anrufbeantworter hatte sich eingeschaltet.

». . . ich weiß nicht, wann ich dich wieder anrufen kann, also hör zu. Bitte, Kay, hör mir zu. Ich habe gehört, was Cary Harper zugestoßen ist . . .«

Mein Herz schlug heftig, und ich öffnete die Augen. Marks eindringliche Stimme riß mich aus meiner Erstarrung.

». . . bitte, halte dich da raus. Misch dich nicht ein. Bitte. Ich werde mit dir reden, so bald ich kann . . .«
Als ich endlich den Hörer fand, tutete nur noch das Freizeichen. Ich hörte seine Botschaft noch einmal ab, ließ mich in die Kissen fallen und fing an zu weinen.

# 9

Als ich am nächsten Morgen gerade mit einem y-förmigen Schnitt Cary Harpers Körper öffnete, kam Marino in die Leichenhalle. Er sah stumm zu, wie ich die Rippen entfernte und die Organe aus dem Brustkasten hob. Wasser schoß platschend in große Becken, chirurgische Instrumente klapperten und klickten, und am anderen Ende des Raumes schärfte einer der Obduktionsassistenten ein Messer, dessen lange Klinge mit einem schabenden Geräusch über den Wetzstein hin- und herfuhr. Wir hatten an diesem Morgen vier Fälle zu bearbeiten, und so waren die Autopsietische aus rostfreiem Edelstahl alle besetzt.
Da Marino anscheinend nicht von sich aus damit herausrükken wollte, schnitt ich schließlich das Thema an.
»Was haben Sie über Jeb Price herausbekommen?« fragte ich.
»Seine Akte ist nicht gerade ergiebig«, erwiderte er und schaute ruhelos umher. »Keine Vorstrafen, keine Haftbefehle gegen ihn. Und singen will er auch nicht. Wenn er es täte, dann wäre es vermutlich Sopran, nach dem Ding, das Sie ihm verpaßt haben. Ich war gerade eben noch oben beim Erkennungsdienst. Sie entwickeln im Moment den Film aus seiner Kamera. Wenn sie fertig sind, bringe ich Ihnen einen Satz Abzüge.«
»Haben Sie schon etwas davon gesehen?«

»Ich sah die Negative«, antwortete er.
»Und?« wollte ich wissen.
»Bilder, die er im Kühlraum aufgenommen hat. Von den Leichen der Harpers«, sagte er.
Das hatte ich erwartet. »Er wird doch nicht ein Journalist für irgendeines dieser Revolverblätter sein«, vermutete ich im Scherz.
»Träumen Sie ruhig weiter.«
Ich schaute von meiner Arbeit auf. Marino war heute nicht besonders leutselig. Er sah noch zerzauster aus als gewöhnlich, beim Rasieren hatte er sich zweimal am Kinn geschnitten, und seine Augen waren blutunterlaufen.
»Die meisten Reporter, die ich kenne, laufen doch nicht mit Neun-Millimeter-Kanonen voller Glaser-Patronen herum«, stellte Marino fest. »Und wenn man sie dann an die Wand stellt und nach Waffen absucht, fangen sie an herumzuwinseln und fragen einen nach einem Vierteldollar, damit sie den Rechtsanwalt ihrer Zeitung anrufen können. Nein, dieser Kerl ist kein Schmierfink, sondern ein echter Profi. Er muß ein Schloß geknackt haben, um hereinzukommen. Und er erledigt sein Geschäft an einem Feiertag, nachmittags, wenn es sehr unwahrscheinlich ist, daß sich jemand im Gebäude aufhält. Wir haben seinen Wagen etwa drei Blocks entfernt auf dem Parkplatz eines Supermarkts gefunden, einen Mietwagen mit Autotelefon. Er hatte genügend Munition im Kofferraum, um eine kleine Armee aufzuhalten, außerdem eine Mac-Ten-Maschinenpistole und eine kugelsichere Weste. Der ist ganz bestimmt kein Reporter.«
»Ich bin mir aber auch nicht sicher, ob er ein Profi ist«, bemerkte ich und steckte eine neue Klinge auf mein Skalpell. »Eine leere Filmschachtel im Kühlraum liegenzulassen ist doch schlampige Arbeit. Und wenn er wirklich auf Num-

mer Sicher hätte gehen wollen, hätte er um zwei oder drei Uhr früh einbrechen müssen und nicht am hellichten Tag.«
»Sie haben recht. Das mit der Filmschachtel war Schlamperei«, stimmte mir Marino zu. »Aber den Zeitpunkt seines Eindringens kann ich mir erklären. Was, wenn ein Bestattungsunternehmen oder ein Rettungsdienst eine Leiche bringt, während Price im Kühlraum ist? Mitten am Tag konnte er so tun, als hätte er gerade dort zu arbeiten, und er hätte somit eine plausible Erklärung für seine Anwesenheit. Aber nehmen wir an, er wird um zwei Uhr morgens überrascht. Wie, um alles in der Welt, sollte er seine Anwesenheit zu einer solchen Stunde rechtfertigen?«
Was immer der Fall war, dachte ich, Jeb Price hatte nicht vorgehabt zu spaßen. Glaser-Sicherheitskugeln waren mit die schlimmste Munition, die man im Handel kaufen konnte. Die Patronen waren gefüllt mit kleinen Schrotkugeln, die sich nach dem Aufschlag verteilten und durch Muskeln und Organe peitschten wie ein bleierner Hagelschauer. Eine Mac-Ten wiederum ist das bevorzugte Handwerkszeug von Terroristen und Drogenhändlern, eine Maschinenpistole, die man in Zentralamerika, im Nahen Osten und in meiner Heimatstadt Miami an jeder Straßenecke findet.
»Sie sollten sich mal überlegen, ein Schloß am Kühlraum anzubringen«, fügte Marino hinzu.
»Ich habe das schon an die Gebäudeverwaltung weitergegeben«, erwiderte ich.
Ich schob diese Vorsichtsmaßnahme schon seit Jahren immer wieder auf. Die Beerdigungsinstitute und die Rettungsdienste mußten auch nach Büroschluß freien Zugang zum Kühlraum haben. Also hätte man den Wachmännern die Schlüssel geben müssen. Ebenso meinen regionalen Medical Examiners, wenn sie Bereitschaftsdienst hatten. Proteste und Probleme wären dann wohl

nicht ausgeblieben. Verdammt, langsam hatte ich die Schnauze voll von Problemen.
Marino wandte seine Aufmerksamkeit jetzt Cary Harpers Leiche zu. Man mußte weder eine Autopsie durchführen noch ein Genie sein, um in diesem Fall die Todesursache festzustellen.
»Er hat mehrere Schädelbrüche und Risse im Gehirn«, erklärte ich.
»Wurde ihm die Kehle auch am Schluß durchgeschnitten, wie in Beryls Fall?«
»Die Halsschlagadern sind zwar durchtrennt worden, dennoch sind seine Organe nicht übermäßig blutleer«, antwortete ich. »Wenn sein Blut noch pulsiert hätte, als man ihm den Schnitt an der Kehle beibrachte, wäre er in Minutenschnelle verblutet. Mit anderen Worten, er hat nicht genügend Blut verloren, um an diesem Schnitt gestorben zu sein. Als ihm der Mörder den beibrachte, war er entweder schon tot, oder er starb gerade an seinen Kopfverletzungen.«
»Hat er Verletzungen, die darauf schließen ließen, daß er sich gewehrt hat?« fragte Marino.
»Keine.« Ich legte das Skalpell weg und bog Harpers widerspenstige Finger einen nach dem anderen auf. »Sehen Sie selbst. Keine gesplitterten Fingernägel, Schnitte oder Quetschungen. Er hat nicht einmal versucht, die Schläge abzuwehren.«
»Vermutlich hatte er keine Ahnung, was mit ihm geschah«, mutmaßte Marino. »Er kommt in der Dunkelheit angefahren. Der Penner wartet schon auf ihn, lauert vermutlich im Gebüsch versteckt. Harper parkt, steigt aus seinem Rolls. Er sperrt gerade die Tür zu, als der Kerl von hinten heranschleicht und ihm auf den Hinterkopf schlägt –«
»Er hat eine zwanzigprozentige Stenose seiner linken Herzklappe«, dachte ich laut und suchte nach meinem Bleistift.

»Harper fällt sofort zu Boden, und die Ratte schlägt weiter auf ihn ein«, fuhr Marino fort.

»Und eine dreißigprozentige an der rechten Herzklappe.« Ich kritzelte meine Notizen auf eine leere Packung von Einmalhandschuhen. »Keine Vernarbungen, die auf frühere Herzinfarkte schließen ließen. Der Herzmuskel ist gesund, aber er hat Kalkablagerungen in seiner Aorta, eine mäßige Arteriosklerose.«

»Und dann schneidet der Kerl Harper die Gurgel durch. Vielleicht, um sicherzugehen, daß er tot ist.«

Ich schaute auf.

»Wer immer das getan hat, wollte sichergehen, daß Harper tot ist.«

»Ich weiß nicht, ob der Mörder so rational gedacht hat«, antwortete ich. »Schauen Sie sich das einmal an, Marino.« Ich hatte die Kopfhaut vom Hinterkopf abgelöst, der aussah wie die zerschlagene Schale eines hartgekochten Eis. Ich zeigte auf die Bruchstellen und erklärte: »Er wurde mindestens siebenmal mit solcher Kraft getroffen, daß er keine einzige der durch die Schläge verursachten Verletzungen überlebt hätte. Auch er wurde quasi mehrmals getötet. Genau wie Beryl.«

»Okay. Overkill. Das bezweifle ich ja nicht«, erwiderte er.

»Ich sage bloß, der Mörder wollte ganz sichergehen, daß Beryl und Harper auch wirklich tot waren. Wenn man dem Opfer fast den Kopf abschneidet, dann hat man nun mal die hundertprozentige Sicherheit, daß es nicht mehr wiederbelebt werden kann, um später über die Tat auszusagen.«

Ich leerte den Inhalt des Magens in eine Pappschachtel, und Marino verzog sein Gesicht.

»Die Mühe hätten Sie sich sparen können, ich kann Ihnen sagen, was er zu sich genommen hat, ich saß ja direkt neben ihm. Es waren gesalzene Erdnüsse. Und zwei Martinis.«

Als Cary Harper starb, waren die Erdnüsse eben dabei, seinen Magen zu verlassen. Außer ihnen befand sich darin nur noch bräunliche Flüssigkeit, die nach Alkohol roch.
Ich fragte Marino: »Was haben Sie denn überhaupt von ihm erfahren?«
»So gut wie nichts.«
Ich sah zu ihm hinüber, während ich die Pappschachtel beschriftete.
»Ich setzte mich in die Taverne und bestellte ein Tonicwasser mit Limonensaft«, erklärte er. »Das muß so gegen dreiviertel gewesen sein. Punkt fünf kam dann Harper hereinspaziert.«
»Woher wußten Sie, daß er es war?« Die Nieren waren leicht granulär. Ich legte sie auf die Waage und notierte ihr Gewicht.
»Seine weiße Mähne war unverwechselbar«, antwortete Marino. »Er paßte genau auf Poteats Beschreibung, und ich erkannte ihn sofort, als er zur Tür hereinkam. Er setzte sich alleine an einen Tisch, bestellte das Übliche und redete ansonsten mit niemandem ein Wort. Er aß die gesalzenen Erdnüsse, während er auf seinen Drink wartete. Ich beobachtete ihn eine Weile, dann ging ich hinüber, setzte mich zu ihm und stellte mich vor. Er sagte, daß er nichts wisse, was mir helfen könne, und daß er außerdem nicht über die Sache mit Beryl sprechen wolle. Ich setzte ihn ein bißchen unter Druck, erzählte ihm, daß Beryl monatelang bedroht worden sei, und fragte ihn, ob er etwas davon gewußt habe. Er sah verärgert aus und erwiderte, daß ihm davon nichts bekannt gewesen sei.«
»Meinen Sie, daß er die Wahrheit gesagt hat?« Gleichzeitig fragte ich mich, wie es wohl mit Harpers Alkoholkonsum bestellt gewesen war. Er hatte eine ziemlich stark vergrößerte Leber.

»Das kann ich nicht sagen«, erwiderte Marino und schnippte die Asche seiner Zigarette auf den Fußboden. »Als nächstes fragte ich ihn, wo er in der Nacht gewesen sei, in der Beryl ermordet wurde. Er antwortete, daß er zu seiner üblichen Zeit in der Taverne gewesen und danach heimgefahren sei. Als ich ihn fragte, ob seine Schwester das bestätigen könne, sagte er, sie sei gar nicht zu Hause gewesen.«
Mit erhobenem Skalpell in der Hand sah ich ihn erstaunt an. »Wo war sie denn?«
»Verreist.«
»Hat er Ihnen nicht verraten, wohin?«
»Nein. Er sagte, ich zitiere wörtlich: ›Das ist ihre Angelegenheit. Fragen Sie nicht mich.‹« Marino blickte angewidert auf die Leber, die ich gerade in Scheiben schnitt. Er fügte hinzu: »Leber mit Zwiebeln war mal mein Leibgericht. Können Sie sich das vorstellen? Ich kenne keinen einzigen Polizisten, der noch Leber ißt, nachdem er einmal bei einer Autopsie dabei war.«
Ich begann, Harpers Schädel zu öffnen, so daß das Schrillen der Handkreissäge Marinos Worte übertönte. Er hörte auf zu reden und trat zurück, weil Knochenstaub zusammen mit einem beißenden Geruch aufstieg. Sogar Leichen, die in einem guten Zustand sind, riechen schlecht, wenn man sie öffnet. Und der Anblick ist auch nicht gerade etwas für schwache Nerven. Eines mußte ich Marino zugute halten. Ganz egal, wie grausig ein Fall auch war, er kam immer zur Obduktion.
Harpers Gehirn war weich und wies eine Menge ausgefranster Risse auf. Ich sah nur wenige innere Blutungen, ein weiterer Beweis dafür, daß er diese Verletzung nicht mehr lange überlebt hatte. Wenigstens war er einen schnellen, gnädigen Tod gestorben. Anders als Beryl hatte Harper keine Zeit gehabt, Schrecken oder Schmerz zu spüren oder

um sein Leben zu betteln. Auch in einigen anderen Punkten unterschied sich der Mord an ihm von dem an Beryl. So fehlte beispielsweise der sexuelle Aspekt. Außerdem war er erschlagen und nicht erstochen worden, und bei ihm vermißten wir kein Kleidungsstück.

»Ich habe 168 Dollar in seiner Brieftasche gefunden«, teilte ich Marino mit. »Und seine Armbanduhr und sein Siegelring sind vorhanden und registriert.«

»Was ist mit seiner Halskette?« fragte er.

Ich hatte keine Ahnung, wovon er sprach.

»Er trug eine dicke Goldkette mit einem Amulett in der Form eines Wappenschilds«, erklärte er. »Ich sah sie in der Taverne.«

»Sie war nicht bei seiner Leiche, als sie eingeliefert wurde, und ich kann mich auch nicht daran erinnern, sie am Tatort gesehen zu haben . . .« Fast hätte ich »gestern abend am Tatort« gesagt. Aber es war nicht gestern abend gewesen. Harper war in der Nacht zum Montag gestorben. Heute hatten wir Dienstag. Ich hatte jedes Gefühl für Zeit verloren. Die letzten zwei Tage erschienen mir unwirklich, und hätte ich nicht heute morgen Marks Nachricht noch einmal abgehört, hätte ich nicht mit Sicherheit sagen können, ob er mich wirklich angerufen hatte.

»Vielleicht hat der Irre sie gestohlen, um auch von Harper ein Andenken zu haben«, schlug Marino vor.

»Das ergibt keinen Sinn«, antwortete ich. »In Beryls Fall kann ich ja verstehen, daß der Mörder ein Souvenir mitnahm, wenn es die Tat eines Geistesgestörten war, der von irgendeiner Zwangsvorstellung in Verbindung mit ihr verfolgt wurde. Aber warum sollte er etwas von Harper mitnehmen?«

»Vielleicht als Trophäe«, schlug Marino vor. »Quasi wie das Fell eines erlegten Tieres. Vielleicht ist er ein bezahl-

ter Killer, der gerne ein kleines Andenken an seine Jobs einsteckt.«
»Also, ich glaube, ein bezahlter Killer dürfte dafür wohl zu vorsichtig sein«, konterte ich.
»Glauben Sie. Genauso, wie Sie glauben, daß Jeb Price zu vorsichtig hätte sein müssen, um eine Filmschachtel im Kühlraum liegenzulassen«, entgegnete er voller Sarkasmus.
Ich streifte die Handschuhe ab und beschriftete die Reagenzgläser und die anderen Proben, die ich entnommen hatte. Ich suchte meine Notizen zusammen, und Marino folgte mir hinauf in mein Büro.
Rose hatte die Nachmittagszeitung auf meine Schreibunterlage gelegt. Der Mord an Harper und der Tod seiner Schwester waren das Thema der Schlagzeile auf der ersten Seite. Was mir den Tag vermieste, las ich in einer Spalte daneben.

CHIEF MEDICAL EXAMINER
SOLL UMSTRITTENES MANUSKRIPT
»VERLOREN« HABEN

Darunter stand »New York« und das Datum. Es handelte sich um eine Meldung der Associated Press, die damit begann, daß ich einen Mann namens Jeb Price »kampfunfähig« geschlagen habe, als dieser gestern nachmittag mein Büro »durchwühlte«. Die Behauptungen im Zusammenhang mit dem Manuskript müssen von Sparacino stammen, dachte ich verärgert. Die Geschichte mit Jeb Price hatten sie sicherlich dem Polizeibericht entnommen. Als ich meine Telefonnachrichten überflog, sah ich, daß sich die meisten auf Anrufe von Reportern bezogen.
»Haben Sie schon einmal in Beryls Computerdisketten geschaut?« fragte ich und schob die Zeitung hinüber zu Marino.
»Na klar«, meinte er, »ich habe alle durchgesehen.«

»Und haben Sie das Buch gefunden, das alle in solche Aufregung versetzt?«
Er überflog die erste Seite und murmelte: »Nö.«
»Es ist nicht dabei?« platzte ich frustriert heraus. »Es ist nicht auf ihren Disketten? Wie kann das sein, wenn sie es auf ihrem Computer geschrieben hat?«
»Fragen Sie nicht mich«, gab er zurück. »Ich habe Ihnen nur gesagt, daß ich ungefähr ein Dutzend Disketten durchgeschaut habe. Auf keiner davon war irgend etwas neueren Datums gespeichert. Sieht alles aus wie altes Zeug, ihre Romane, Sie wissen schon. Nichts über sie selbst oder Harper. Ich fand ein paar alte Briefe, darunter zwei Geschäftsbriefe an Sparacino. Sie waren alles andere als aufregend.«
»Vielleicht hat sie die Disketten an einen sicheren Ort gebracht, bevor sie nach Key West aufbrach«, schlug ich vor.
»Vielleicht. Aber wir haben sie bisher nicht gefunden.«
In diesem Moment kam Fielding herein. Seine langen Orang-Utan-Arme hingen aus den kurzen Ärmeln seines grünen Operationshemds, und an seinen muskulösen Händen befand sich noch etwas Talkum von den Operationshandschuhen, die er unten im Obduktionsraum getragen hatte. Fielding war sein eigenes Kunstwerk. Nur Gott allein wußte, wie viele Stunden er pro Woche irgendwo in einem Fitnessraum damit verbrachte, seinen Körper zu formen. Meine Theorie war, daß sein besessenes Bodybuilding umgekehrt proportional zu seinem Interesse für seinen Beruf stand. Er war ein kompetenter stellvertretender Abteilungschef, der zwar erst wenig mehr als ein Jahr bei uns arbeitete, aber schon deutliche Anzeichen von Berufsmüdigkeit zeigte. Je mehr Illusionen er über seinen Job verlor, desto mehr Muskeln setzte sein Körper an. Ich gab ihm noch zwei Jahre, dann würde er sich entweder in die sauberere und lukrati-

vere Welt der Krankenhaus-Pathologie zurückziehen oder das Erbe von King Kong antreten.

»Ich glaube, ich muß Sterling Harper zu einem ungeklärten Todesfall erklären«, gestand er und ging ruhelos neben meinem Schreibtisch auf und ab. »Ihr Blutalkohol beträgt null Komma null drei Promille, und in ihrem Magen-Darm-Trakt konnte ich nichts Ungewöhnliches finden. Keine Blutungen, keine auffälligen Gerüche. Kein Anzeichen von einem früheren Herzinfarkt, der Herzmuskel ist in Ordnung, ebenso ihre Koronararterien. Das Gehirn ist normal. Aber irgend etwas stimmte trotzdem nicht mit ihr. Ihre Leber ist vergrößert, etwa zweitausendfünfhundert Gramm schwer, ihre Milz eintausend, mit einer Verdichtung der Kapsel. Und auch die Lymphknoten sind betroffen.«

»Irgendwelche Metastasen?«

»Ich konnte keine entdecken.«

»Dann werde ich mich mal ans Mikroskop setzen«, sagte ich.

Fielding nickte und entfernte sich rasch.

»Es könnte eine Menge sein«, schlug ich vor, »Leukämie, Lymphdrüsenkrebs oder eine andere aus einer ganzen Reihe von Knochenmarkserkrankungen. Einige sind gutartig und andere wieder nicht. Die Milz und die Lymphknoten sind Teile des Immunsystems, und eine vergrößerte Milz hat fast immer etwas mit einer Bluterkrankung zu tun. Die vergrößerte Leber hingegen hilft uns bei der Diagnose nicht viel weiter. Ich kann überhaupt nichts sagen, bevor ich nicht unter dem Mikroskop die histologischen Veränderungen angeschaut habe.«

»Können Sie sich zur Abwechslung mal verständich ausdrücken?« Marino zündete sich eine Zigarette an. »Verraten Sie mir doch bitte in einfachen Worten, was unser Doktor Schwarzenegger herausgefunden hat.«

»Ihr Immunsystem hat auf irgend etwas reagiert«, übersetzte ich, »sie war krank.«
»Krank genug, um auf dem Sofa hopszugehen?«
»So plötzlich? Das bezweifle ich.«
»Und wie wäre es mit einer Medikamentenvergiftung?« schlug er vor. »Vielleicht hat sie alle Pillen eines verschreibungspflichtigen Medikaments genommen und dann das leere Döschen in den Kamin geworfen. Das würde auch das geschmolzene Plastik erklären, das wir dort gefunden haben, sowie den Umstand, daß wir im ganzen Haus keine Tabletten oder ähnliches gefunden haben. Nur so Zeugs, das frei verkäuflich ist.«
Eine Überdosis von Medikamenten stand natürlich auch bei mir ganz oben auf der Liste der möglichen Todesursachen, aber im Moment machte es wenig Sinn, sich darüber den Kopf zu zerbrechen. Auch wenn ich noch so sehr darum bettelte – und man hatte mir bereits wiederholt versichert, daß dieser Fall in den Labors höchsten Vorrang habe –, würden die toxikologischen Untersuchugen noch Tage, vielleicht sogar Wochen dauern. Was ihren Bruder anbelangte, so hatte ich bereits eine recht plausible Theorie.
»Ich denke, daß Cary Harper mit einem selbstgebastelten Totschläger ermordet wurde, Marino«, sagte ich. »Vielleicht mit einem Stück Metallrohr, das mit Schrot gefüllt war, damit es schwerer wurde. Die Enden waren mit einer Masse wie Plastilin zugestopft, damit die Schrotkugeln drinnenblieben. Nach ein paar Schlägen flog einer der Plastilinklumpen heraus, und die Schrotkugeln verteilten sich überall.«
Er streifte nachdenklich seine Zigarettenasche ab. »Das paßt nicht so ganz zu dem ganzen Söldner-Spielzeug, das wir in Prices Auto gefunden haben. Und ich glaube auch nicht, daß

sich die alte Harper-Dame so etwas ausgedacht haben könnte.«
»Ich nehme an, daß Sie weder Plastilin, Modellierton noch Schrot in ihrem Haus gefunden haben.«
Er schüttelte den Kopf und sagte: »Also, ganz bestimmt nicht.«
Den Rest des Tages über klingelte mein Telefon fast ununterbrochen. Die Presseagenturen hatten Mutmaßungen über meine angebliche Rolle beim Verschwinden eines »rätselhaften und wertvollen Manuskripts« und übertriebene Schilderungen davon, wie ich einen Angreifer, der in mein Büro eingedrungen war, »kampfunfähig geschlagen« hatte, in Umlauf gebracht. Andere Reporter wollten auch etwas von der Story haben. Einige schlichen auf dem Parkplatz vor dem Gerichtsmedizinischen Institut herum oder erschienen in der Eingangshalle, Mikrofone und Kameras ständig parat wie schußbereite Gewehre. Ein besonders respektloser Radiomoderator verbreitete über seinen Sender, daß ich die einzige Leichenbeschauerin im ganzen Land sei, »die mit ihren Gummihandschuhen gerne mal in fremde Taschen greift«. Die ganze Situation war kurz davor, außer Kontrolle zu geraten, und ich fing an, Marks Warnungen ein wenig ernster zu nehmen. Sparacino war durchaus in der Lage, mir das Leben zur Hölle zu machen.
Immer, wenn Thomas Ethridge IV. etwas auf dem Herzen hatte, ließ er sich nicht von Rose vermitteln, sondern wählte direkt meine persönliche Telefonnummer. Jetzt war ich über seinen Anruf keineswegs erstaunt. Ich glaube, ich war sogar ein wenig erleichtert. Am späten Nachmittag saß ich dann bei ihm in seinem Büro. Er war alt genug, um mein Vater zu sein, und einer von den Männern, deren jugendliche Hausbackenheit sich im Lauf der Jahre in einen monumentalen Charakter verwandelt hatte. Ethridge hatte ein Gesicht wie

Winston Churchill und hätte viel besser ins Parlament oder in einen von Zigarrenrauch durchzogenen Salon gepaßt. Wir waren immer sehr gut miteinander ausgekommen.
»Ein Publicitytrick? Und Sie meinen, daß uns das irgend jemand abnimmt, Kay?« fragte mich der Generalstaatsanwalt und spielte gedankenverloren mit der rotgoldenen Uhrkette, die über seiner Weste hing.
»Ich habe das Gefühl, daß selbst Sie es mir nicht glauben«, erwiderte ich.
Statt mir zu antworten, nahm er seinen dicken, schwarzen Mont-Blanc-Füller zur Hand und schraubte langsam die Kappe ab.
»Ich glaube nicht, daß irgend jemand die Chance haben wird, mir zu glauben oder nicht zu glauben«, fügte ich lahm hinzu. »Mein Verdacht gründet sich nicht auf konkrete Tatsachen, Tom. Mit meiner Anklage reagiere ich nur auf das, was Sparacino tut, und bestimmt erhöhe ich damit nur seinen Spaß an der Geschichte.«
»Sie fühlen sich wohl sehr allein gelassen, Kay?«
»Ja. Und ich bin es auch, Tom.«
»Solche Affären können rasch außer Kontrolle geraten«, sinnierte er. »Die Schwierigkeit wird darin bestehen, diese hier im Keim zu ersticken, ohne noch mehr Aufsehen zu erregen.«
Ethridge rieb sich seine müden Augen hinter der Hornbrille, schlug einen Notizblock auf und erstellte eine von seinen berühmten Listen, indem er in der Mitte des Blattes von oben nach unten einen Strich zog und dann Vorteile auf die eine und Nachteile auf die andere Seite davon schrieb. Ich hatte keine Ahnung, für wen oder was diese Vor- und Nachteile gelten sollten. Nachdem er eine halbe Scite gefüllt hatte, wobei eine Spalte sehr viel länger war als die andere, lehnte er sich in seinem Stuhl zurück und runzelte die Stirn.
»Kay«, sagte er, »ist Ihnen eigentlich schon einmal aufgefal-

len, daß Sie sich in Ihre Fälle sehr viel mehr hineinhängen als Ihre Vorgänger?«
»Ich habe keinen meiner Vorgänger gekannt«, antwortete ich.
Er lächelte ein wenig. »Das ist keine Antwort auf meine Frage, Frau Rechtsanwältin.«
»Ganz ehrlich, ich habe noch nie darüber nachgedacht«, erwiderte ich.
»Das hätte ich auch nicht von Ihnen erwartet«, überraschte er mich. »Und zwar deshalb, weil Sie vollkommen auf Ihre Arbeit konzentriert sind, Kay. Und das war einer von mehreren Gründen, warum ich Ihre Ernennung unterstützt habe. Das Gute daran ist, daß Ihnen nie etwas entgeht, denn Sie sind eine wirklich tüchtige forensische Pathologin und erledigen zudem noch den ganzen Verwaltungskram recht ordentlich. Das Schlechte daran ist, daß Sie sich gelegentlich in Gefahr bringen. Nehmen wir zum Beispiel den Fall dieses Würgers vor einem Jahr. Wenn Sie nicht gewesen wären, wären die Morde vielleicht nie aufgeklärt worden, und noch mehr Frauen hätten sterben müssen. Aber dieser Fall hätte Sie beinahe das Leben gekostet.«
»Und nun dieser Vorfall von gestern.« Nach einer kurzen Pause schüttelte er den Kopf und lachte. »Obwohl, ich muß sagen, daß ich ziemlich beeindruckt bin. Sie haben ihn niedergestreckt, glaube ich, jedenfalls habe ich das heute morgen im Radio gehört. Haben Sie wirklich?«
»Nicht ganz«, antwortete ich unbehaglich.
»Wissen Sie, wer er ist, und wonach er gesucht hat?«
»Wir sind uns nicht sicher«, antwortete ich. »Aber er war im Kühlraum der Leichenhalle und hat Fotos gemacht. Fotos von den Leichen von Cary und Sterling Harper. Die Akte, die er in der Hand hielt, als ich ihn erwischte, hatte allerdings nichts mit den beiden zu tun.«

»Sind die Akten alphabetisch geordnet?«
»Er durchsuchte gerade die Schublade mit den Anfangsbuchstaben M und N.«
»M wie Madison?«
»Möglicherweise«, erwiderte ich. »Aber ihr Fall liegt im vorderen Büro unter Verschluß. In meinen Aktenschränken ist nichts über sie.«
Nach einer langen Stille klopfte er mit dem Zeigefinger auf seinen Block und erklärte: »Ich habe mir einmal zusammengeschrieben, was wir über diese Todesfälle wissen. Beryl Madison, Cary Harper und Sterling Harper. Ihre Geschichte ist verwickelt wie in einem Kriminalroman, oder? Und nun noch diese Intrige mit dem verschwundenen Manuskript, in die angeblich Ihre Dienststelle verwickelt ist. Ich habe Ihnen dazu mehrere Dinge zu sagen, Kay. Zum ersten, wenn wieder jemand wegen des Manuskripts anruft, glaube ich, daß es die Sache für Sie einfacher macht, wenn Sie die Anrufer an mein Büro verweisen. Ich erwarte nichts anderes, als daß daraus eine aus den Fingern gesogene Anklage werden wird. Ich werde jetzt einmal meine Leute darauf ansetzen und schauen, ob wir die Posse nicht schon vor Beginn stoppen können. Zum zweiten, und darüber habe ich lange und sorgfältig nachgedacht, möchte ich, daß Sie sich wie ein Eisberg benehmen.«
»Was, genau, meinen Sie damit?« fragte ich ihn beunruhigt.
»Das, was an der Oberfläche sichtbar ist, ist nur ein Bruchteil dessen, was sich darunter befindet«, antwortete er. »Verwechseln Sie das nicht mit ›auf Tauchstation gehen‹. Obwohl Sie, praktisch gesehen, genau das tun werden. Halten Sie Presseverlautbarungen so knapp wie möglich, und machen Sie sich so uninteressant, wie es irgend geht.« Er fingerte wieder an seiner Uhrkette herum. »Aber je unsichtbarer Sie sind, desto mehr werden

Sie in der Sache aktiv werden oder, wenn Sie so wollen, in sie verwickelt sein.«
»Verwickelt?« protestierte ich. »Wollen Sie mir damit sagen, daß ich meine Arbeit tun soll und nichts als meine Arbeit und das Institut aus den Schlagzeilen halten soll?«
»Ja und nein. Ja, was Ihre Arbeit anbelangt. Daß es in Ihrer Macht steht, das Büro des Medical Examiner aus den Schlagzeilen herauszuhalten, möchte ich bezweifeln.« Er hielt inne und faltete seine Hände auf der Tischplatte. »Ich kenne Robert Sparacino ziemlich gut.«
»Haben Sie ihn getroffen?« fragte ich.
»Ich hatte das ausgesprochene Pech, beim Jurastudium seine Bekanntschaft zu machen«, erwiderte er.
Ich sah ihn ungläubig an.
»Columbia-Universität, Jahrgang '51«, fuhr Ethridge fort. »Ein fettleibiger, arroganter junger Mann mit schweren Charakterschwächen. Er war sehr gescheit und hätte sicher den besten Abschluß gemacht und anschließend für den Präsidenten des Obersten Gerichtshofs gearbeitet, wenn ich ihm dabei nicht in die Quere gekommen wäre.« Er schwieg für einen Augenblick. »Ich war es, der schließlich nach Washington ging und das Privileg genoß, für Hugo Black arbeiten zu dürfen. Robert blieb in New York.«
»Hat er Ihnen das jemals verziehen?« fragte ich, und in mir verdichtete sich ein böser Verdacht. »Zwischen ihm und Ihnen muß es doch eine ganze Menge Rivalität gegeben haben. Hat er Ihnen jemals verziehen, daß Sie ihn ausgestochen haben, indem Sie den besten Abschluß erzielt haben?«
»Er vergißt nie, mir eine Weihnachtskarte zu schicken«, sagte Ethridge trocken. »Von einem Computer-Adreßprogramm erstellt. Seine Unterschrift ist ein Stempel, und mein Name ist falsch geschrieben. Gerade unpersönlich genug, um beleidigend zu wirken.«

Jetzt ergab es mehr Sinn für mich, daß Ethridge alle Angriffe Sparacinos auf mich über sein Büro laufen lassen wollte. »Denken Sie, daß er mir möglicherweise diese Schwierigkeiten macht, um Ihnen eins auszuwischen?« fragte ich zögernd.

»Was? Daß dieses verschwundene Manuskript nur ein Trick von ihm ist? Daß er diesen staatsweiten Stunk inszeniert, nur um mir indirekt ein blaues Auge und jede Menge Kopfschmerzen zu verpassen?« Er lächelte grimmig. »Ich halte es für unwahrscheinlich, daß das sein einziges Motiv ist.«

»Aber es könnte ein zusätzlicher Ansporn für ihn sein«, bemerkte ich. »Er weiß bestimmt, daß jedes juristische Durcheinander, jeder Rechtsstreit, in den er meine Behörde verwickelt, mit dem Staatsanwalt ausgefochten wird. Nach dem, was ich von Ihnen gehört habe, ist er ein nachtragender Mensch.«

Ethridge schlug seine Fingerspitzen in langsamem Rhythmus aneinander, schaute an die Decke und sagte: »Ich will Ihnen einmal schildern, was man sich über Sparacino erzählte, als wir zusammen an der Columbia studierten. Er stammt aus einer kaputten Familie und lebte bei seiner Mutter. Sein Vater, von dem er sich ziemlich entfremdet hatte, machte viel Geld an der Wall Street. Anscheinend besuchte Sparacino als Junge seinen Vater ein paarmal im Jahr. Er war frühreif und verschlang ein Buch nach dem anderen. Die Welt der Literatur hatte es ihm angetan. Bei einem seiner Besuche überredete er seinen Vater, mit ihm zum Lunch ins Algonquin zu gehen, und zwar an einem Tag, als Dorothy Parker und ihr berühmter runder Tisch dort tagen sollten. Robert war damals nicht älter als neun oder zehn. Er hatte, dieser Geschichte zu Folge, die er offensichtlich seinen Saufkumpanen an der Columbia erzählt hatte, alles im voraus geplant. Er wollte hinüber zu Dorothy

Parkers Tisch gehen, ihr die Hand geben und sich vorstellen mit den Worten: Miss Parker, es freut mich so, Sie hier zu treffen und so weiter. Als er dann wirklich an ihrem Tisch stand, brachte er folgendes heraus: Miß Parker, es trifft mich so, Sie zu erfreuen. Woraufhin sie geistesgegenwärtig bemerkte: Das haben mir schon viele Männer gesagt, aber keiner von ihnen war so jung wie du. Das darauffolgende Gelächter war für Sparacino quälend und erniedrigend. Er hat es nie vergessen.«
Die Vorstellung, wie dieser kleine Fettsack seine verschwitzte Hand anbot und so etwas sagte, kam mir so erbärmlich vor, daß ich nicht lachen konnte. Hätte mich einer der Helden meiner Kindheit auf diese Weise in Verlegenheit gebracht, ich hätte es sicher auch niemals vergessen.
»Ich erzähle Ihnen das«, fuhr Ethridge fort, »um Ihnen eine Vermutung näherzubringen, die sich mittlerweile bestätigt hat, Kay. Als Sparacino diese Geschichte an der Columbia zum besten gab, war er betrunken und verbittert und posaunte hinaus, daß er sich rächen, daß er Dorothy Parker und dem Rest dieser elitären Bande zeigen werde, daß man ihn nicht ungestraft zum Narren halten könne. Und was ist passiert?« Er warf mir einen wissenden Blick zu. »Er ist einer der mächtigsten Literaturanwälte im ganzen Land geworden. Er verkehrt mit Verlegern, Agenten und Schriftstellern, die ihn alle insgeheim hassen, aber klugerweise vor ihm auf der Hut sind. Man munkelt, daß er regelmäßig zum Lunch ins Algonquin geht und darauf besteht, dort alle Verträge über Film- und Buchrechte unterzeichnen zu lassen. Bestimmt grinst er dabei Dorothy Parkers Geist in Gedanken hämisch zu.« Er schwieg einen Moment und führte dann noch an: »Klingt das zu weit hergeholt?«
»Nein. Man muß kein Psychologe sein, um sich das zusammenzureimen«, antwortete ich.

»Also, ich schlage folgendes vor«, sagte Ethridge und blickte mir in die Augen. »Überlassen Sie Sparacino mir. Ich möchte, daß Sie, wenn irgend möglich, nichts mehr mit ihm zu tun haben. Sie dürfen ihn nicht unterschätzen, Kay. Selbst wenn Sie meinen, daß Sie ihm fast nichts gesagt haben, liest er zwischen den Zeilen. Er ist ein Meister darin, Schlüsse zu ziehen, die unheimlich genau zutreffen können. Ich weiß nicht, wie weit er in die Geschichte mit Beryl Madison und den Harpers wirklich verwickelt ist und welchen Plan er gefaßt hat. Wahrscheinlich hat er einige unerfreuliche Dinge vor. Ich will auf keinen Fall, daß er mehr Einzelheiten über diese Todesfälle erfährt, als er ohnehin schon weiß.«

»Er hat schon zu viele Informationen darüber bekommen«, erwiderte ich. »Beryl Madisons Polizeibericht, zum Beispiel. Fragen Sie mich nicht, wie –«

»Sparacino hat viele Beziehungen«, unterbrach mich Ethridge. »Ich rate Ihnen, Ihre Berichte nicht in den normalen Verteiler zu geben, sondern nur den Leuten zukommen zu lassen, die sie unbedingt brauchen. Erschweren Sie den Zugang zu Ihrem Büro, bringen Sie den Sicherheitsdienst auf Vordermann und halten Sie alle Akten hinter Schloß und Riegel. Stellen Sie sicher, daß Ihre Mitarbeier keine Information über diese Fälle herausgeben, wenn Sie nicht hundertprozentig sicher sind, daß der Auskunftssuchende auch wirklich der ist, für den er sich ausgibt. Sparacino wird jedes Fitzelchen zu seinem Vorteil ausnützen. Für ihn ist es ein Spiel, aber viele Leute könnten dabei Schaden nehmen, Sie selbst eingeschlossen. Was dann los sein wird, wenn die Fälle erst einmal vor Gericht kommen, möchte ich mir jetzt lieber nicht ausmalen. Wenn Sparacino erst einmal einen seiner typischen Publicitycoups gelandet hat, können wir den verdammten Gerichtsstand in die Antarktis verlegen.«

»Vielleicht rechnet er damit, daß Sie das tun werden«, sagte ich ruhig.
»Daß ich mich zum Blitzableiter machen werde? Selbst in den Ring steige, anstatt die Sache einem Assistenten zu übergeben?«
Ich nickte.
»Nun, das wäre möglich«, antwortete er.
Ich war mir dessen sicher. Sparacino hatte es nicht auf mich abgesehen. Er war darauf aus, sich zu rächen. Aber Sparacino konnte den Generalstaatsanwalt niemals direkt angreifen. Er würde nicht an den Wachhunden, den Adjutanten und Sekretärinnen vorbeikommen. Und deshalb stürzte sich Sparacino statt dessen auf mich und erreichte damit genau das, was er wollte. Der Gedanke daran, daß ich auf diese Weise benützt wurde, machte mich nur noch wütender, und auf einmal mußte ich an Mark denken. Was für eine Rolle spielte er in diesem Spiel?
»Ich kann Ihnen nicht verübeln, daß Sie verärgert sind«, meinte Ethridge. »Aber Sie müssen Ihren Stolz und Ihre Gefühle für diesmal vergessen, Kay. Ich brauche Ihre Hilfe.«
Ich sagte nichts und hörte nur zu.
»Ich hege den starken Verdacht, daß die Fahrkarte, die uns aus Sparacinos Wunderland herausbringt, dieses Manuskript ist, für das sich alle so brennend interessieren. Sehen Sie irgendeine Möglichkeit, es doch noch zu finden?«
Ich spürte, wie mein Gesicht auf einmal heiß wurde. »Mein Büro hat nichts damit zu tun, Tom –«
»Kay«, stellte er mit Bestimmtheit fest, »das war nicht meine Frage. Ihr Büro hat mit einer Menge von Dingen nichts zu tun, und trotzdem schaffen Sie es, ihnen auf den Grund zu gehen. Bestimmte Medikamente, auf die niemand geachtet hat, zum Beispiel. Oder niemand kümmert sich darum, daß ein Opfer über Schmerzen in der Brust klagt, bevor es plötz-

lich tot umfällt, oder Sie kitzeln aus einem Familienmitglied heraus, daß das Opfer Selbstmordabsichten geäußert hat. Sie dürfen niemanden verhaften, aber Sie stellen Untersuchungen an. Und manchmal finden Sie deshalb etwas heraus, was niemand jemals der Polizei mitteilen würde.«

»Ich möchte nicht einfach ein Zeuge sein, Tom.«

»Sie sind eher eine Sachverständige. Natürlich sind Sie kein einfacher Zeuge«, entgegnete er.

»Und Polizisten sind besser im Führen von Verhören«, fügte ich hinzu, »weil sie nicht erwarten, daß die Leute ihnen die Wahrheit sagen.«

»Erwarten Sie das?« fragte er.

»Das erwartet der freundliche Hausarzt von nebenan nun einmal. Er erwartet, daß die Leute ihm die Wahrheit sagen, wie sie sie sehen. Nach bestem Wissen und Gewissen. Die meisten Ärzte gehen nicht davon aus, daß ihre Patienten sie anlügen.«

»Kay, was Sie da sagen, sind Allgemeinplätze«, sagte er.

»Ich möchte nicht in einer Position sein, in der –«

»Kay, das Gesetz schreibt vor, daß der Leichenbeschauer eine Untersuchung durchführen soll, deren Zweck es ist, die Ursache und Art des Todes herauszufinden und in schriftlicher Form festzuhalten. Das ist sehr allgemein. Es gibt Ihnen das volle Untersuchungsrecht. Das einzige, was Sie nicht tun können, ist, jemanden zu verhaften. Sie wissen das. Die Polizei wird das Manuskript niemals finden. Sie sind die einzige, die es aufspüren kann.« Er sah mich geradeheraus an. »Es ist viel wichtiger für Sie und Ihren guten Namen als für die Polizei.«

Ich konnte nichts dagegen tun. Ethridge hatte Sparacino den Krieg erklärt und mich zu seinem Soldaten gemacht.

»Finden Sie das Manuskript, Kay.« Der Generalstaatsanwalt blickte auf seine Uhr. »Ich kenne Sie. Wenn Sie es sich in den

Kopf gesetzt haben, dann werden Sie es auch finden oder mindestens herausbekommen, was damit geschehen ist. Drei Menschen mußten sterben. Darunter ein Pulitzerpreisträger, dessen Roman zufällig zu meinen Lieblingsbüchern zählt. Wir müssen dieser Geschichte auf den Grund gehen. Und darüber hinaus informieren Sie mich über alles, was Sie in Zusammenhang mit Sparacino herausfinden. Sie werden es doch wenigstens versuchen, oder?«
»Ja, Sir«, antwortete ich. »Natürlich werde ich es versuchen.«

Ich begann, indem ich mich hinter unsere Wissenschaftler klemmte.
Die Dokumentenuntersuchung ist eine der wenigen wissenschaftlichen Methoden, bei denen man zusehen kann, wie sie Ergebnisse liefern. Sie ist so konkret wie Papier und so greifbar wie Tinte. Am späten Mittwochnachmittag hatten sich Will, der Leiter dieser Abteilung, Marino und ich schon einige Stunden mit ein paar Schriftstücken beschäftigt. Was wir herausfanden, war eine Warnung für uns alle drei, niemals das Saufen anzufangen.
Ich war mir nicht sicher, was ich mir erhofft hatte. Es wäre vielleicht die einfachste Lösung gewesen, wenn wir gleich als erstes herausbekommen hätten, daß das, was Miss Harper in ihrem Kamin verbrannt hatte, Beryls verschwundenes Manuskript gewesen wäre. Daraus hätten wir folgern können, daß Beryl es ihrer Freundin zur Aufbewahrung gegeben hatte und daß das Buch Enthüllungen enthielt, die Miss Harper nicht ans Licht der Öffentlichkeit gelangen lassen wollte. Der weitaus wichtigste Schluß wäre allerdings gewesen, daß niemand das Manuskript vom Tatort gestohlen hatte.
Aber die Menge und die Art des Papiers, das wir untersuch-

ten, ließ solche Schlüsse nicht zu. Es hatten sich nur sehr wenige unverbrannte Fragmente erhalten, von denen keines größer als eine Zehn-Cent-Münze war. Die wenigsten waren es wert, daß man sie mit Infrarot im Video-Komparator untersuchte. Bei den restlichen weißen Aschenfetzen, deren Struktur ein bißchen an Seidenpapier erinnerte, konnten uns weder technische Geräte noch chemische Tests weiterhelfen. Sie waren so empfindlich, daß wir es kaum wagten, sie aus der flachen Pappschachtel zu nehmen, in der sie Marino eingesammelt hatte. Wir schlossen die Türen des Dokumentenlabors und stellten die Ventilation ab, um jede Luftbewegung möglichst auszuschließen.

Es war eine frustrierende und diffizile Arbeit, mit Pinzetten federleichte Aschenstücke hochzuheben und zu hoffen, auf einem von ihnen noch ein Wort entdecken zu können. Bisher wußten wir nur, daß die Seiten, die Miss Harper verbrannt hatte, aus hochwertigem Schreibpapier bestanden hatten, die mit einer Schreibmaschine mit Einmal-Karbonband beschrieben worden waren. Aus mehreren Gründen waren wir uns dessen ziemlich sicher. Minderwertigeres, holzhaltiges Papier wird schwarz, wenn man es verbrennt. Hadernpapier hingegen verbrennt unglaublich sauber, seine Asche ist fein und weiß wie die aus Miss Harpers Kamin. Die paar unverbrannten Fragmente, die wir untersuchen konnten, hatten aus Papier einer sehr guten Qualität bestanden. Mit Karbonband geschriebene Buchstaben verbrennen nicht. Die Hitze läßt sie zusammenschrumpfen, bis sie aussehen wie Kleingedrucktes. Manche Worte waren noch vollständig lesbar und hoben sich in tiefem Schwarz von der weißen Asche ab. Der Rest war hoffnungslos zerstückelt und verrußt und sah aus wie Fetzen von winzigen Weissagungszettelchen, wie man sie in chinesischen Glückskeksen findet.

»K O M M «, buchstabierte Will laut. Seine Augen hinter der altmodischen, schwarzen Brille waren stark gerötet, sein junges Gesicht sah müde aus. Er mußte noch lernen, sich in Geduld zu üben.
Ich schrieb das Wortfragment auf mein bereits halb gefülltes Notizblatt.
»Kommen, ankommen, angekommen« fügte er hinzu und seufzte.
»Was könnte es sonst noch heißen?«
»Entkommen, verkommen oder kommod«, dachte ich laut.
»Kommod?« fragte Marino scharf. »Was zum Teufel soll denn das sein?«
»Ein anderes Wort für bequem«, antwortete ich.
»Ein bißchen zu weit hergeholt für meinen Geschmack«, sagte Will humorlos.
»Vermutlich nicht nur für den Ihren«, gab ich zu und wünschte, ich hätte das Röhrchen mit Aspirin, das unten in meiner Handtasche lag, mit heraufgenommen. Ich hatte hartnäckige Kopfschmerzen und führte das darauf zurück, daß meine Augen überanstrengt waren.
»Mein Gott«, klagte Marino. »Wörter, Wörter, nichts als Wörter. Ich habe in meinem ganzen Leben noch nie so viele Wörter auf einem Haufen gesehen. Die Hälfte davon habe ich noch nie gehört, was mir allerdings auch nicht besonders leid tut.«
Er lehnte sich in seinem Drehstuhl zurück, legte die Füße auf den Tisch und las das, was Will anhand des Farbbands aus Cary Harpers Schreibmaschine hatte entziffern können. Es war kein Karbonband gewesen, was bedeutete, daß die Seiten, die Miss Harper verbrannt hatte, nicht aus der Maschine ihres Bruders stammen konnten. Es schien so, als habe der Schriftsteller in einem Anfall von Schreibwut wieder einmal den Versuch eines Romans unternommen. Das

meiste, was Marino las, ergab nicht allzuviel Sinn. Ich hatte das Ganze schon vorher durchgelesen und mich gefragt, ob Cary Harper seine Inspirationen wohl hauptsächlich aus Flaschen bezogen hatte.

»Ob man diesen Quatsch wohl verkaufen kann?« fragte Marino.

Will zog ein weiteres Satzfragment aus dem grauenvollen, rußigen Durcheinander, und ich beugte mich hinunter, um es zu untersuchen.

»Wissen Sie«, fuhr Marino fort, »sie bringen doch immer irgend etwas heraus, wenn ein berühmter Schriftsteller gestorben ist. Das meiste davon ist Bockmist, den der arme Kerl selber nie veröffentlicht hätte.«

»Ja. Sie könnten es Brosamen von einem literarischen Bankett nennen.«

»Hah?«

»Vergessen Sie's. Wir haben hier nicht einmal zehn Seiten, Marino«, murmelte ich geistesabwesend. »Dürfte ziemlich schwierig sein, daraus ein Buch zu machen.«

»Gut. Dann wird es halt im *Esquire* oder vielleicht im *Playboy* veröffentlicht. Vielleicht lassen sich damit doch noch ein paar Mäuse machen«, meinte Marino.

»Dieses Wort hier weist mit Sicherheit auf einen Eigennamen, einen Ort oder eine Firma hin«, sinnierte Will, der unser Gespräch gar nicht mitbekommen hatte. »Hier ist ein großes C und ein kleines o.«

Ich sagte: »Interessant. Sehr interessant.«

Marino stand auf, um es sich anzusehen.

»Passen Sie auf, daß Sie nicht ausatmen«, warnte Will, der die Pinzette so ruhig in seiner Hand hielt wie ein Chirurg sein Skalpell. Er drehte geschickt ein Stückchen weiße Asche um, auf dem in winzigen schwarzen Lettern zu lesen war: *»bor Co«.*

»County, Company, Country, College«, schlug ich vor. Mein Blut begann wieder zu fließen. Auf einmal war ich wieder hellwach.
»Ja, aber was endet auf *bor*?« rätselte Marino.
»Ann Arbor?« schlug Will vor.
»Wie wäre es denn mit einem County in Virginia?« fragte Marino.
Uns fiel kein County in Virginia ein, das auf die Buchstaben *bor* endete.
»Harbor«, sagte ich, »also Hafen.«
»Gut. Aber warum sollte darauf *Co* folgen?« erwiderte Will zweifelnd.
»Vielleicht irgendeine Hafengesellschaft, eine ›Harbor Company‹«, bot Marino an.
Ich schaute ins Telefonbuch. Ich fand fünf Eintragungen, die mit Harbor begannen: Harbor East, Harbor South, Harbor Village, Harbor Imports und Harbor Square.
»Sieht ganz so aus, als wären wir auf dem falschen Dampfer«, kommentierte Marino.
Es erging uns auch nicht viel besser, als ich die Auskunft anrief und nach den Namen von irgendwelchen Firmen fragte, die Harbor-irgendwas hießen. Es gab nichts außer einem großen Appartmentgebäude. Als nächstes rief ich Detective Poteat von der Polizei in Williamsburg an, und auch er kannte nichts außer dem Appartmenthaus.
»Vielleicht sollten wir uns nicht zu sehr darauf versteifen«, meinte Marino gereizt.
Will war schon wieder mit seiner Kiste voller Asche beschäftigt.
Marino schaute über meine Schulter auf die Liste von Wörtern, die wir bisher gefunden hatten.
*Du, Dein, Ich, mein, wir* und *gut* kamen häufig vor. Unter den anderen Wörtern, die wir vollständig entziffert hatten, war

der Mörtel, der jede alltägliche Satzkonstruktion zusammenhielt: *und, ist, das, dies, welches, ein* und *eine.* Manche Wörter waren ein bißchen mehr spezifisch: *Stadt, Haus, wissen, bitte, befürchte, Arbeit, denke* und *vermisse.* Bei den unvollständigen Wörtern konnten wir nur mutmaßen, was sie in ihrem früheren Leben vielleicht einmal gewesen waren. So notierten wir zum Beispiel einige Male das Wort *furchtbar,* weil uns kein anderes Wort einfiel, das mit den Buchstabenfolgen *furch* oder *furcht* begann. Die feinere Bedeutung entging uns natürlich vollständig. Benutzte die Person »furchtbar« im Sinne von: »Es ist so furchtbar«? Oder als Adverb wie in dem Satz: »Ich habe mich furchtbar geärgert«? Oder wurde das Wort eher in einem harmlosen Sinne gebraucht wie bei »Das ist ja furchtbar nett von dir«?
Es war auffällig, daß wir mehrere Überbleibsel des Namens Sterling fanden und ebenso viele des Namens Cary.
»Ich bin mir ziemlich sicher, daß sie persönliche Briefe verbrannt hat«, entschied ich. »Die Art des Papiers und die verwendeten Wörter legen diesen Schluß nahe.«
Will stimmte mir zu.
»Können Sie sich erinnern, ob Sie irgendwelches Briefpapier in Beryls Haus gefunden haben?« fragte ich Marino.
»Computer- und Schreibmaschinenpapier. Das war alles. Nichts von diesem sündteuren Hadernzeug, von dem Sie gerade reden«, entgegnete er.
»Ihr Drucker verwendet Textil-Farbbänder«, erinnerte uns Will, während er seine Pinzette vorsichtig um ein Stück Asche schloß, und fügte hinzu: »Ich glaube, wir haben wieder eines.«
Ich sah es mir an.
Diesmal waren nur die Buchstaben *or* C übriggeblieben.
»Beryl besaß einen Computer und Drucker von der Firma Lanier«, sagte ich zu Marino. »Ich glaube, es wäre gut, wenn

wir nachprüfen würden, ob sie diese Geräte schon immer hatte.«
»Ich habe ihre Rechnungen durchgeschaut«, bemerkte er.
»Wie viele Jahre zurück?« fragte ich
»Fünf oder sechs, so viele, wie da waren«, antwortete er.
»Immer derselbe Computer?«
»Nein«, entgegnete er. »Aber derselbe gottverdammte Printer, Doc. Ein Ding, das sich Typ 1600 nennt, mit einem Typenrad. Sie verwendete immer die gleichen Farbbänder. Womit sie vorher geschrieben hat, weiß ich nicht.«
»Ich verstehe.«
»Oh, das freut mich aber«, maulte Marino und massierte sich seinen Nacken. »Ich verstehe überhaupt nichts, verdammt noch mal!«

## 10

Die nationale FBI-Akademie in Quantico, Virginia, ist eine Oase aus Ziegeln und Glas inmitten eines künstlich erzeugten Kriegs. Niemals werde ich meinen ersten Aufenthalt dort vergessen, der nun schon Jahre zurücklag. Damals hörte ich beim Schlafengehen wie beim Aufstehen das Geknalle automatischer Gewehre, und als ich einmal auf dem Trimmpfad im Wald in den falschen Weg einbog, hätte mich beinahe ein Panzer plattgewalzt.
Es war Freitag morgen. Wir hatten einen Termin mit Benton Wesley, und seit Marino den Brunnen und die Flaggen der Akademie gesehen hatte, hatte er sichtlich Haltung angenommen. Auf unserem Weg durch die weiträumige, sonnendurchflutete Lobby mußte ich bei jedem seiner Schritte zwei machen, um mit ihm mithalten zu können. Das neue Gebäude sah einem guten Hotel so ähnlich, daß es den

Spitznamen »Quantico-Hilton« wirklich verdiente. Marino gab seinen Revolver am Empfangsschalter ab und trug uns ein, und während wir uns unsere Besucherausweise an die Jacken knipsten, rief der Mann vom Empfang Wesley an, um sich von ihm unseren Status als bevorzugte Besucher bestätigen zu lassen.

In Quantico verknüpft ein Labyrinth aus gläsernen Verbindungsgängen die verschiedenen Büro-, Lehrsaal- und Laborkomplexe miteinander, und man kann zwischen allen Gebäuden herumgehen, ohne jemals hinaus ins Freie zu müssen. Ganz egal, wie oft ich hierherkam, ich verlief mich immer.

Marino schien zu wissen, wo er hinging, also heftete ich mich pflichtschuldigst an seine Fersen. Eine Menge Studenten kamen uns entgegen, die alle an ihren Farben zu erkennen waren. Rote Hemden und Khakihosen trugen die Polizei-Officers. Graue Hemden mit schwarzen Drillichhosen, die in auf Hochglanz gewienerten Stiefeln steckten, verrieten Drogenfahnder, die sich noch in Ausbildung befanden, während die Längerdienenden in düsterem Schwarz herumliefen. Neu eingestellte FBI-Agenten trugen Blau und Khaki, und Mitglieder der Elite-Teams zur Geiselbefreiung waren ganz in Weiß. Alle, Männer wie Frauen, sahen tadellos gepflegt und auffallend durchtrainiert aus. Sie legten ein militärisch-zurückhaltendes Gebaren an den Tag, das man förmlich riechen konnte, wie den Hauch von Gewehrreinigungsöl, der sie ständig begleitete.

Wir bestiegen einen Lastenaufzug, und Marino drückte den Knopf für das unterste Kellergeschoß. Hoovers geheimer Atombunker befand sich 20 Meter tief unter der Erde, zwei Stockwerke unter dem ins Gebäude integrierten Schießstand. Es schien mir immer irgendwie passend, daß die Akademie ihre Verhaltensforscher näher an der Hölle als am Himmel untergebracht hatte. Ihre Bezeichnungen wechselten häufig. Im Moment wurden sie, soweit ich informiert war, »Criminal Investigative Agents« genannt, Agenten zur Erforschung der Kriminellen, aber die Abkürzung CIA sorgte sicher für einige Verwirrung. Die Arbeit dieser Wissenschaftler hingegen blieb immer die gleiche, solange es Psychopathen, Soziopathen und Lustmörder gab, oder wie auch immer man schlechte Menschen nennen will, denen es Vergnügen bereitet, anderen unvorstellbare Schmerzen zu bereiten.

Wir stiegen aus dem Aufzug und gingen einen tristen Gang entlang in ein ebenso tristes Bürozimmer. Wesley kam und führte uns in ein kleines Konferenzzimmer, wo Roy Hanowell an einem langen, glänzenden Tisch saß. Der Experte für Textilfaser tat wie üblich so, als kenne er mich nicht, obwohl wir uns schon mehrere Male begegnet waren. Wie jedesmal, wenn er mir die Hand hinstreckte, stellte ich mich ihm demonstrativ vor.

»Ach, natürlich, natürlich, Dr. Scarpetta. Wie geht es Ihnen?« fragte er, genau so, wie er es jedesmal tat.

Wesley schloß die Tür, Marino sah sich um und maulte, weil er keinen Aschenbecher fand. Also mußte eine leere Büchse Diät-Cola für diesen Zweck herhalten. Ich widerstand dem Impuls, meine eigene Schachtel hervorzukramen. In der Akademie war Rauchen etwa so verpönt wie auf einer Intensivstation.

Wesleys weißes Hemd war am Rücken verknittert, und als er einige Papiere in einem Aktendeckel durchsah, blickten seine Augen müde und abwesend. Er kam sofort zur Sache.

»Gibt es etwas Neues über Sterling Harper?« fragte er.

Als ich gestern die histologischen Proben gesehen hatte, war ich weder übermäßig überrascht gewesen, noch war ich der Erklärung für ihren plötzlichen Tod auch nur einen Schritt nähergekommen.

»Sie litt an chronischer Knochenmarksleukämie«, antwortete ich.
Wesley blickte auf. »Die Todesursache?«
»Nein. Um ehrlich zu sein, ich bin mir nicht einmal sicher, daß sie selbst es wußte.«
»Ist ja interessant«, bemerkte Hanowell. »Man kann also Leukämie haben, ohne daß man es merkt?«
»Der Ausbruch chronischer Leukämie verläuft schleichend«, erklärte Ich. »Die Symptome können harmlos sein. Es ist natürlich auch möglich, daß bei Sterling Harper die Krankheit schon vor einiger Zeit diagnostiziert wurde und sich in einer ruhigen Phase befand. Zumindest befand sie sich nicht in einer akuten Krise. Sie hatte keine progressiven leukämischen Infiltrationen und litt auch an keiner erkennbaren Infektion.«
Hanowell sah verwirrt aus. »Woran ist sie denn dann gestorben?«
»Das weiß ich nicht«, mußte ich zugeben.
»Drogen, Medikamente?« fragte Wesley, der sich Notizen machte.
»Das toxikologische Labor fängt gerade mit der zweiten Testphase an«, antwortete ich. »Die ersten Untersuchungen haben einen Blutalkohol von 0,03 Promille ergeben. Außerdem haben wir Dextromethorphan, eine hustenstillende Substanz, die in vielen freiverkäuflichen Hustenmitteln enthalten ist, gefunden. Wir haben eine Flasche *Robitussin*-Hustensaft über dem Waschbecken in ihrem Badezimmer entdeckt. Sie war noch mehr als halb voll.«
»Also daran kann sie nicht gestorben sein«, murmelte Wesley vor sich hin.
»Nicht einmal am Inhalt der ganzen Flasche wäre sie gestorben«, erklärte ich ihm. »Die Geschichte ist rätselhaft, das gebe ich zu.«

»Halten Sie mich auf dem laufenden? Informieren Sie mich bitte, wenn Sie mehr über ihren Tod wissen«, bat Wesley. Er blätterte ein paar Seiten weiter und kam zum nächsten Punkt auf seiner Tagesordnung. »Roy hat die Fasern im Fall Beryl Madison untersucht, und darüber wollten wir gern mit Ihnen reden. Und außerdem, Pete und Kay« – er sah uns an –, »gibt es da noch eine Sache, die ich mit Ihnen besprechen muß.«

Wesley sah alles andere als glücklich aus, und ich hatte das Gefühl, daß der Grund, aus dem er uns hergerufen hatte, auch uns nicht gerade glücklich machen würde. Im Gegensatz zu ihm war Hanowell ruhig und gelassen wie immer. Er hatte graue Haare, Augenbrauen und Augen, sogar sein Anzug war grau. Immer, wenn ich ihn sah, machte er diesen grauen, schläfrigen Eindruck auf mich und wirkte so farblos und ruhig, daß ich mich manchmal fragte, ob er überhaupt einen Blutdruck hatte.

»Mit einer Ausnahme«, begann Hanowell lakonisch, »waren die Fasern, die ich mir ansehen sollte, nicht besonders aufregend, Dr. Scarpetta. So habe ich zum Beispiel keine ungewöhnlichen Farben an ihnen gefunden, und auch die Formen der Querschnitte waren normal. Ich kam zu dem Schluß, daß die sechs Nylonfasern höchstwahrscheinlich verschiedenen Ursprungs sind. Darüber habe ich ja schon mit Ihrem Labor in Richmond gesprochen. Vier von ihnen stammen von einem Gewebe, wie man es für Autoteppiche verwendet.«

»Woher wollen Sie das wissen?« fragte Marino.

»Wie Ihnen sicher bekannt ist, zerfallen Polsterbezüge und Teppiche aus Nylon ziemlich schnell unter der Einwirkung von Sonnenlicht und Hitze«, erklärte Hanowell. »Damit sie nicht ausbleichen oder in kurzer Zeit verrotten, färbt man die Fasern von Autoteppichen mit metallhaltigen Farben, die wie UV- und Temperatur-Stabilisatoren wirken. Mit Hilfe des Röntgenfluoreszenzverfahrens konnte ich in vier der Nylonfasern Metallspuren nachweisen. Natürlich kann ich nicht mit Sicherheit sagen, daß sie von Autoteppichen stammen, aber sie sind mit denen, die man dafür verwendet, identisch.«

»Gibt es irgendeine Möglichkeit herauszufinden, von welchem Modell und welcher Automarke sie stammen?«

»Ich fürchte nicht«, antwortete Hanowell. »Außer bei einer sehr ungewöhnlichen Faser, deren Eigenschaften patentiert sind, ist es vergeblich, den Hersteller dieser verdammten Dinger ausfindig machen zu wollen, besonders dann, wenn die in Frage kommenden Autos aus Japan stammen. Ich will Ihnen ein Beispiel hierfür geben. Das Rohmaterial für die Teppiche in einem Toyota besteht aus Plastikgranulat, das die Japaner aus unserem Land beziehen. In Japan erzeugen sie dann daraus die Fasern und spinnen sie zu Garn, welches wieder hierher geschickt und zu Teppichen verarbeitet wird. Diese Teppiche werden dann abermals nach Japan verfrachtet, wo sie am Fließband in die fertigen Autos eingelegt werden.«

Er sagte noch viel mehr zu diesem Thema, aber es wurde immer hoffnungsloser.

»Auch Autos aus den USA bereiten uns Kopfschmerzen. Die Firma Chrysler, zum Beispiel, bezieht die Autoteppiche einer bestimmten Farbe von drei verschiedenen Herstellern. Mitten im Jahr, mitten in einer Bauserie fällt es ihr ein, den Hersteller zu wechseln. Nehmen wir einmal an, Lieutenant, Sie und ich fahren beide einen schwarzen LeBaron, 87er Baujahr, mit burgunderfarbener Innenausstattung. Es könnte gut möglich sein, daß der Teppich in meinem Auto von einem anderen Hersteller stammt als der Ihrige. Ich will damit sagen, daß ich die von mir untersuchten Nylonfasern nur nach ihrer Art unterscheiden kann. Zwei davon könnten von einem normalen Teppich stammen und vier von Autoteppichen. Die Farben und die Querschnitte sind unterschiedlich. Nehmen wir dazu noch die gefundenen Olefin-, Dynel- und Acrylfasern, dann haben wir ein höchst ausgefallenes Kuddelmuddel.«

»Ganz offensichtlich«, warf Wesley ein, »hat der Mörder einen Beruf oder eine andere Beschäftigung, bei der er in Kontakt mit vielen verschiedenen Arten von Teppichen kommt. Und als er Beryl Madison umbrachte, trug er etwas, das alle diese verschiedenen Fasern an ihm haften ließ.«

Bei Wolle, Kord oder Flanell wäre das der Fall, dachte ich. Aber man hatte weder Woll- noch gefärbte Baumwollfasern gefunden, von denen wir annehmen konnten, daß sie vom Mörder stammten.

»Wie ist das mit Dynel?« wollte ich wissen.

»Das findet man normalerweise bei Frauenkleidern, Perükken oder falschen Pelzen«, antwortete Hanowell.

»Ja, aber nicht ausschließlich«, wandte ich ein. »Es gibt auch Hemden oder Hosen aus Dynel, die sich doch, ähnlich wie Polyester, statisch aufladen und damit alle möglichen Partikel anziehen würden. Das wäre eine Erklärung dafür, daß er so viele Partikel mit sich schleppte.«

»Möglich«, gab Hanowell zu.

»Vielleicht hat der Irre eine Perücke aufgehabt«, bemerkte Marino. »Wie wir wissen, hat Beryl ihn ins Haus gelassen, und das bedeutet, daß sie keine Angst vor ihm hatte. Die meisten Frauen haben keine Angst, wenn eine andere Frau vor der Tür steht.«

»Ein Transvestit?« fragte Wesley.

»Könnte sein«, antwortete Marino. »Das sind oft die bestaussehenden Häschen, die herumlaufen. Da kann einem

richtig übel werden. Selbst ich merke es manchmal erst, wenn ich ihnen direkt ins Gesicht schaue.«
»Aber wenn der Angreifer wie ein Transvestit angezogen gewesen wäre«, gab ich zu bedenken, »wie hätten dann die ganzen Fasern an ihm hängen können? Wir nehmen doch an, daß diese Fasern von seinem Arbeitsplatz stammen, und er wird kaum bei der Arbeit wie ein Transvestit herumlaufen.«
»Außer wenn er als Transvestit auf den Strich geht«, sagte Marino. »Dann steigt er die ganze Nacht über zu irgendwelchen Freiern ins Auto oder geht mit ihnen in Hotelzimmer mit Teppichböden.«
»Dann macht aber die Wahl seiner Opfer wenig Sinn«, entgegnete ich.
»Stimmt, aber wenigstens wäre das Fehlen von Samenflüssigkeit damit erklärt«, argumentierte Marino. »Männliche Transvestiten sind Schwule, und die pflegen normalerweise keine Frauen zu vergewaltigen.«
»Sie pflegen sie aber auch nicht zu ermorden«, wandte ich ein.
»Ich habe vorher von einer Ausnahme gesprochen«, knüpfte Hanowell an seine ursprünglichen Ausführungen an und sah auf seine Uhr. »Es handelt sich dabei um diese orangefarbene Acrylfaser, die Sie so sehr interessiert.« Seine grauen Augen fixierten mich teilnahmslos.
»Die aussah wie ein dreiblättriges Kleeblatt«, erinnerte ich mich.
»Ja«, bestätigte Hanowell und nickte. »Diese Form ist sehr ungewöhnlich. Man verwendet sie, wie andere dreistrangige Fasern auch, weil sie wenig schmutzempfindlich ist und außerdem das auffallende Licht gut reflektiert. Soweit mir bekannt ist, findet man Fasern mit einem solchen Querschnitt in Verbindung mit Autos nur bei Nylonteppichen in

Plymouths, die in den späten 70er Jahren hergestellt wurden. Sie haben denselben dreiblättrigen Kleeblatt-Querschnitt wie die orange Faser in Beryls Fall.«

»Aber die orange Faser ist aus Acryl«, erinnerte ich ihn. »Nicht aus Nylon.«

»Das ist richtig, Dr. Scarpetta«, sagte er. »Ich erzähle Ihnen das alles nur, um Ihnen zu zeigen, wie ausgefallen diese Faser wirklich ist. Daß diese Faser aus Acryl und nicht aus Nylon besteht, und daß des weiteren so grelle Farben wie dieses Orange so gut wie nie in Autoteppichen vorkommen, hilft uns schon dabei, eine Möglichkeit für die Herkunft der Faser auszuschließen –, eben die, daß sie aus einem Plymouth aus den späten 70er Jahren stammt. Oder aus irgendeinem anderen Auto.«

»Sie haben also so etwas wie diese orangefarbene Faser noch nie zuvor gesehen?« fragte Marino.

»Darauf wollte ich hinaus«, bestätigte Hanowell zögernd.

Wesley übernahm. »Letztes Jahr bekamen wir eine Faser herein, die mit dieser orangefarbenen hier vollkommen identisch war. Damals sollte Roy Spuren aus einer Boeing 747 untersuchen, die in Athen entführt worden war. Sie erinnern sich sicherlich an den Vorfall«, sagte er.

Stille.

Sogar Marino war einen Moment lang sprachlos.

Wesley blickte düster und besorgt und fuhr fort: »Die Entführer ermordeten an Bord des Flugzeuges zwei amerikanische Soldaten und warfen sie auf die Rollbahn. Chet Ramsey, den sie als ersten hinauswarfen, war ein 24 Jahre alter Marinesoldat. Die orange Faser klebte an seinem blutigen linken Ohr.«

»Ist es möglich, daß die Faser aus dem Inneren des Flugzeugs stammte?« fragte ich.

»Scheint nicht so zu sein«, antwortete Hanowell. »Ich ver-

glich sie mit Proben des Teppichs, der Sitzbezüge und der Decken, die in den Gepäckfächern verstaut waren, und fand nichts, was auch nur annähernd dieser Faser ähnelte. Entweder hat Ramsey die Faser irgendwo anders aufgelesen –, und das erscheint mir wenig wahrscheinlich, denn die Faser klebte am feuchten Blut –, oder vielleicht hat sie einer der Terroristen auf ihn übertragen. Die einzige Alternative dazu scheint darin zu bestehen, daß die Faser von einem der anderen Passagiere stammt. In diesem Fall hätte ihn der Passagier aber berühren müssen, nachdem er erschossen wurde. Nach Augenzeugenberichten ist keiner der anderen Passagiere in seine Nähe gekommen. Ramsey wurde von den anderen Passagieren weg in den vorderen Teil des Flugzeugs gebracht, geschlagen und dann erschossen. Seine Leiche wurde in eine Decke gehüllt und auf die Rollbahn geworfen. Die Decke war übrigens gelbbraun.«
Marino erwähnte es zuerst, und er schien dabei nicht gerade gut aufgelegt zu sein: »Würde es Ihnen etwas ausmachen, mir zu erklären, was, um alles in der Welt, eine Flugzeugentführung in Griechenland mit zwei Schriftstellern zu tun haben soll, die in Virginia um die Ecke gebracht wurden?«
»Die Faser stellt eine Verbindung zwischen mindestens zweien dieser drei Vorfälle her«, antwortete Hanowell. »Und zwar zwischen der Flugzeugentführung und dem Tod von Beryl Madison. Das bedeutet natürlich nicht, daß die beiden Verbrechen tatsächlich etwas miteinander zu tun haben, Lieutenant. Aber diese orange Faser ist so ungewöhnlich, daß wir prüfen müssen, ob die Vorfälle in Athen und der hiesige Mord möglicherweise einen gemeinsamen Nenner haben.«
Es war mehr als nur eine Möglichkeit, denn es gab einen gemeinsamen Nenner. Es mußte entweder eine Person, ein

Ort oder eine Sache sein, dachte ich. Langsam fielen mir die Einzelheiten der Entführung wieder ein.
»Die Terroristen konnten nie vernommen werden«, sagte ich. »Zwei von ihnen starben, und zwei weiteren gelang die Flucht. Sie wurden bis heute nicht gefaßt.«
Wesley nickte.
»Ist es denn sicher, daß sie wirklich Terroristen waren, Benton?« fragte ich.
Nach einem etwas längerem Zögern antwortete er: »Es ist uns nicht gelungen, sie irgendeiner Gruppe von Terroristen zuzuordnen. Aber man nimmt an, daß es sich um eine antiamerikanische Aktion gehandelt hat. Es war ein amerikanisches Flugzeug, und ein Drittel der Passagiere waren Amerikaner.«
»Was für eine Kleidung trugen die Entführer?« erkundigte ich mich.
»Zivil. Lange Hosen, Hemden mit offenem Kragen, eigentlich nichts Ungewöhnliches«, sagte er.
»Und an den Leichen der beiden getöteten Entführer wurden keine orangefarbenen Fasern gefunden?« fragte ich.
»Das wissen wir nicht«, antwortete Hanowell. »Sie wurden auf der Rollbahn niedergeschossen, und wir waren nicht schnell genug da, um die Leichen sicherzustellen. So konnten wir sie auch nicht mit denen der ermordeten amerikanischen Soldaten nach Hause fliegen, um sie dort zu untersuchen. Leider liegen mir nur die Faseruntersuchungsberichte der griechischen Behörden vor. Ich habe weder die Kleidung noch irgend etwas anderes von den Entführern persönlich untersuchen können. Es ist leicht möglich, daß man dort drüben eine Menge übersehen hat. Aber selbst wenn man an den Leichen der Entführer ein oder zwei orangefarbene Fasern gefunden hätte, so würde uns das nicht unbedingt etwas über ihre Herkunft verraten.«

»Hey, was wollen Sie eigentlich damit sagen?« fragte Marino herausfordernd. »Soll ich vielleicht glauben, daß wir nach einem entwischten Flugzeugentführer suchen sollen, der jetzt hier in Virginia die Leute umbringt?«

»Ganz ausschließen können wir auch das nicht, Pete«, gab Wesley zu, »und wenn es auch noch so bizarr klingt.«

»Die vier Männer, die dieses Flugzeug entführt haben, sind nie mit irgendeiner Gruppe in Verbindung gebracht worden«, erinnerte ich mich. »Wir wissen weder, was sie in Wirklichkeit gewollt haben, noch, wer sie waren, sieht man einmal davon ab, daß es sich bei zwei von ihnen, wenn ich mich recht entsinne, um Libanesen handelte. Die beiden anderen, die entkommen konnten, waren möglicherweise Griechen. Ich glaube, daß es damals Spekulationen darüber gab, ob die Entführung nicht in Wirklichkeit dem amerikanischen Botschafter gegolten habe, der Urlaub machen wollte und ursprünglich mit seiner Familie diesen Flug gebucht hatte.«

»Das stimmt«, bestätigte Wesley angespannt. »Aber nachdem ein paar Tage zuvor ein Bombenanschlag auf die amerikanische Botschaft in Paris verübt worden war, hatte man unter strenger Geheimhaltung die Reisepläne des Botschafters geändert, die Reservierungen jedoch bestehen lassen.« Seine Augen blickten an mir vorbei. Er klopfte mit einem Filzstift auf den Knöchel seines linken Daumens.

»Es besteht theoretisch auch noch die Möglichkeit, daß die Entführer vielleicht eine Gruppe professioneller Killer war, die von jemandem angeheuert wurde«, fügte er an.

»Okay, okay«, sagte Marino ungeduldig. »Ebenso wie es theoretisch die Möglichkeit gibt, daß ein Profikiller Beryl Madison und Cary Harper ermordet und die Verbrechen so inszeniert hat, daß sie aussehen, als habe irgendein armer Irrer sie begangen.«

»Vielleicht sollten wir zunächst einmal versuchen, noch

mehr über diese orangefarbene Faser und ihre mögliche Herkunft herauszufinden«, schlug ich vor und fügte ohne Umschweife hinzu: »Und vielleicht sollten wir auch Sparacino ein wenig genauer unter die Lupe nehmen und untersuchen, ob er nicht irgend etwas mit diesem Botschafter zu tun hat, dem möglicherweise die Flugzeugentführung in Wirklichkeit gegolten hat.«

Wesley gab keine Antwort.

Marino war auf einmal vollauf damit beschäftigt, sich mit seinem Taschenmesser einen seiner Daumennägel zu schneiden.

Hanowell sah in die Runde, und als augenscheinlich niemand mehr eine Frage an ihn hatte, entschuldigte er sich und ging. Marino zündete sich noch eine Zigarette an.

»Also wenn Sie mich fragen«, sagte er und blies eine Rauchwolke in die Luft, »das Ganze kommt mir immer mehr vor wie ein verdammtes Blinde-Kuh-Spiel. Die Rechnung stimmt doch hinten und vorne nicht. Warum sollte jemand einen internationalen Profikiller engagieren, damit er eine Herz-Schmerz-Schriftstellerin und einen gescheiterten Romanautor, der jahrelang nichts mehr produziert hat, um die Ecke bringt?«

»Das weiß ich auch nicht«, erwiderte Wesley. »Es kommt alles darauf an, wer wie und mit wem in Verbindung stand. Zum Teufel, es kommt auf alles mögliche an, Pete. Wie immer. Wir können nur so sorgfältig wie möglich unsere Spuren verfolgen. Das bringt mich übrigens zum nächsten Punkt auf der Tagesordnung. Jeb Price.«

»Er ist wieder draußen«, sagte Marino automatisch.

Ich sah ihn ungläubig an.

»Seit wann?« fragte Wesley

»Seit gestern«, antwortete Marino. »Er hat eine Kaution hinterlegt. Fünfzig Riesen, um es genau zu sagen.«

»Würden Sie mir vielleicht freundlicherweise verraten, wie er das geschafft hat?« schnauzte ich Marino an.
Ich war wütend, weil er mir noch nichts davon gesagt hatte.
»Machen Sie sich nichts draus, Doc«, tröstete er mich.
Es gab, soweit mir bekannt war, drei Möglichkeiten, auf Kaution freigelassen zu werden. Die erste bestand darin, eine persönliche Bürgschaft beizubringen. Die zweite, Bargeld oder Wertgegenstände zu hinterlegen, und die dritte lief über einen professionellen Kautionsbürgen, der dafür ein Honorar von zehn Prozent der Kaution verlangte, sowie einen zweiten Mitbürgen oder irgendeine andere Sicherheit, die garantierte, daß er nicht auf einmal mit leeren Händen dasaß, wenn der Beschuldigte plötzlich aus der Stadt flüchten sollte. Jeb Price, sagte Marino, hatte sich für letztere Möglichkeit entschieden.
»Ich möchte wissen, wie er das geschafft hat«, wiederholte ich, nahm meine Zigaretten heraus und zog die Coladose näher zu mir, damit wir sie gemeinsam benützen konnten.
»Es gibt da, soweit ich weiß, nur einen Weg. Er ruft seinen Anwalt an, damit der auf einer Bank ein Sperrkonto anlegt und das dazugehörige Einlagenbuch an Lucky schickt.«
»An Lucky?« fragte ich.
»Jawohl. An die Lucky Bonding Company in der First Street, nur einen Block vom Stadtgefängnis entfernt«, antwortete Marino. »Charlie Lucks Pfandleihhaus für Häftlinge. Auch bekannt als *Versetz was und sei frei*. Ich kenne Charlie schon sehr lange. Manchmal plaudere ich ein bißchen mit ihm und erzähle ihm die neuesten Witze. Manchmal gibt er mir ein paar Tips, ein anderes Mal ist er wieder zugeknöpft. Leider handelte es sich bei meinem letzten Besuch um ein anderes Mal. Mit nichts konnte ich ihn dazu bringen, mir den Namen von Prices Rechtsanwalt zu verraten, aber ich habe den Verdacht, daß es kein hiesiger ist.«

»Price hat ganz offensichtlich Verbindungen nach oben«, sagte ich.
»Offensichtlich«, stimmte Wesley düster zu.
»Und er hat überhaupt nichts ausgesagt?« fragte ich.
»Er hat das Recht, nichts zu sagen, und das hat er, weiß Gott, in Anspruch genommen«, antwortete Marino.
»Was haben Sie über sein Waffenarsenal herausgefunden?« Wesley machte sich wieder Notizen. »Haben Sie es in der Waffenkartei überprüfen lassen?«
Marino berichtete: »Die Waffen sind alle auf ihn zugelassen, außerdem hat er eine Lizenz zum verdeckten Tragen einer Waffe, die ihm vor sechs Jahren ein seniler Richter hier in Nord-Virginia ausgestellt hat, der inzwischen in Pension gegangen und irgendwo hinunter in den Süden gezogen ist. Aus den Akten, die mir das Gericht geschickt hat, geht hervor, daß Price damals, als er die Lizenz erhielt, unverheiratet war und bei einem Gold- und Silberhandel mit Namen Finkelstein in Washington arbeitete. Diese Firma Finkelstein, wie könnte es auch anders sein, gibt es dort nicht mehr.«
»Wie steht es mit seinem Verkehrssündenregister?« Wesley schrieb immer noch mit.
»Keine Strafzettel. Er hat einen 89er BMW auf seinen Namen und seine Adresse in Washington zugelassen. Er wohnte dort in einem Appartement in der Florida Avenue, aus dem er im letzten Winter anscheinend ausgezogen ist. Die Leasingfirma hat mir seinen alten Vertrag gezeigt. Darin hat er seinen Beruf als Selbständiger angegeben. Aber das überprüfe ich noch. Ich werde mir vom Finanzamt seine Steuererklärungen der letzten fünf Jahre geben lassen.«
»Ist er vielleicht ein Privatdetektiv?« fragte ich.
»Nicht in Washington«, antwortete Marino.
Wesley sah mich an und sagte: »Irgend jemand hat ihn

angeheuert. Wozu, das wissen wir immer noch nicht. Aber er hat ganz klar versagt. Wer auch immer hinter ihm steckt, wird es vielleicht noch mal versuchen. Ich möchte nicht, daß Sie beim nächsten Mal in die Falle gehen, Kay.«

»Also, ich möchte das ebensowenig, das brauche ich wohl nicht extra zu betonen.«

»Ich will doch nur«, fuhr er fort wie ein besorgter Vater, der Klartext redet, »daß Sie sich möglichst keiner unnötigen Gefahr aussetzen. Zum Beispiel halte ich es für keine so gute Idee, daß Sie sich in Ihrem Büro aufhalten, wenn niemand mehr außer Ihnen im Gebäude ist. Ich meine damit nicht nur die Wochenenden. Wenn Sie bis sechs oder sieben Uhr abends arbeiten und alle anderen schon heimgegangen sind, ist es vielleicht nicht ganz ungefährlich, über den stockdunklen Parkplatz zu Ihrem Wagen zu gehen. Vielleicht könnten Sie schon um fünf Schluß machen, wenn noch genügend Leute da sind, die Sie sehen und hören können?«

»Ich werde dran denken«, sagte ich.

»Und wenn Sie wirklich erst später gehen können, Kay, rufen Sie doch bitte den Wachmann an und bitten Sie ihn, Sie zu Ihrem Auto zu begleiten«, fuhr Wesley fort.

»Ach was, rufen Sie einfach mich an«, beeilte sich Marino vorzuschlagen. »Sie haben doch die Nummer von meinem Piepser. Wenn ich nicht erreichbar bin, dann sagen Sie der Zentrale, daß sie einen Wagen vorbeischicken soll.«

Toll, dachte ich. Wenn ich Glück hätte, würde ich dann um Mitternacht zu Hause sein.

»Seien Sie einfach äußerst vorsichtig.« Wesley sah mich scharf an. »Von allen Theorien einmal abgesehen, wurden immerhin zwei Menschen umgebracht. Und der Killer ist immer noch irgendwo da draußen. Seine Wahl der Opfer und seine Motive erscheinen mir so ungewöhnlich, daß ich alles für möglich halte.«

Auf der Heimfahrt kamen mir seine Worte mehr als einmal wieder ins Gedächtnis. Wenn alles möglich ist, dann ist auch nichts unmöglich. Eins und eins ist nicht drei. Oder doch? Sterling Harpers Tod erschien mir nicht in dieselbe Gleichung zu passen wie der Tod ihres Bruders und der von Beryl. Aber was, wenn er trotzdem paßte?
»Sie haben gesagt, daß Miss Harper in der Nacht, in der Beryl umgebracht wurde, verreist war«, sagte ich zu Marino. »Wissen Sie inzwischen mehr darüber?«
»Nein.«
»Wo immer sie auch war, glauben Sie, daß sie mit dem Auto dort hingefahren ist?«
»Nein. Die Harpers haben nur ein Auto, diesen weißen Rolls, und den fuhr in der Nacht von Beryls Tod ihr Bruder.«
»Wissen Sie das sicher?«
»Ich habe in Culpeppers Wirtshaus gefragt«, erzählte er. »Harper kam an diesem Abend zur üblichen Zeit. Fuhr vor, wie er es immer tat, und ging erst gegen sechs Uhr dreißig wieder.«

* * *

Im Licht der jüngsten Ereignisse war wohl niemand besonders erstaunt, als ich am Montag in der Konferenz verkündete, daß ich meinen Jahresurlaub nehmen wolle.
Man nahm an, daß mich der Zwischenfall mit Jeb Price so sehr gestreßt hatte, daß ich einfach mal wegfahren, mich sammeln und meinen Kopf eine Zeitlang in den Sand stekken wollte. Ich sagte niemandem, wohin ich mich begeben wollte, denn ich wußte es selbst nicht. Ich ging am Vormittag einfach aus dem Büro und ließ eine insgeheim erleichterte Sekretärin und einen Schreibtisch zurück, der unter seiner Last fast zusammenbrach.

Zu Hause verbrachte ich den ganzen Nachmittag am Telefon und rief jede Fluggesellschaft an, die Flüge von Richmonds Byrd-Flughafen, der für Sterling Harper am bequemsten zu erreichen war, anbot.

»Ja, ich weiß, daß es 20 Prozent Aufschlag kostet«, sagte ich dem Mann an der telefonischen Flugkartenbuchung von American Airline, »aber Sie haben mich mißverstanden. Ich will kein Ticket stornieren. Es handelt sich um einen Flug, der ein paar Wochen zurückliegt. Ich will nur wissen, ob Miss Harper den Flug überhaupt angetreten hat.«

»Dann war das Ticket gar nicht für Sie?«

»Nein«, wiederholte ich zum zweiten Mal. »Es war auf *ihren* Namen ausgestellt.«

»Dann muß sie sich schon selbst mit uns in Verbindung setzen.«

»Sterling Harper ist tot«, sagte ich. »Sie kann sich nicht mit Ihnen in Verbindung setzen.«

Für einen Moment herrschte am anderen Ende der Leitung betretenes Schweigen.

»Sie starb ganz plötzlich, als sie vorhatte, eine Reise zu machen«, erklärte ich. »Vielleicht könnten Sie einfach mal in Ihrem Computer nachschauen . . .«

Und so ging es weiter. Schließlich konnte ich die Sätze ohne Nachdenken herunterbeten. American Airlines hatte nichts, ebensowenig hatten Delta, United oder Eastern Airlines etwas über Sterling Harper in ihren Computern. Aus den Unterlagen ging lediglich hervor, daß Miss Harper während der letzten Oktoberwoche, in der Beryl Madison ermordet wurde, Richmond nicht mit dem Flugzeug verlassen hatte. Andererseits war Miss Harper nicht mit dem Auto gefahren, und ich bezweifelte schwer, daß sie den Bus genommen hatte. Blieb also nur noch die Eisenbahn.

Ein Amtrak-Agent namens John sagte, daß der Computer

abgestürzt sei und daß er mich zurückrufen werde. Als ich auflegte, läutete es an meiner Tür.
Es war noch nicht ganz Mittag, und der Tag präsentierte sich so knackig und frisch wie ein Herbstapfel. Das Sonnenlicht zeichnete weiße Rechtecke auf die Wände des Wohnzimmers und blitzte auf der Windschutzscheibe eines mir unbekannten Mazda in meiner Auffahrt. Durch den Spion sah ich, daß ein teigig aussehender, blonder junger Mann mit gesenktem Kopf vor der Tür stand. Den Kragen seiner Lederjacke hatte er bis zu den Ohren hochgeschlagen. Mein Ruger lag hart und schwer in meiner Hand. Ich steckte ihn in die Tasche meiner Trainingsjacke und öffnete die Sperrkette. Ich erkannte ihn erst, als er mir direkt gegenüber stand.
»Dr. Scarpetta?« stammelte er nervös.
Ich machte keine Anstalten, ihn hereinzulassen und legte meine rechte Hand in der Tasche fest um den Griff des Revolvers.
»Bitte verzeihen Sie mir, daß ich so unangemeldet hier erscheine«, sagte er, »aber ich habe in Ihrem Büro angerufen, und dort wurde mir mitgeteilt, daß Sie im Urlaub seien. Dann habe ich Ihren Namen im Telefonbuch gesucht, und als ich Sie anrief, war besetzt. Daraus schloß ich, daß Sie zu Hause seien. Ich, nun, ich muß ganz dringend mit Ihnen sprechen. Darf ich hereinkommen?«
In natura sah er noch harmloser aus als auf dem Video, das Marino mir gezeigt hatte.
»Worum geht es denn?« fragte ich bestimmt.
»Beryl Madison, es geht um sie«, stotterte er. »Äh, mein Name ist Al Hunt. Ich werde Sie nicht lange aufhalten. Das verspreche ich Ihnen.«
Ich trat von der Tür zurück, und er kam herein. Als er auf der Wohnzimmercouch saß, wurde sein Gesicht weiß wie

Alabaster, weil er, als ich mich in einem Ohrenbackensessel in sicherer Entfernung niederließ, den Griff des Revolvers aus meiner Hosentasche hervorlugen sah.
»Äh, Sie haben eine Waffe?« fragte er.
»Ja«, antwortete ich.
»Ich mag sie nicht. Waffen, meine ich.«
»Wer mag sie schon?«
»Mein Vater nahm mich einmal mit auf die Jagd«, erzählte er. »Als ich ein Junge war. Er schoß ein Reh. Es schrie. Das Reh, es schrie, lag auf der Seite und schrie. Ich selbst habe es nie fertiggebracht, auf etwas zu schießen.«
»Kannten Sie Beryl Madison?« fragte ich.
»Die Polizei – die Polizei hat mir von ihr erzählt«, stammelte er. »Ein Lieutenant. Marino. Lieutenant Marino. Er kam in die Waschstraße, in der ich arbeite, sprach mit mir und nahm mich dann mit ins Präsidium. Wir hatten ein langes Gespräch miteinander. Sie brachte ihr Auto häufig zu uns. Daher kenne ich sie.«
Während er weiterplapperte, fragte ich mich unwillkürlich, welche »Farben« ich wohl ausstrahlte. Stahlblau? Oder vielleicht einen Hauch von Hellrot, weil ich nervös war und versuchte, es so gut wie möglich zu verbergen? Ich überlegte, ob ich ihn wegschicken sollte. Ich erwog, die Polizei zu rufen. Ich konnte es einfach nicht glauben, daß er hier in meinem Haus saß, und seiner Dreistigkeit und meiner Verwirrung war es wohl zuzuschreiben, daß ich überhaupt nichts unternahm.
Ich unterbrach ihn: »Mr. Hunt –«
»Bitte, nennen Sie mich Al.«
»Also gut, Al«, sagte ich. »Warum sind Sie zu mir gekommen? Warum sprechen Sie nicht mit Lieutenant Marino, wenn Sie eine Aussage machen wollen?«
Er wurde rot und schaute nervös auf seine Hände.

»Was ich zu berichten habe, ist nicht unbedingt eine Aussage im Sinne der Polizei«, meinte er. »Ich hatte gehofft, daß Sie das vielleicht verstehen würden.«
»Warum glauben Sie das? Sie kennen mich doch gar nicht«, antwortete ich.
»Sie haben Beryl untersucht. In der Regel haben Frauen mehr Einfühlungsvermögen als Männer«, sagte er.
Vielleicht war es wirklich so einfach. Vielleicht war Al Hunt hier, weil er glaubte, daß ich ihn nicht demütigen würde.
Jetzt starrte er mich an, und in seinem verletzten, verlassenen Blick konnte ich erste Anzeichen einer aufkommenden Panik entdecken.
Er fragte: »Haben Sie schon einmal etwas ganz sicher gewußt, Dr. Scarpetta, ohne daß Sie dafür auch nur den kleinsten Beweis hatten?«
»Ich bin keine Hellseherin, wenn Sie das meinen«, antwortete ich.
»Jetzt reden Sie wie eine Wissenschaftlerin.«
»Ich *bin* eine Wissenschaftlerin.«
»Aber Sie kennen das Gefühl«, sagte er beharrlich, und ich konnte Verzweiflung in seinen Augen erkennen. »Sie wissen ganz genau, was ich meine, oder?«
»Ja«, gestand ich, »ich glaube, ich weiß, was Sie meinen, Al.«
Er schien erleichtert zu sein und atmete tief durch. »Ich *weiß* manche Sachen einfach, Dr. Scarpetta. Ich weiß, wer Beryl umgebracht hat.«
Ich reagierte überhaupt nicht.
»Ich *kenne* ihn, kenne seine Gedanken, Gefühle, und ich weiß, warum er es getan hat«, fuhr er bewegt fort. »Wenn ich es Ihnen verrate, dann müssen Sie mir versprechen, vorsichtig damit umzugehen, es ernsthaft zu überdenken und nicht –. Nun, ich möchte nicht, daß Sie damit zur Polizei

laufen, denn die würde es nicht verstehen. Das ist Ihnen doch klar, oder?«
»Ich werde alles, was Sie mir sagen, sehr sorgfältig überdenken«, erwiderte ich.
Er beugte sich auf der Couch nach vorne, und die Augen leuchteten in seinem Gesicht, das aussah, als habe El Greco es gemalt. Ich griff mit meiner rechten Hand instinktiv an die Hosentasche und spürte den gummiarmierten Griff des Revolvers.
»Die Polizei versteht schon jetzt nichts mehr«, behauptete er. »Niemand dort ist in der Lage, mich zu verstehen. Warum ich mit der Psychologie aufgehört habe, zum Beispiel. Die Polizei kapiert das einfach nicht. Ich habe den Magister gemacht. Und dann? Dann habe ich als männliche Krankenschwester gearbeitet, und jetzt bin ich in einer Waschstraße beschäftigt. Sie glauben doch nicht im Ernst, daß die bei der Polizei so was verstehen, oder?«
Ich antwortete nicht.
»Als Junge habe ich davon geträumt, einmal Psychologe, Fürsorger oder vielleicht sogar Psychiater zu werden«, fuhr er fort. »Es erschien mir die natürlichste Sache der Welt zu sein, daß ich einen dieser Berufe ergreifen würde. Alle meine Begabungen wiesen in diese Richtung.«
»Aber Sie sind es dann doch nicht geworden«, erinnerte ich ihn. »Warum?«
»Weil es mich zerstört hätte«, antwortete er und wendete seine Augen ab. »Ich habe keine Kontrolle über das, was mit mir geschieht. Ich identifiziere mich so sehr mit den Problemen und psychischen Störungen anderer Leute, daß meine eigene Persönlichkeit dabei verlorengeht und verkümmert. Ich wußte nicht, wie dramatisch das war, bis ich eine Zeitlang in der geschlossenen Abteilung mit kriminellen Geisteskranken arbeitete. Äh, es war ein Teil meiner Untersu-

chungen für meine Doktorarbeit.« Er wurde zunehmend zerstreuter. »Niemals werde ich Frankie vergessen. Frankie war ein paranoider Schizophrener, der seine Mutter mit einem Holzscheit aus dem Kamin erschlagen hatte. Mit der Zeit lernte ich Frankie besser kennen. Ganz behutsam ging ich mit ihm zusammen Schritt für Schritt sein bisheriges Leben durch, bis wir schließlich zu diesem verhängnisvollen Winternachmittag kamen. Ich sagte zu ihm: ›Frankie, Frankie, welche Kleinigkeit hat dich dazu gebracht? Was war der Auslöser? Weißt du noch, was dir damals durch den Kopf ging?‹ Er erzählte, daß er in seinem gewohnten Stuhl vor dem Feuer gesessen und zugesehen habe, wie es niederbrannte, als *sie* ihm plötzlich etwas zugeflüstert hätten. Schreckliche, gemeine Dinge. Als seine Mutter hereinkam, schaute sie ihn genauso an wie immer, aber dieses Mal sah er etwas in ihren Augen. Die Stimmen wurden so laut, daß er nicht mehr klar denken konnte, und dann war er auf einmal naß und klebrig, und sie hatte kein Gesicht mehr. Erst als die Stimmen verstummten, kam er wieder zu sich. Nach dieser Unterredung konnte ich nächtelang nicht schlafen. Immer, wenn ich die Augen schloß, sah ich den weinenden Frankie, an dem das Blut seiner Mutter klebte. Ich verstand ihn. Ich konnte auch verstehen, was er getan hatte. Ich sprach noch mit anderen Kranken, und jede Geschichte, die ich hörte, berührte mich auf dieselbe Weise.«

Ich saß ruhig da. Ich hatte meine Phantasie abgeschaltet und bewußt die Maske der Wissenschaftlerin, der Ärztin aufgesetzt.

Ich fragte ihn: »Haben Sie jemals das Gefühl gehabt, daß Sie jemanden umbringen wollten, Al?«

»Jeder verspürt irgendwann einmal dieses Gefühl«, entgegnete er, als sich unsere Blicke trafen.

»Jeder? Glauben Sie das wirklich?«

»Ja. Jeder Mensch hat die Anlage dazu. Ganz bestimmt.«
»Bei wem hatten Sie das Gefühl, daß Sie ihn umbringen könnten?« fragte ich weiter.
»Ich besitze keine Pistole oder irgend etwas anderes, das, äh, gefährlich ist«, antwortete er. »Ich will nicht in eine Situation geraten, in der ich einem plötzlichen Impuls nachgeben könnte. Wenn man sich erst einmal vorstellen kann, daß man etwas tut, wenn man versteht, was für ein Mechanismus hinter einem Verbrechen steckt, dann ist der Damm gebrochen. Es kann passieren. Praktisch jede Abscheulichkeit, die in dieser Welt geschieht, wurde zuerst gedacht. Wir sind nicht ausschließlich gut oder böse.« Seine Stimme zitterte. »Sogar die, die wir zu Verrückten abstempeln, haben für ihre Taten ihre ganz persönlichen Gründe.«
»Was war der Grund für das, was mit Beryl geschah?« fragte ich.
Meine Gedanken waren präzise, und ich äußerte sie klar. Und doch war mir schlecht, und ich versuchte, die Bilder zu vertreiben, die ich auf einmal sah, die schwarzen Flecken an den Wänden, Beryls mit Stichwunden übersäte Brust und ihre Bücher, die sauber aufgereiht in der Bibliothek standen und darauf warteten, daß jemand sie las.
»Die Person, die das getan hat, hat sie geliebt«, sagte er.
»Ein ziemlich brutaler Weg, seine Liebe zu beweisen, meinen Sie nicht auch?«
»Liebe kann brutal sein«, meinte er.
»Haben Sie sie geliebt?«
»Wir waren uns sehr ähnlich.«
»Inwiefern?«
»Wir waren beide irgendwie aus der Bahn geworfen.« Er studierte wieder seine Hände. »Allein, sensibel und mißverstanden. Eigentlich weiß ich nichts über sie, ich meine, niemand hat mir jemals etwas von ihr erzählt. Aber ich spürte ihr inner-

stes Wesen. Ich erkannte intuitiv, daß sie genau wußte, wer sie war und wie wertvoll sie war. Aber sie war auch zutiefst verärgert über den Preis, den sie für ihr Anderssein zahlen mußte. Sie war verletzt. Ich weiß nicht, wodurch. Irgend jemand mußte ihr schrecklich weh getan haben. Deshalb wollte ich mich um sie kümmern. Ich wollte ihr näherkommen, weil ich wußte, daß ich sie verstehen würde.«

»Warum haben Sie sich ihr nicht genähert?« fragte ich.

»Die Umstände verhinderten das. Vielleicht wäre alles anders gewesen, wenn ich sie irgendwo anders getroffen hätte«, antwortete er.

»Erzählen Sie mir etwas von Beryls Mörder, Al«, sagte ich. »Hätte er sich ihr genähert, wenn die Umstände günstig gewesen wären?«

»Nein.«

»Nein?«

»Die Umstände wären für ihn niemals günstig gewesen, denn er stand nicht auf ihrer Stufe und wußte das auch«, erwiderte Hunt. Seine plötzliche Verwandlung war beunruhigend. Jetzt nahm er die Rolle des Psychologen ein. Seine Stimme klang ruhiger. Er konzentrierte sich sehr stark, die Hände in seinem Schoß zu Fäusten geballt.

Er sagte: »Er hat eine sehr schlechte Meinung von sich selbst und ist nicht in der Lage, Gefühle auf eine konstruktive Art auszudrücken. Und dann wird Anziehung zur Besessenheit und Liebe wird krankhaft. Was er liebt, muß er besitzen, denn er fühlt sich so unsicher und wertlos und läßt sich so leicht einschüchtern. Wenn seine geheime Liebe nicht erwidert wird, wird seine Besessenheit immer stärker. Er fixiert sich so sehr darauf, daß seine Fähigkeit, zu reagieren und zu funktionieren, eingeschränkt wird. Es ist wie bei Frankie, wenn er die Stimmen hört. Etwas, das nicht er selbst ist, treibt ihn. Er hat sich nicht mehr unter Kontrolle.«

»Ist er intelligent?« fragte ich.
»Ziemlich.«
»Wie steht es mit seiner Bildung?«
»Seine Probleme gestatten ihm nicht, das zu tun, wozu er rein intellektuell fähig wäre.«
»Warum gerade sie?« fragte ich. »Warum hat er sich ausgerechnet Beryl Madison ausgesucht?«
»Sie ist frei und berühmt, er ist beides nicht«, entgegnete Al Hunt mit glasigen Augen. »Er glaubt, daß er sich zu ihr hingezogen fühlt, aber es ist mehr als nur das. Er will sich unbedingt diese Fähigkeiten aneignen, die er nicht hat. Er will diese Frau besitzen. In einem gewissen Sinn will er sie *sein*.«
»Damit sagen Sie praktisch, daß er wußte, daß Beryl Schriftstellerin war?« fragte ich.
»Man kann kaum etwas vor ihm verbergen. Auf irgendeine Art und Weise hat er sicher herausgefunden, daß sie Schriftstellerin war. Er wußte wahrscheinlich so viel von ihr, daß es sie, hätte sie es gewußt, fürchterlich verletzt und verängstigt hätte.«
»Erzählen Sie mir von der Mordnacht«, sagte ich. »Was geschah in der Nacht, in der sie starb, Al?«
»Ich weiß nur das, was ich darüber in den Zeitungen gelesen habe.«
»Und was haben Sie sich daraus zusammengereimt?« fragte ich.
»Sie war zu Hause«, sagte er und starrte ins Leere. »Und es war schon ziemlich spät, als er vor ihrer Tür stand. Höchstwahrscheinlich hat sie ihn hereingelassen. Irgendwann vor Mitternacht ging er wieder fort und löste dabei die Alarmanlage aus. Beryl wurde erstochen. Und es war vielleicht ein Sexualverbrechen. Mehr habe ich nicht gelesen.«
»Haben Sie eine eigene Theorie von dem, was passiert ist?«

fragte ich geradeheraus. »Irgendwelche Spekulationen, die über das, was Sie gelesen haben, hinausgehen?«
Er beugte sich in seinem Sessel vor, und sein Verhalten änderte sich abermals dramatisch. Seine Augen glühten vor Emotion.
Seine Unterlippe begann zu zittern.
»Ich sehe Bilder vor mir«, sagte er.
»Was für Bilder?«
»Von Dingen, die ich nicht der Polizei sagen würde.«
»Ich bin nicht die Polizei«, sagte ich.
»Die Polizei würde das nicht verstehen«, entgegnete er. »Das sind Sachen, die ich sehe und fühle, ohne daß ich einen Grund dafür habe, warum ich sie weiß. Es ist wie bei Frankie.« Er blinzelte, weil seine Augen feucht wurden. »Und wie bei anderen. Ich konnte sehen und verstehen, was geschehen war, obwohl man mir nicht immer alle Einzelheiten erzählt hatte. Aber Einzelheiten braucht man oft gar nicht. Außerdem werden sie einem häufig nicht geliefert. Sie wissen, warum, nicht wahr?«
»Nicht ganz . . .«
»Weil die Frankies in dieser Welt sie oft selbst nicht einmal wissen! Es ist wie ein schlimmer Unfall, an den man sich nicht mehr erinnert. Das Bewußtsein kehrt zurück, wie man aus einem bösen Traum aufwacht, und man steht plötzlich vor dem, was man angerichtet hat. Vor der Mutter, die kein Gesicht mehr hat. Oder einer blutüberströmten, toten Beryl. Die Frankies *wachen erst auf,* wenn sie auf der Flucht sind oder wenn ein Polizist, von dem sie nicht wissen, daß sie ihn gerufen haben, an ihrer Haustür klingelt.«
»Wollen Sie mir damit sagen, daß Beryls Mörder sich nicht mehr genau an das erinnert, was er getan hat?« fragte ich vorsichtig.
Er nickte.

»Sind Sie ganz sicher?«
»Der beste Psychiater auf der Welt könnte ihn eine Million Jahre befragen, und er könnte ihm immer noch keine genaue Schilderung des Vorfalls geben«, sagte Hunt. »Die Wahrheit kann niemand genau wissen. Sie muß rekonstruiert und oft genug einfach geraten werden.«
»Das ist genau das, was Sie eben getan haben. Sie haben rekonstruiert und geraten«, sagte ich.
Er befeuchtete seine Unterlippe und atmete unregelmäßig.
»Soll ich Ihnen sagen, was ich sehe?«
»Ja«, antwortete ich.
»Viel Zeit ist vergangen seit seinem ersten Kontakt mit ihr«, begann Hunt. »Aber sie hat ihn nie als Person wahrgenommen, obwohl sie ihn vielleicht schon einmal gesehen hat, ohne ihn zu erkennen. Seine Frustration, seine Besessenheit treiben ihn an ihre Tür. Irgend etwas muß dieses überwältigende Bedürfnis, sie persönlich zu konfrontieren, ausgelöst haben.«
»Was?« fragte ich. »Was hat es ausgelöst?«
»Das weiß ich nicht.«
»Was hat er gefühlt, als er beschloß, sie aufzusuchen?«
Hunt schloß die Augen und sagte: »Ärger darüber, daß er nicht in der Lage war, die Dinge so zu steuern, wie er sie gerne haben wollte.«
»Ärgerte er sich, weil er keine Beziehung mit Beryl haben konnte?« fragte ich.
Mit immer noch geschlossenen Augen schüttelte Hunt langsam den Kopf und sagte: »Nein. Vielleicht war das der oberflächliche Grund dafür. Aber die Wurzeln seines Ärgers lagen tiefer. Er ärgerte sich, weil von Anfang an nichts so lief, wie er es wollte.«
»Schon als er noch ein Kind war?« fragte ich.
»Ja.«

»Wurde er mißhandelt?«
»Ja, emotionell«, antwortete Hunt.
»Von wem?«
Hunts Augen waren immer noch geschlossen, als er antwortete: »Von seiner Mutter. Als er Beryl tötete, tötete er auch seine Mutter.«
»Lesen Sie manchmal Bücher über forensische Psychiatrie, Al? Haben Sie das, was Sie mir erzählen, irgendwo gelesen?«
Er öffnete die Augen und starrte mich an, als habe er das, was ich gefragt hatte, überhaupt nicht gehört.
Dann fuhr er emotionsgeladen fort: »Sie müssen in Rechnung stellen, wie oft er sich diesen Augenblick vorgestellt hat. Seine Tat geschah nicht im Affekt in dem Sinne, daß er ohne jede Vorplanung zu ihrem Haus gerannt wäre. Der Zeitpunkt war vielleicht affektgesteuert, aber sonst hatte er sich alles bis ins kleinste Detail bereits ausgemalt. Er konnte es sich auf keinen Fall leisten, sie zu erschrecken und deshalb nicht ins Haus gelassen zu werden. Dann wäre das Spiel ja vorbei gewesen. Sie hätte die Polizei angerufen und ihr eine Beschreibung von ihm gegeben. Und selbst wenn man ihn nicht gefaßt hätte, wäre seine Tarnung doch zerstört gewesen, und er wäre nie mehr in ihre Nähe gekommen. Er hatte sich bestimmt einen hundertprozentig sicheren Plan ausgedacht, um nicht ihren Argwohn zu erregen. Als er in jener Nacht vor ihrer Tür stand, muß er ihr Vertrauen eingeflößt haben. Und sie ließ ihn herein.«
Im Geiste sah ich den Mann in Beryls Diele, aber ich konnte weder Gesicht noch Haarfarbe erkennen, bloß eine unbestimmte Gestalt und eine lange, glänzende Klinge aus Stahl, die er in der Hand hielt.
»Ab diesem Zeitpunkt weiß er nichts mehr«, fuhr Hunt fort. »Er kann sich nicht mehr erinnern, was danach geschah. Ihre

Panik und ihre Angst sind nicht angenehm für ihn. Diesen Teil des Rituals hatte er nicht vollständig durchdacht. Als sie loslief und versuchte, ihm zu entkommen, und als er die panische Furcht in ihren Augen sah, wußte er auf einmal, wie sehr sie ihn ablehnte. Er erkannte, wie schrecklich das war, was er tat, und seine Verachtung für sich selbst verwandelte sich in eine Verachtung für Beryl. Verwandelte sich in Raserei. Er konnte Beryl nicht besitzen, weil er selbst zum Tier wurde. Zum Killer. Zum Schlächter. Zum hirnlosen Wilden, der nur noch zerfetzte, zerschnitt und Schmerzen bereitete. Ihre Schreie und ihr Blut waren schrecklich für ihn. Und je mehr er den Tempel, den er so lange angebetet hatte, zerstörte und schändete, desto weniger konnte er seinen Anblick ertragen.«

Hunt sah mich an, und hinter seinen Augen war eine merkwürdige Leere. Sein Gesicht war ohne jede Emotion, als er mich fragte: »Können Sie sich das vorstellen, Dr. Scarpetta?«

»Ich höre Ihnen zu«, war alles, was ich sagte.

»Er ist in jedem von uns«, sagte er.

»Bereut er seine Tat, Al?«

»Er kennt so etwas nicht«, sagte Hunt. »Ich glaube zwar, daß er seine Tat nicht gut findet, aber er weiß ja gar nicht, was er wirklich getan hat. Er ist mitten in einem Strudel verwirrender Emotionen. Innerlich will er es nicht wahrhaben, daß sie tot ist. Er denkt an sie, durchlebt noch einmal alle seine Begegnungen mit ihr und bildet sich ein, daß seine Beziehung mit ihr die allertiefste war, bloß weil sie bei ihrem letzten Atemzug an ihn gedacht hatte, und das ist für ihn die äußerste Form der Nähe, die man zu einem anderen Menschen haben kann. Aber der rationale Teil in ihm ist frustriert und unzufrieden. Niemand kann einem anderen vollkommen gehören, diese Wahrheit beginnt ihm langsam zu dämmern.«

»Wie meinen Sie das?« fragte ich.
»Seine Tat konnte gar nicht den angestrebten Zweck erfüllen«, antwortete Hunt. »Er ist sich nicht sicher, ob er ihr wirklich so nahe war. Genau so wie bei seiner Mutter. Da war wieder das alte Mißtrauen. Und auf einmal sind da auch andere Leute, die jetzt ein viel intensiveres Verhältnis zu Beryl haben als er.«
»Wer, zum Beipiel?«
»Die Polizei.« Er sah mich an. »Und Sie.«
»Weil wir den Mord an ihr aufklären wollen?« fragte ich, während es mir eiskalt den Rücken hinunterlief.
»Ja.«
»Weil sie für uns jetzt wichtig ist, und weil unsere Beziehung zu ihr öffentlich ist, seine aber nicht?«
»Ja.«
»Wozu kann das führen?« fragte ich.
»Dazu, daß Cary Harper tot ist, zum Beispiel.«
»Hat er Harper umgebracht?«
»Ja.«
»Warum?« Nervös zündete ich mir eine Zigarette an.
»Der Mord an Beryl geschah aus Liebe«, antwortete Hunt. »Der Mord an Harper geschah aus Haß. Er gibt sich jetzt nur noch seinem Haß hin, und damit ist jeder, der mit Beryl zu tun hat, in Gefahr. Das wollte ich Lieutenant Marino sagen. Aber ich wußte, daß es umsonst war. Er würde doch bloß denken, daß bei mir eine Schraube locker ist.«
»Wer ist es?« fragte ich. »Wer hat Beryl getötet?«
Al Hunt rutschte ganz ans Ende der Couch und fuhr sich mit den Händen übers Gesicht. Als er wieder aufsah, hatten seine Wangen rote Flecken.
»Jim Jim«, flüsterte er.
»Jim Jim?«, fragte ich verwirrt.
»Ich weiß nicht.« Seine Stimme überschlug sich. »Ich höre

ständig diesen Namen in meinem Kopf. Ich höre ihn und höre ihn und höre ihn . . .«

Ich saß bewegungslos da.

»Es ist so lange her, daß ich in der Valhalla Klinik war«, sagte er.

»In der geschlossenen Abteilung?« platzte ich heraus. »War dieser Jim Jim zu Ihrer Zeit dort ein Patient?«

»Ich weiß nicht genau.« In seinen Augen brauten sich die Emotionen wie ein Sturm zusammen. »Ich höre diesen Namen und ich sehe die Klinik. Meine Gedanken verlieren sich in dunklen Erinnerungen, als würde ich in ein schwarzes Loch gesogen. Es ist so lange her. So vieles ist ausgelöscht. Jim Jim. Jim Jim. Wie das Schnauben einer Lokomotive. Dieses Geräusch hört einfach nicht auf. Ich habe schon Kopfschmerzen von diesem Geräusch.«

»Wann war das alles?« wollte ich wissen.

»Vor zehn Jahren«, schrie er.

Vor zehn Jahren hätte Hunt niemals an einer Magisterarbeit schreiben können, konstatierte ich für mich. Er war damals noch ein Teenager.

»Al«, sagte ich, »Sie haben in dieser geschlossenen Abteilung damals doch nicht für Ihr Studium gearbeitet. Sie waren ein Patient, nicht wahr?«

Er vergrub das Gesicht in seinen Händen und weinte. Als er sich wieder einigermaßen unter Kontrolle hatte, wollte er nichts mehr sagen. Gequält murmelte er, daß er eine Verabredung habe, für die er schon zu spät käme, und rannte aus dem Haus. Mein Herz klopfte wie verrückt und wollte sich nicht beruhigen. Ich machte mir eine Tasse Kaffee, lief in der Küche auf und ab und überlegte, was ich tun sollte. Das Klingeln des Telephons schreckte mich auf.

»Kann ich bitte mit Kay Scarpetta sprechen?«

»Am Apparat.«

»Hier ist John von Amtrak. Ich habe die Auskunft, die Sie wollten, Madam. Also . . . Sterling Harper hat eine Rückfahrkarte für den ›Virginian‹ – das ist ein Zug – für den 27. Oktober gekauft. Rückreise wäre am 31. gewesen. Meinen Unterlagen zufolge war sie in dem Zug, zumindest war jemand mit ihrer Fahrkarte drin. Wollen Sie die genauen Abfahrts- und Ankunftszeiten?«
»Ja, bitte«, sagte ich und schrieb sie auf. »Von wo nach wo geht der Zug?«
»Von Fredericksburg nach Baltimore«, sagte er.

Ich versuchte Marino anzurufen. Er war unterwegs. Als er mich am Abend zurückrief, hatte er selber Neuigkeiten.
»Soll ich vorbeikommen?« fragte ich wie betäubt, nachdem er sie mir erzählt hatte.
»Ich sehe nicht viel Sinn darin«, kam Marinos Stimme aus der Leitung. »Es gibt keinen Zweifel an dem, was er getan hat. Er hat einen Abschiedsbrief an seine Unterhose geheftet. Darin steht, daß es ihm leid tut, daß er es nicht mehr ertragen kann. Mehr nicht. Es gibt nichts Verdächtiges dort. Wir sind eigentlich fertig. Und außerdem ist Doc Coleman hier«, fügte er hinzu und meinte einen meiner lokalen Leichenbeschauer.
Nachdem Al Hunt mein Haus verlassen hatte, war er zu seinem eigenen gefahren, einem Ziegelgebäude im Kolonialstil am Ginter Park, wo er bei seinen Eltern wohnte. Er nahm einen Schreibblock und einen Bleistift aus dem Büro seines Vaters. Dann ging er in den Keller und zog seinen schmalen Ledergürtel aus. Seine Hosen legte er neben seine Schuhe auf den Boden. Als seine Mutter später nach unten kam, um Wäsche zu waschen, fand sie ihren einzigen Sohn, der sich an einer Wasserleitung im Waschraum erhängt hatte.

# 11

Nach Mitternacht setzte überfrierender Regen ein, und am Morgen sah die Welt aus wie mit Glas überzogen. Ich blieb den Samstag über im Haus. Mein Gespräch mit Al Hunt lief wieder und wieder in meinem Kopf ab und durchschoß die Einsamkeit meiner Gedanken wie die abbrechenden Eiszapfen, die vor meinem Fenster urplötzlich zu Boden krachten. Ich fühlte mich schuldig. Wie jeder andere Mensch, der mit einem Selbstmord konfrontiert wird, erlag auch ich dem Trugschluß, daß ich etwas hätte tun können, um ihn zu verhindern.

Wie betäubt setzte ich Al Hunt mit auf die Liste. Vier Menschen waren tot. Zwei davon waren auf ruchlose, himmelschreiende Weise ermordet worden, und obwohl das bei den anderen beiden nicht der Fall war, hingen trotzdem diese Todesfälle irgendwie miteinander zusammen. Vielleicht lief ein grellroter Faden durch alle vier.

Am Samstag und Sonntag arbeitete ich an meinem Schreibtisch zu Hause, mein Büro in der Stadt hätte mich nur daran erinnert, daß ich nicht im Dienst war und deshalb auch momentan nicht benötigt wurde. Die Arbeit ging ohne mich weiter. Menschen, die meine Hilfe gesucht hatten, waren gestorben. Kollegen, die ich respektierte, wie der Generalstaatsanwalt, wollten Erklärungen, und ich konnte ihnen keine geben.

Ich konnte mich nur auf eine einzige, schwache Art und Weise wehren. Ich setzte mich vor meinen Heimcomputer, gab Einzelheiten der Fälle ein und grübelte über Nachschlagewerken. Und ich führte eine Menge Telefongespräche.

Ich sah Marino erst wieder, als ich mich mit ihm am Montagmorgen auf dem Amtrak-Bahnhof in der Staples Mill Road traf. Wir gingen zwischen zwei wartenden Zügen den Bahnsteig entlang. Die Motoren der Lokomotiven strahlten Wärme in die dunkle Winterluft und verströmten den Geruch von Öl. Wir fanden Sitzplätze im hinteren Teil des Zuges und nahmen die Unterhaltung, die wir im Bahnhof begonnen hatten, wieder auf.

»Dr. Masterson war nicht gerade gesprächig«, sagte ich über Hunts Pschychiater und stellte die Einkaufstasche, die ich bei mir hatte, vorsichtig auf den Boden. »Aber ich habe den Verdacht, daß er sich an Hunt sehr viel besser erinnert, als er zugibt.« Warum nur mußte ich immer die Sitze erwischen, bei denen die Fußstützen defekt waren?

Mit einem herzhaften Gähnen zog Marino seine Fußstütze herunter, die natürlich einwandfrei funktionierte. Er bot mir nicht an, die Plätze zu tauschen. Wenn er es getan hätte, hätte ich glatt angenommen.

Er antwortete: »Hunt war also an die achtzehn, neunzehn Jahre alt, als er in der Klapsmühle war.«

»Ja. Er wurde wegen starker Depressionen behandelt«, erwiderte ich.

»Das habe ich mir fast gedacht.«

»Und was meinen Sie damit?« fragte ich.

»Diese Typen haben immer Depressionen.«

»Was für Typen, Marino?«

»Na, sagen wir mal, daß mir bei meinem Gespräch mit ihm mehr als einmal das Wort *Tunte* durch den Kopf ging«, murmelte er. Das Wort *Tunte* ging Marino ständig mehr als einmal im Kopf herum, wenn er mit jemandem sprach, der anders war als er.

Der Zug fuhr geräuschlos an, wie ein Schiff, das langsam vom Anlegesteg gleitet.

»Ich wünschte, Sie hätten diese Unterhaltung auf Tonband aufgenommen«, fuhr Marino fort und gähnte wieder.

»Die mit Dr. Masterson?«
»Nein, die mit Hunt. Als er bei Ihnen hereinschneite«, sagte er.
»Das ist nun wohl vorbei und nicht so wichtig«, antwortete ich betreten.
»Ich weiß nicht. Mir scheint es so, als ob der Irre eine ganze Menge gewußt habe. Ich wünschte bei Gott, er wäre uns noch ein wenig länger erhalten geblieben, wenn ich so sagen darf.«
Was Hunt mir in meinem Wohnzimmer erzählt hatte, wäre vielleicht von Bedeutung gewesen, wenn er am Leben geblieben wäre und nicht so viele wasserdichte Alibis gehabt hätte. Die Polizei hatte das Haus seiner Eltern auf den Kopf gestellt und nichts gefunden, was Hunt mit den Morden an Beryl Madison und Cary Harper in Verbindung gebracht hätte. Genauer gesagt, Hunt hatte in der Nacht, in der Beryl starb, mit seinen Eltern im Country Club zu Abend gegessen, und als Cary Harper ermordet wurde, hatte er mit seinen Eltern die Oper besucht. Die Angaben waren alle überprüft worden. Hunts Eltern hatten die Wahrheit gesagt.
Ruckelnd, schaukelnd und rumpelnd bewegte sich der Zug nach Norden. Die Pfiffe der Lokomotive hallten traurig durch die Winterluft.
»Die ganze Sache mit Beryl brachte das Faß zum Überlaufen«, meinte Marino. »Wollen Sie wissen, was ich denke? Er hat sich so lange mit ihrem Mörder identifiziert, bis er ausrastete und sich selber aus dem Verkehr zog, sich verkrümelte, bevor er völlig durchdrehte.«
»Ich glaube eher, daß Beryl seine alte Wunde wieder aufplatzen ließ«, antwortete ich. »Sie erinnerte ihn daran, daß er unfähig war, Beziehungen einzugehen.«
»Sieht aus, als wären er und der Mörder aus demselben Holz

geschnitzt. Beide unfähig, mit Frauen umzugehen. Beide sind sie Verlierer.«
»Hunt war nicht gewalttätig.«
»Vielleicht hatte er aber einen Hang zur Gewalttätigkeit und konnte nicht mehr damit leben«, sagte Marino.
»Wir wissen nicht, wer Beryl und Harper getötet hat«, erinnerte ich ihn. »Wir wissen nicht, ob der Mörder ähnlich wie Hunt ist. Wir wissen überhaupt nichts, haben nicht einmal eine Ahnung, welche Motive den Morden zugrunde lagen. Der Mörder könnte genausogut jemand wie Jeb Price sein. Oder jemand, der Jim Jim heißt.«
»Jim Jim, du meine Güte«, keifte er bissig.
»Ich finde, wir sollten im Moment noch nichts ausschließen, Marino.«
»Ich mache Ihnen einen Vorschlag. Wenn Sie über einen Jim Jim stolpern, der einen Abschluß am Valhalla-Krankenhaus gemacht hat und zufälligerweise in seiner Freizeit ein Terrorist ist, der orangefarbene Acrylfasern mit sich herumschleppt, dann rufen Sie mich doch einfach an.« Er rückte sich in seinem Sitz zurecht, schloß die Augen und murmelte: »Ich brauche unbedingt Urlaub.«
»Ich auch«, sagte ich. »Ich brauche Urlaub von Ihnen.«
Gestern abend hatte Wesley angerufen, um über Hunt zu sprechen, und als ich erwähnte, wo ich hinfuhr und warum, hatte er darauf bestanden, daß es unklug wäre, wenn ich allein führe. Er dachte nur noch an Terroristen, Uzi-Maschinenpistolen und Glaser-Munition. Er wollte, daß Marino mitfuhr, und es hätte mir nichts ausgemacht, wenn die Sache nicht zu einer Qual ausgeartet wäre. In dem Zug um 6 Uhr 50 am Morgen waren keine Plätze mehr frei gewesen, und so hatte Marino Fahrkarten für den um vier Uhr früh besorgt. Ich wagte mich um halb drei Uhr morgens in mein Büro und holte die Styroporschachtel, die ich jetzt in meiner

Einkaufstasche dabeihatte. Ich fühlte mich körperlich am Ende, und mein Schlafdefizit hatte gigantische Ausmaße angenommen. Leute wie Jeb Price brauchten mich gar nicht mehr fertigzumachen. Mein Schutzengel Marino würde ihnen diese Arbeit abnehmen.

Die anderen Passagiere hatten die Leselämpchen über ihren Köpfen ausgeschaltet und dösten. Kurz darauf kreischte unser Zug langsam mitten durch Ashland, und ich fragte mich, wie die Leute in den hübschen, weißen Holzhäusern an den Gleisen das wohl Tag für Tag aushielten. Die Fenster waren dunkel, und auf den Veranden salutierten kahle Fahnenstangen stocksteif zu uns herüber. Wir fuhren an einer verschlafenen Ladenzeile vorbei – einem Friseur, einem Schreibwarengeschäft, einer Bank – und wurden schneller, als wir in einer weiten Kurve um das Gelände des Randolph-Macon-College mit seinen georgianischen Gebäuden vorbeifuhren. Der von weißem Rauhreif überzogene Sportplatz war zu dieser frühen Stunde noch leer, bis auf eine Reihe von Football-Trainings-Schlitten in verschiedenen Farben. Hinter der Stadt lagen Wälder mit Böschungen aus rotem Lehm. Ich lehnte mich in meinen Sitz zurück und ließ mich vom Rhythmus des Zuges einlullen. Je weiter wir uns von Richmond entfernten, desto mehr entspannte ich mich, und ohne es eigentlich zu wollen, schlief ich ein.

Ich träumte nicht, sondern war eine Stunde lang ohne Bewußtsein, und als ich meine Augen wieder öffnete, dämmerte es blau hinter der Scheibe, und wir überfuhren gerade den Quantico Creek. Das Wasser sah aus wie poliertes Zinn. Das Licht glitzerte auf Wellen und Strudeln, und einige Boote schwammen bereits auf dem Wasser. Ich dachte an Mark. Ich dachte an unsere Nacht in New York und an längst vergangene Zeiten. Seit seiner letzten geheimnisvollen Botschaft auf meinem Anrufbeantworter hatte ich nichts

mehr von ihm gehört. Ich fragte mich, was er wohl gerade machte, und hatte doch Angst davor, es tatsächlich zu erfahren.
Marino setzte sich auf und blinzelte angeschlagen zu mir herüber. Es war Zeit für Frühstück und Zigaretten, wobei die Reihenfolge nicht unbedingt verbindlich war.
Der Speisewagen war voller verschlafener Leute, die, ohne aufzufallen, in jeder Busstation in Amerika hätten sitzen können. Ein junger Mann döste im Rhythmus irgendeines Musikstücks, das aus dem Kopfhörer über seinen Ohren quäkte, vor sich hin. Eine müde Frau hielt ein zappelndes Baby im Arm. Ein älteres Paar spielte Karten. Wir fanden einen freien Tisch in der Ecke, und während Marino losging, um nach etwas Eßbarem Ausschau zu halten, steckte ich mir eine an. Das eingepackte Schinken-und-Ei-Sandwich, das Marino mir brachte, war wenigstens warm, aber das war auch das einzig Positive, was ich daran finden konnte. Der Kaffee schmeckte nicht schlecht. Marino riß das Zellophan mit den Zähnen auf und schaute auf die Einkaufstasche, die ich neben mich auf den Sitz gestellt hatte. Darin befanden sich in einer Styroporschachtel zwischen Trockeneis Proben von Sterling Harpers Leber und dem Inhalt ihres Magens, sowie Reagenzgläser mit ihrem Blut.
»Wie lange dauert es, bis das Zeug auftaut?« fragte er.
»Wir haben noch viel Zeit, bis wir es abliefern müssen. Allerdings sollten wir keine Umwege machen«, gab ich zurück.
»Weil Sie gerade von viel Zeit sprechen, die wir haben, würde es Ihnen etwas ausmachen, mir in aller Ruhe noch einmal die Sache mit dem Hustensirup zu erklären? Als Sie sie gestern abend heruntergerasselt haben, war ich hundemüde.«

»Ja, genauso hundemüde, wie Sie heute morgen sind.«
»Werden Sie denn niemals müde?«
»Ich bin so müde, Marino, daß ich mir nicht sicher bin, ob ich das alles überlebe.«
»Nun, das möchte ich doch schwer hoffen. Ich werde nämlich, verdammt noch mal, diese Einzelteile nicht alleine abgeben«, sagte er und langte nach seinem Kaffee.
Ich erklärte ihm das folgende so langsam und bedächtig, daß es fast wie eine Unterrichtsstunde vom Tonband klang: »Die aktive Substanz in dem Hustenstiller, den wir in Miss Harpers Badezimmer gefunden haben, ist Dextromethorphan, was dasselbe ist wie Codein. Dextromethorphan ist harmlos, außer wenn man es in extremen Dosen zu sich nimmt. Es ist der D-Isomer einer Verbindung, deren Namen Ihnen nichts sagen wird –«
»Ach ja? Woher wissen Sie denn, daß er mir nichts sagen wird?«
»3-Methoxy-N-methylmorphinan.«
»Sie haben recht. Das sagt mir überhaupt nichts.«
Ich fuhr fort: »Von dieser Verbindung gibt es aber auch einen L-Isomer, und diese Substanz heißt Levorphanol und ist ein hochwirksames Narkotikum, das etwa fünfmal so stark ist wie Morphium. Der einzige Unterschied beim Nachweis dieser beiden Substanzen besteht darin, daß Dextromethorphan das Licht in einem Polarimeter nach rechts ablenkt und Levorphanol nach links.«
»Mit anderen Worten, ohne dieses Gerät können Sie die beiden Substanzen nicht unterscheiden«, schloß Marino daraus.
»In routinemäßigen toxikologischen Tests kann man sie nicht unterscheiden«, antwortete ich. »Levorphanol erscheint dort als Dextromethorphan, weil die Verbindungen praktisch identisch sind. Der einzige Unterschied ist der,

daß sie das Licht in verschiedene Richtungen ablenken, so wie D-Sucrose und L-Sucrose. Auch sie drehen das Licht in verschiedene Richtungen, obwohl sie vom Aufbau her genau gleiche Disaccharide sind. D-Sucrose ist normaler Kristallzucker, und L-Sucrose hat keinen Nährwert für den Menschen.«

»Ich bin mir nicht sicher, ob ich da mitkomme«, sagte Marino und rieb sich die Augen. »Wie können Verbindungen gleich und doch verschieden sein?«

»Stellen Sie sich Dextromethorphan und Levorphanol wie eineiige Zwillinge vor«, erklärte ich. »Sie sind zwar nicht derselbe Mensch, aber sie *sehen gleich* aus – es sei denn, der eine ist Rechts- und der andere Linkshänder. Einer ist gutmütig, der andere wäre zu einem Mord fähig. Hilft Ihnen das weiter?«

»Ja, ich glaube schon. Wieviel von diesem Levorphanol-Zeugs hätte denn Miss Harper gebraucht, um sich um die Ecke zu bringen?«

»Dreißig Milligramm hätten vermutlich ausgereicht. Mit anderen Worten, fünfzehn Tabletten à zwei Milligramm«, antwortete ich.

»Nehmen wir einmal an, sie hätte das getan. Was wäre dann passiert?«

»Dann wäre sie sehr schnell in eine tiefe Betäubung gefallen und gestorben.«

»Meinen Sie, sie wußte etwas von dieser Isomer-Geschichte?«

»Das wäre möglich«, erwiderte ich. »Wir wissen, daß sie Krebs hatte, und wir hegen den Verdacht, daß sie ihren Selbstmord verschleiern wollte. Das wäre vielleicht eine Erklärung für das geschmolzene Plastik in ihrem Kamin, was auch immer sie vor ihrem Tod verbrannt haben mochte. Möglicherweise hat sie die Flasche mit Hustensirup absichtlich ins Bad gestellt, um uns auf eine falsche Fährte zu locken. Nachdem ich diese Flasche gesehen hatte, war ich natürlich nicht allzu überrascht, als in ihrem toxikologischen Befund Dextromethorphan auftauchte.«

Miss Harper hatte keine lebenden Verwandten und sehr wenige Freunde – wenn überhaupt welche –, und sie war mir nicht wie ein besonders reiselustiger Mensch vorgekommen. Nachdem ich herausgefunden hatte, daß sie kürzlich eine Reise nach Baltimore unternommen hatte, hatte ich zuallererst an das Johns-Hopkins-Krankenhaus gedacht, eine der besten Krebskliniken der Welt. Eine Reihe kurzer Telefongespräche bestätigte, daß Miss Harper regelmäßig das Krankenhaus besucht hatte, um sich Blut- und Knochenmarktests zu unterziehen, was bei der Krankheit, die sie offensichtlich höchst geheimgehalten hatte, zur Routine gehört. Als man mir mitteilte, welche Medikamente ihr verschrieben worden waren, fügten sich die Puzzleteilchen in meinen Gedanken auf einmal zusammen. Die Labors in meiner Dienststelle hatten kein Polarimeter oder irgendeine andere Möglichkeit, um Levorphanol feststellen zu können. Dr. Ismail am Hopkins-Krankenhaus versprach, mir dabei zu helfen, wenn ich ihm die nötigen Proben bringen würde.

Es war jetzt noch nicht ganz sechs Uhr, und wir kamen an die Außenbezirke von Washington. Wälder und Sümpfe flogen vorbei, bis wir auf einmal in der Stadt waren und das Jefferson-Denkmal weiß durch eine Lücke in den Bäumen aufblitzen sahen. Wir fuhren so nahe an hohen Bürogebäuden vorbei, daß ich durch die saubergeputzten Fensterscheiben Zimmerpflanzen und Lampenschirme sehen konnte. Dann tauchte der Zug in den Untergrund und raste blind unter der Innenstadt hindurch.

Wir trafen Dr. Ismail im pharmakologischen Labor der Krebsklinik. Ich öffnete die Einkaufstasche und stellte die kleine Styroporschachtel auf seinen Tisch.
»Sind das die Proben, über die wir gesprochen haben?« fragte er und lächelte.
»Ja«, antwortete ich. »Sie müßten noch gefroren sein. Wir sind vom Bahnhof direkt hierhergekommen.«
»Wenn die Konzentration stimmt, dann können Sie in etwa einem Tag mit einem Bescheid rechnen«, sagte er.
»Was genau werden Sie mit dem Zeug machen?« erkundigte sich Marino und schaute sich im Labor um, das aussah wie alle anderen Labors, die ich gesehen hatte.
»Es ist eigentlich ganz einfach«, erwiderte Dr. Ismail geduldig. »Zuerst werde ich einen Extrakt aus der Probe des Mageninhalts herstellen. Das ist der schwierigste und langwierigste Teil des Tests. Wenn das geschafft ist, lege ich den Extrakt ins Polarimeter, das etwa so aussieht wie ein Teleskop, nur daß seine Linsen verdrehbar sind. Ich schaue ins Okular und drehe die Linsen nach links und nach rechts. Wenn die Substanz Dextromethorphan ist, dann lenkt sie das Licht nach rechts ab, das bedeutet, daß das Bild in meinem Okular heller wird, wenn ich die Linsen nach rechts drehe. Für Levorphanol gilt das gleiche in umgekehrter Richtung.«
Er erläuterte, daß Levorphanol ein sehr wirkungsvolles Schmerzmittel sei, das fast nur Leuten verschrieben werde, die unheilbar an Krebs erkrankt seien. Weil das Medikament hier entwickelt wurde, führte er über alle Patienten des Hopkins-Krankenhauses, die es einnahmen, genau Buch. Sinn und Zweck dieser Aufzeichnungen war der, die therapeutischen Möglichkeiten des Medikaments zu dokumentieren. Als Überraschung präsentierte er uns die Aufzeichnungen von Miss Harpers Behandlungen.

»Sie kam alle zwei Monate zu ihren Blut- und Knochenmarktests und erhielt bei jedem Besuch einen Vorrat von etwa 250 Zwei-Milligramm-Tabletten«, sagte Dr. Ismail und strich die Seite in einem dicken Ordner glatt. »Schaun wir mal . . . Ihr letzter Besuch war am 28. Oktober. Sie hätte also noch mindestens 75, wenn nicht gar 100 Tabletten haben müssen.«
»Es ist so schade.« Er sah uns mit dunklen, traurigen Augn an. »Sie hat sich so tapfer geschlagen. Eine wundervolle Frau. Ich freute mich immer, wenn ich sie und ihre Tochter sah.«
Nach einem Moment verblüffter Stille fragte ich: »Ihre Tochter?«
»So dachte ich wenigstens. Eine junge Frau. Blond . . .«
Marino schaltete sich ein: »War sie mit Miss Harper auch das letzte Mal hier, am letzten Wochenende im Oktober?«
Dr. Ismail runzelte die Stirn und sagte: »Nein. Ich kann mich nicht erinnern, sie damals gesehen zu haben. Miss Harper war allein.«
»Seit wie vielen Jahren kam Miss Harper hierher?« wollte ich wissen.
»Da muß ich in ihrer Akte nachsehen. Aber ich weiß, daß es einige Jahre sein müssen. Mindestens zwei.«
»War ihre Tochter, diese junge, blonde Frau, denn immer dabei?« fragte ich.
»Am Anfang nicht so oft«, antwortete er. »Aber während des letzten Jahres, und möglicherweise im Jahr davor auch schon, hat sie Miss Harper bei jedem Besuch begleitet, außer bei diesem letzten im Oktober. Ich war beeindruckt. Miss Harper war schwerkrank, und da ist es wichtig, daß man Unterstützung von der Familie hat.«
»Wo wohnte Miss Harper, wenn sie hier war?« Marinos Kiefermuskeln zogen sich zusammen.

»Die meisten Patienten wohnen in den Hotels in der Nähe, aber Miss Harper liebte den Hafen«, erzählte Dr. Ismail.
Meine Reaktionen waren langsam, weil ich angespannt war und zu wenig geschlafen hatte.
»Sie wissen nicht, in welchem Hotel?« Marino ließ nicht locker.
»Nein. Ich habe keine Ahnung . . .«
Auf einmal sah ich wieder die Fragmente von schreibmaschinengeschriebenen Wörtern auf der dünnen, weißen Asche vor mir.
Ich unterbrach die beiden: »Dürfte ich bitte einmal einen Blick in Ihr Telefonbuch werfen?«
15 Minuten später standen Marino und ich auf der Straße und warteten auf ein Taxi. Obwohl die Sonne schien, war es ziemlich kalt.
»Verdammt«, sagte er noch einmal, »ich hoffe, daß Sie recht haben.«
»Das werden wir bald erfahren«, erwiderte ich angespannt.
Im Telefonbuch hatte ich ein Hotel gefunden, das *Harbor Court* hieß. *bor Co, bor C.* Ich sah immer wieder die kleinen, schwarzen Buchstaben auf den Fetzen verbrannten Papiers vor mir. Das Hotel war eines der luxuriösesten in der ganzen Stadt, und es befand sich direkt am Harbor Place.
»Ich will Ihnen sagen, was mir nicht in den Kopf will«, fuhr Marino fort, als wieder ein Taxi an uns vorbeifuhr. »Wozu der ganze Aufwand? Miss Harper bringt sich um, okay? Wozu aber sollte sie sich die Mühe machen und es auf so geheimnisvolle Weise tun? Ergibt das für Sie irgendeinen Sinn?«
»Sie war eine stolze Frau. Vielleicht schämte sie sich, Selbstmord zu begehen. Vielleicht wollte sie nicht, daß jemand dahinterkam, und vielleicht entschloß sie sich dazu, sich das Leben zu nehmen, weil ich in ihrem Haus war.«

»Warum?«
»Vielleicht wollte sie nicht, daß ihre Leiche erst nach einer Woche gefunden würde.« Der Verkehr war schrecklich, und ich begann mich zu fragen, ob wir zu Fuß zum Hafen gehen würden müssen.
»Und Sie glauben wirklich, daß sie etwas von dieser Isomer-Geschichte gewußt hat?«
»Ich glaube schon«, sagte ich.
»Wieso?«
»Weil sie sich sicher einen würdigen Tod wünschte, Marino. Es ist möglich, daß sie schon eine geraume Zeit an Selbstmord gedacht hatte, für den Fall, daß ihre Leukämie ins akute Stadium träte. Sie wollte vielleicht nicht lange leiden oder anderen lange zur Last fallen. Levorphanol war dafür genau das Richtige. Wenn man im Haus eine Flasche mit Hustenstiller finden würde, der Dextromethorphan enthielte, schien es ziemlich unwahrscheinlich, daß es entdeckt werden würde.«
»Ohne Quatsch?« fragte er sich verwundert, als, Gott sei Dank, ein Taxi aus dem vorbeifließenden Verkehr auf uns zusteuerte. »Ich bin beeindruckt, wirklich.«
»Es ist tragisch.«
»Ich weiß nicht.« Er packte einen Kaugummi aus und begann, mit Hingabe zu kauen. »Also ich würde mich nicht mit Schläuchen in meiner Nase an ein Krankenhausbett fesseln lassen. Vielleicht würde ich genau dasselbe tun wie sie.«
»Sie hat sich nicht umgebracht, weil sie Krebs hatte.«
»Ich weiß«, sagte er, als wir vom Gehsteig auf die Straße traten. »Aber es hängt damit zusammen, das muß es ganz einfach. Sie hatte sowieso nicht mehr lange zu leben, und dann wurde auch noch Beryl abgemurkst. Und kurz darauf ihr Bruder.« Er zuckte mit den Achseln. »Wozu dann noch weiterleben?«

Wir stiegen in das Taxi, und ich gab dem Fahrer die Adresse. 15 Minuten lang fuhren wir schweigend dahin. Dann wurde das Taxi sehr langsam und kroch durch einen engen Torbogen in einen Innenhof zwischen Ziegelwänden, den Beete bunter Zierpflanzen und kleine Bäume schmückten. Ein Portier in Frack und Zylinder erschien sofort neben mir und geleitete mich in eine großartige, lichterfüllte Lobby, die ganz in Rosa und Cremefarben gehalten war. Alles war neu, sauber und auf Hochglanz poliert. Frische Blumen standen auf edlem Mobiliar, und aufgewecktes Personal war überall sofort zur Stelle, ohne im geringsten aufdringlich zu wirken. Man führte uns in ein geschmackvoll eingerichtetes Büro, in dem ein gutgekleideter Manager gerade telefonierte. T. M. Bland, wie ein Namensschild aus Messing auf seinem Tisch verriet, sah uns an und beendete hastig sein Gespräch. Marino verschwendete keine Zeit und teilte ihm gleich mit, was er wollte.
»Unsere Gästeliste ist leider streng vertraulich«, antwortete Mr. Bland mit einem liebenswürdigen Lächeln.
Marino ließ sich in einen Ledersessel fallen und zündete sich, trotz des unübersehbaren »VIELEN DANK, DASS SIE HIER NICHT RAUCHEN«-Schildes an der Wand, eine Zigarette an, bevor er seine Brieftasche hervorholte und seine Dienstmarke zeigte.
»Mein Name ist Pete Marino«, sagte er kurz angebunden. »Von der Polizei in Richmond, Mordkommission. Dies hier ist Dr. Kay Scarpetta, Chief Medical Examiner von Virginia. Wir verstehen verdammt gut, daß Sie Ihre Gästeliste vertraulich behandeln, und rechnen das Ihrem Hotel auch hoch an, Mr. Bland. Aber sehen Sie, Sterling Harper ist tot. Ihr Bruder, Cary Harper, ist tot. Und Beryl Madison ist auch tot. Wir wissen nicht genau, was Miss Harper zugestoßen ist. Deshalb sind wir hier.«

»Ich habe in den Zeitungen darüber gelesen, Detective Marino«, erwiderte Mr. Bland, dessen Haltung zu bröckeln begann. »Natürlich wird unser Hotel Sie in dieser Sache unterstützen, so gut es kann.«
»Wollen Sie damit sagen, daß die von mir genannten Personen hier Gäste waren?« fragte Marino.
»Cary Harper war niemals Gast hier.«
»Aber seine Schwester und Beryl Madison.«
»Das ist richtig«, bestätigte Mr. Bland.
»Wie oft und wann zum letzten Mal?«
»Da muß ich bei Miss Harpers Rechnungen nachschauen«, antwortete Mr. Bland. »Würden Sie mich bitte einen Moment entschuldigen?«
Er ließ uns nicht länger als 15 Minuten warten, und als er dann zurückkam, überreichte er uns einen Computerausdruck.
»Wie Sie hier sehen«, erklärte er und setzte sich wieder, »waren Miss Harper und Beryl Madison in den letzten eineinhalb Jahren sechsmal bei uns.«
»Alle zwei Monate«, dachte ich laut, als ich die Daten auf dem Ausdruck überflog, »außer in der letzten Augustwoche und in den letzten Oktobertagen. Da schien Miss Harper allein hier gewesen zu sein.«
»Was war der Grund ihres Aufenthaltes?« fragte Marino.
»Vielleicht Geschäftliches. Vielleicht wollten sie auch einkaufen. Oder sich ganz einfach nur entspannen. Ich weiß es wirklich nicht. In diesem Hotel pflegt man die Gäste nicht auszuforschen.«
»Ja, ja«, brummte Marino. »Und ich pflege auch nicht, mich einen feuchten Kehrricht um das zu kümmern, was Ihre Gäste machen, außer wenn sie plötzlich tot sind, Mr. Bland. Könnten Sie jetzt bitte den ganzen professionellen Verschwiegenheitskram ganz einfach vergessen und mir erzäh-

len, was Ihnen bei den Aufenthalten der beiden Damen aufgefallen ist?«
Mr. Blands Lächeln fror ein, er griff nach einem goldenen Kugelschreiber, der auf einem Notizblock lag, und schien danach selbst nicht mehr zu wissen, wozu diese Aktion eigentlich gut sein sollte. Er steckte den Stift in die Brusttasche seines gestärkten rosa Hemds und räusperte sich.
»Ich kann Ihnen nur sagen, was ich bemerkt habe«, äußerte er schließlich.
»Tun Sie das, bitte!« forderte Marino ihn auf.
»Die beiden Damen kamen getrennt voneinander an. Normalerweise erschien Miss Harper einen Abend vor Beryl Madison, und meistens verließen sie das Hotel auch zu verschiedenen Zeiten und, äh, nicht zusammen.«
»Was meinen Sie damit, daß sie es zu verschiedenen Zeiten verließen?«
»Ich meine, daß sie sich zwar am gleichen Tag an der Rezeption abmeldeten, dies aber nicht unbedingt zusammen taten, und daß sie auch nicht unbedingt mit demselben Verkehrsmittel abreisten. Nicht in demselben Taxi, zum Beispiel.«
»Fuhren sie beide zu demselben Bahnhof?« fragte ich.
»Mir kam es so vor, als hätte Miss Madison häufig das Auto zum Flughafen genommen«, antwortete Mr. Bland. »Aber Miss Harper, glaube ich, pflegte mit dem Zug zu reisen.«
»Wie waren sie untergebracht?« erkundigte ich mich und studierte den Ausdruck.
»Genau«, mischte sich Marino ein. »Auf diesem Wisch steht nichts über ihr Zimmer.« Er tippte mit seinem Zeigefinger auf den Computerausdruck. »Hatten sie ein Doppel- oder ein Einzelzimmer? Sie wissen schon, ein Bett oder zwei?«
Mr. Bland stieg bei dieser Unterstellung die Röte ins Gesicht.

»Sie hatten immer ein Doppelzimmer mit Blick aufs Wasser«, antwortete er. »Sie wohnten hier als Gäste des Hotels, Detective Marino, und wenn Sie solche Details unbedingt wissen müssen, dann müssen Sie mir aber auch garantieren, daß nichts davon an die Öffentlichkeit gelangt.«
»Hey, sehe ich denn etwa aus wie ein gottverdammter Reporter?«
»Heißt das, daß sie in Ihrem Hotel wohnten, ohne zu bezahlen?« fragte ich verwirrt.
»Ja, Madam.«
»Würden Sie mir das bitte erklären?« fragte Marino.
»Es geschah auf Wunsch von Joseph McTigue«, antwortete Mr. Bland.
»Wie bitte?« Ich lehnte mich vor und sah ihn durchdringend an. »Der Bauunternehmer aus Richmond? Sprechen Sie von *diesem* Joseph McTigue?«
»Der verstorbene Mr. McTigue war mit an der Sanierung des Hafenviertels beteiligt und ist unter anderem auch Teilhaber an diesem Hotel«, antwortete Mr. Bland. »Es war sein Wunsch, daß Miss Harper hier umsonst untergebracht würde, und nach seinem Tod haben wir das beibehalten.«
Ein paar Minuten später steckte ich dem Türsteher einen Dollarschein zu und stieg mit Marino in ein Taxi.
»Würden Sie mir freundlicherweise erzählen, wer um alles in der Welt Joseph McTigue ist?« fragte Marino, als wir in den Verkehr eintauchten. »Ich habe das Gefühl, daß Sie etwas über ihn wissen.«
»Ich habe seine Frau in Richmond besucht. In Chamberlayne Gardens, das habe ich Ihnen doch erzählt.«
»Mein lieber Schwan.«
»Ja, mich hat es auch umgehauen.«
»Würden Sie mir vielleicht sagen, wie, in drei Teufels Namen, Sie sich das zusammenreimen?«

Ich wußte es auch nicht genau, aber in mir begann sich ein Verdacht zu regen.
»Mir kommt das alles ziemlich spanisch vor«, fuhr er fort. »Zunächst einmal, warum nimmt Miss Harper den Zug, während Beryl fliegt, obwohl doch beide dasselbe Ziel haben?«
»Das ist doch gar nicht so ungewöhnlich«, erwiderte ich. »Sie konnten doch auf keinen Fall zusammen reisen, Marino. Weder Miss Harper noch Beryl konnten dieses Risiko eingehen. Erinnern Sie sich, die beiden durften doch nichts miteinander zu tun haben! Vielleicht holte Cary Harper seine Schwester am Bahnhof ab, und wenn sie und Beryl zusammen gereist wären, hätte Beryl dort kaum unerkannt verschwinden können.« Ich machte eine kurze Pause, denn mir kam ein Gedanke. »Es könnte ja sein, daß Miss Harper Beryl bei ihrem Buch geholfen und ihr Hintergrundinformationen über die Familie Harper beschafft hat.«
Marino schaute aus dem Fenster auf seiner Seite.
Er fragte provozierend: »Wollen Sie wissen, was ich glaube? Für mich waren die beiden Damen Lesben, die es hinter verschlossenen Türen trieben.«
Ich sah, wie der Fahrer uns im Rückspiegel neugierig musterte.
»Ich glaube, daß sie sich liebten«, sagte ich einfach.
»Und vielleicht hatten sie eine kleine Affäre miteinander, trafen sich alle zwei Monate hier in Baltimore, wo niemand sie kannte oder sich um sie kümmerte. Wissen Sie«, beharrte Marino, »vielleicht ist Beryl deshalb auch ausgerechnet nach Key West geflohen. Als weibliche Schwule hat sie sich dort wahrscheinlich zu Hause gefühlt.«
»Ihre Homophobie ist schon fast pathologisch, und außerdem geht sie mir schrecklich auf die Nerven, Marino. Sie

sollten sich vorsehen. Manche Leute könnten sich fragen, was mit Ihnen los ist.«

»Ja, stimmt«, sagte er humorlos.

Ich schwieg.

Er fuhr fort: »Vielleicht hat sich auch Beryl da unten eine kleine Freundin angelacht.«

»Dann sollten Sie diesem Verdacht mal nachgehen.«

»Ohne mich. Ich lasse mich in der Aids-Hochburg von Amerika von keinem gottverdammten Moskito beißen. Und außerdem verstehe ich unter Spaß etwas anderes, als mit einem Haufen Schwuler zu reden.«

»Haben Sie veranlaßt, daß die Polizei in Florida ihre Kontakte dort unten überprüft?« fragte ich ernsthaft.

»Ein paar Polizisten haben sich dort umgesehen. Sie erzählten, es sei ein trauriger Job gewesen. Sie trauten sich nicht, etwas zu essen oder das Wasser zu trinken. Einer von den Schwuchteln aus dem Restaurant, von dem sie in ihren Briefen geschrieben hat, starb gerade an Aids, als sie mit ihm sprachen. Die Polizisten mußten die ganze Zeit Gummihandschuhe tragen.«

»Während der Verhöre?«

»Ja, und Gesichtsmasken, jedenfalls, als sie mit diesem sterbenden Kerl sprachen. Er hat ihnen auch nicht weitergeholfen, keine der Informationen war einen Pfifferling wert.«

»Das kann ich mir vorstellen«, bemerkte ich. »Wenn Sie die Leute wie Aussätzige behandeln, werden sie Ihnen kaum etwas erzählen.«

»Wenn Sie mich fragen, sollte man diesen Teil Floridas absägen und aufs Meer hinaustreiben lassen.«

»Nun, glücklicherweise fragt Sie niemand«, entgegnete ich.

Als ich am Abend nach Hause kam, warteten eine Reihe von Mitteilungen auf meinem Anrufbeantworter auf mich.

Ich hoffte, daß eine von Mark dabei wäre. Ich setzte mich auf die Kante meines Betts, trank ein Glas Wein und hörte gleichgültig auf die Stimmen, die aus dem Gerät tönten.
Bertha, meine Haushälterin, hatte die Grippe und teilte mir mit, daß sie morgen nicht kommen könne. Der Generalstaatsanwalt wollte mich morgen zum Frühstück treffen und teilte mir ferner mit, daß Beryl Madisons Nachlaßverwalter wegen des verschwundenen Manuskripts Klage eingereicht habe. Drei Reporter hatten angerufen, um eine Stellungnahme dazu zu bekommen, und meine Mutter wollte wissen, ob ich an Weihnachten Truthahn oder Schinken essen wolle, womit sie auf ihre nicht gerade subtile Art herauszufinden versuchte, ob sie wenigstens an einem Feiertag in diesem Jahr mit mir rechnen konnte.
Die schwer atmende Stimme, die folgte, kannte ich nicht.
». . . du hast so hübsches, blondes Haar. Ist es echt, oder hast du es gebleicht, Kay?«
Ich spulte das Band zurück. In panischer Hast öffnete ich die Nachttischschublade.
». . . Ist es echt, oder hast du es gebleicht, Kay? Ich habe dir ein kleines Geschenk auf die Veranda gelegt.«
Verwirrt und mit meinem Ruger in der Hand spulte ich das Band noch einmal zurück. Die Stimme war fast nur ein Flüstern und klang sehr ruhig und bedacht. Es war ein Weißer. Ich konnte keinen Akzent und auch keine Gefühlsregung in der Stimme entdecken. Meine Schritte auf der Treppe klangen nervenaufreibend laut. In jedem Zimmer, an dem ich vorbei kam, schaltete ich das Licht ein. Die Veranda lag hinter der Küche. Mein Herz klopfte heftig, als ich auf eine Seite des großen Fensters trat und die Vorhänge einen winzigen Spalt öffnete. Den Revolver hielt ich erhoben, den Lauf an die Decke gerichtet.

Licht sickerte auf die Veranda, vertrieb die Dunkelheit vom Rasen und ließ die Bäume als fahle Formen vor der Schwärze des Waldes am Rand meines Grundstückes erscheinen. Nichts lag auf dem Ziegelboden der Veranda, und auch auf den Stufen konnte ich nichts entdecken. Ich nahm den Türknopf in die Hand und stand ganz still. Mein Herz hämmerte wie wild, als ich den Riegel zurückschob. Beim Öffnen der Tür bemerkte ich ein kaum wahrnehmbares Schaben an ihrer hölzernen Außenseite, und als ich sah, was über dem äußeren Türknopf hing, warf ich die Tür so heftig zu, daß die Fenster zitterten.
Marino klang, als habe ich ihn aus dem Bett geholt.
»Kommen Sie sofort her!« schrie ich in den Hörer, wobei meine Stimme eine Oktave höher als üblich war.
»Bewahren Sie Ruhe«, sagte er ruhig und bestimmt. »Öffnen Sie niemandem, bis ich bei Ihnen bin. Haben Sie das kapiert? Ich bin auf dem Weg.«

Vier Streifenwagen standen hintereinander auf der Straße vor meinem Haus, und im Unterholz des nahen Waldes zerschnitten die Lichtstrahlen der Polizeitaschenlampen die Dunkelheit.
»Die Hundestaffel ist unterwegs«, sagte Marino und stellte sein tragbares Funkgerät auf meinen Küchentisch. »Ich bezweifle zwar, daß der Penner noch irgendwo hier herumlungert, aber bevor wir wieder weggehen, wollen wir hundertprozentig sicher sein.«
Zum ersten Mal überhaupt sah ich Marino in Jeans, und er hätte fast lässig gestylt ausgesehen, wären da nicht ein Paar weiße Tennissocken, die billigen Turnschuhe und das graue Sweatshirt gewesen, das ihm eine Nummer zu klein war. Die Küche roch nach frisch gebrühtem Kaffee. Ich hatte so viel gemacht, daß er für die halbe Nachbarschaft gereicht

hätte. Ich blickte hektisch umher und suchte nach einer Beschäftigung.
»Erzählen Sie mir das Ganze noch einmal in aller Ruhe«, bat Marino und zündete sich eine Zigarette an.
»Ich hörte die Nachrichten auf meinem Anrufbeantworter ab«, begann ich noch einmal. »Die letzte davon kam von dieser Stimme. Weiß, männlich, jung. Sie müssen sie selber hören. Er sagte etwas über meine Haare, wollte wissen, ob ich sie gebleicht hätte.« Marinos Blicke glitten unverschämterweise zu meinen Haarwurzeln. »Dann sagte er, daß er auf der Veranda ein Geschenk für mich hinterlassen hätte. Ich ging hinunter, schaute aus dem Fenster und sah nichts. Ich weiß nicht, was ich erwartete. Ich weiß es wirklich nicht. Vielleicht irgend etwas Abscheuliches in einer Schachtel, als Geschenk verpackt. Als ich die Tür öffnete, hörte ich, wie etwas am Holz schabte. Es hing über dem äußeren Knauf.«
Mitten auf dem Tisch lag ein Beweismittelbeutel aus durchsichtigem Plastik, und in diesem befand sich ein merkwürdiges goldenes Medaillon an einer dicken Goldkette.
»Sind Sie sicher, daß es sich um dasselbe handelt, das Harper in der Gastwirtschaft trug?« fragte ich ihn noch einmal.
»Na klar«, antwortete Marino mit zusammengezogenem Gesicht. »Da gibt es nichts dran zu rütteln. Und auch nicht daran, wo sich das Ding in der Zwischenzeit befunden hat. Der Irre hat es Harpers Leiche abgenommen, und jetzt haben Sie es als ein verfrühtes Weihnachtsgeschenk bekommen. Sieht aus, als habe Sie unser Freund ins Herz geschlossen.«
»Bitte!« rief ich ungeduldig aus.
»Hey. Ich nehme die Sache ernst, okay?« Er lächelte nicht, als er den Beutel heranzog und den Anhänger durch das Plastik untersuchte. »Haben Sie bemerkt, daß die Schließe verbogen ist, ebenso wie der kleine Ring da unten? Es sieht

so aus, als wären beide kaputtgegangen, als er das Medaillon von Harpers Hals riß. Dann hat er sie vermutlich mit einer Zange wieder zurechtgebogen. Verdammte Scheiße, vielleicht hat er die Kette in der Zwischenzeit sogar getragen.«
Er streifte seine Zigarettenasche ab.
»Haben Sie an Harpers Hals irgendeinen Einschnitt von der Kette gefunden?«
»Es war nicht mehr viel übrig von seinem Hals«, erwiderte ich matt.
»Haben Sie so ein Medaillon schon mal gesehen?«
»Nein.«
Es sah aus wie ein Wappen aus achtzehnkarätigem Gold, aber es war nichts eingraviert, außer der Jahreszahl 1906 auf der Rückseite.
»Die vier Juwelier-Stempel auf der Rückseite legen die Vermutung nahe, daß das Ding aus England stammt«, sagte ich. »Diese Zeichen sind ein weitverbreiteter Code, der angibt, wann, wo und von wem das Medaillon hergestellt wurde. Ein Juwelier könnte ihn entschlüsseln. Eines ist sicher, es kommt nicht aus Italien –«
»Doc –«
»Dann wäre nämlich die Zahl 750 eingeschlagen, was dort soviel wie achtzehn Karat Gold bedeutet. 500 entspricht vierzehn Karat und –«
»*Doc . . .*«
»Ich kenne einen Schmucksachverständigen bei Schwarzschild –«
»Hey«, rief Marino. »Es ist nicht wichtig, okay?«
Ich hatte drauflos geschwatzt wie eine hysterische alte Frau. »Selbst ein ganzer dämlicher Stammbaum mit allen Leuten, die diesen Anhänger jemals besessen haben, kann uns nicht die wichtigste Information geben – den Namen des Irren,

der ihn an Ihre Tür gehängt hat.« Sein Blick wurde ein wenig sanfter und seine Stimme leiser. »Was gibt's denn in Ihrer Hütte zu trinken? Brandy. Haben Sie Brandy?«
»Sie sind im Dienst.«
»Doch nicht für mich«, lachte er. »Für Sie. Kommen Sie, schenken Sie sich soviel ein.« Mit Daumen und Zeigefinger markierte er etwa fünf Zentimeter. »Dann reden wir weiter.«
Ich ging zur Bar und kam mit einem kleinen Kognakschwenker zurück. Der Brandy brannte in meinem Magen und begann sofort, mich von innen zu wärmen. Ich hörte auf, innerlich zu zittern und zu beben. Marino sah mich neugierig an. Seine Aufmerksamkeit rief mir eine Menge Dinge ins Bewußtsein. Ich trug noch immer dasselbe verknitterte Kostüm, das ich auf unserer Zugfahrt zurück von Baltimore angehabt hatte. Meine Strumpfhosen kniffen mich an der Taille und waren an den Knien ausgeleiert. Ich verspürte ein überwältigendes Bedürfnis, mein Gesicht zu waschen und die Zähne zu putzen. Meine Kopfhaut juckte. Ich sah sicher schrecklich aus.
»Dieser Kerl macht bestimmt keine leeren Drohungen«, bemerkte Marino ruhig, während ich meinen Brandy schlürfte.
»Vielleicht will er mir nur einen Schrecken einjagen, weil ich mich mit dem Fall beschäftige. Er macht sich lustig über mich. Es ist nicht ungewöhnlich, daß Psychopathen die Ermittlungsbehörden verhöhnen und ihnen Souvenirs schicken.« Ich war selbst nicht so ganz davon überzeugt, und Marino glaubte es gar nicht.
»Ich werde ein oder zwei Streifen draußen postieren. Wir werden Ihr Haus beobachten«, entschied er. »Und ich habe noch ein paar Verhaltensmaßregeln für Sie. Befolgen Sie sie buchstabengetreu. Keine Sperenzchen, bitte.« Er sah mir in

die Augen. »Zunächst möchte ich, daß Sie alle Ihre Gewohnheiten über Bord werfen. Wenn Sie zum Beispiel normalerweise immer am Freitagnachmittag zum Lebensmittelhändler gehen, dann gehen Sie das nächste Mal am Mittwoch, und zwar zu einem anderen Laden. Setzen Sie keinen Fuß vors Haus oder aus Ihrem Auto, ohne daß Sie sich zuerst umgesehen haben. Wenn Ihnen irgend etwas Ungewöhnliches auffällt, zum Beispiel ein fremdes Auto, das in der Straße parkt, oder daß irgend jemand auf Ihrem Grundstück war, geben Sie Gas und hauen Sie ab, respektive bleiben Sie im Haus, verrammeln Sie Fenster und Türen und rufen Sie die Polizei. Und wenn Sie im Haus sind und irgend etwas bemerken – damit meine ich, wenn Sie auch nur ein unheimliches Gefühl verspüren –, laufen Sie raus, suchen Sie ein Telefon und verständigen Sie die Polizei. Bitten Sie einen Beamten, Sie ins Haus zu begleiten und nachzusehen, ob alles in Ordnung ist.«

»Ich habe eine Alarmanlage«, erwiderte ich.

»Genau wie Beryl.«

»Sie hat den Bastard hereingelassen.«

»Und Sie lassen niemanden herein, den Sie nicht ganz sicher kennen.«

»Was wird er tun? Meine Alarmanlage umgehen?« hakte ich nach.

»Alles ist möglich.«

Ich erinnerte mich, daß Wesley dasselbe gesagt hatte.

»Verlassen Sie Ihr Büro nie nach Einbruch der Dunkelheit oder wenn niemand in der Nähe ist. Das gleiche gilt, wenn Sie es betreten. Sollte es normalerweise noch dunkel und der Parkplatz leer sein, wenn Sie ins Büro gehen, fahren Sie in Zukunft ein wenig später hin. Lassen Sie Ihren Anrufbeantworter eingeschaltet. Nehmen Sie jedes Gespräch auf. Wenn er noch einmal anruft, verständigen Sie mich sofort. Noch

ein paar Anrufe, und wir können eine Fangschaltung legen lassen –«
»So, wie Sie es bei Beryl getan haben?« Ich wurde langsam sauer. Er antwortete nicht.
»Was ist, Marino? Wird man auch diesen Fall erst dann ernst nehmen, wenn es zu spät ist, um mir damit zu helfen?«
»Wollen Sie, daß ich heute nacht auf Ihrer Couch schlafe?« erkundigte er sich ruhig.
Mir graute auch so schon vor dem Morgen, da mußte ich nicht auch noch Marino in Boxershorts und einem straff über seinem Bauch gespannten T-Shirt hier haben, der barfuß in Richtung Badezimmer watschelte. Vermutlich klappte er auch den Toilettensitz nicht wieder herunter.
»Ich komme schon zurecht«, sagte ich.
»Sie haben doch einen Waffenschein, oder?«
»Zum verdeckten Tragen einer Waffe?« fragte ich. »Nein, habe ich nicht.«
Er schob seinen Stuhl zurück und entschied: »Ich werde mich darüber morgen früh mit Judge Reinhard unterhalten. Wir werden Ihnen einen besorgen.«
Das war alles. Es würde gleich Mitternacht schlagen.
Ein paar Augenblicke später war ich allein und konnte nicht schlafen. Ich trank einen weiteren Brandy, dann noch einen, lag im Bett und starrte an die dunkle Zimmerdecke. Wenn einem im Leben ständig schlimme Dinge widerfahren, fangen die anderen langsam an, sich zu fragen, ob man Unglück, Gefahr und Pannen wie ein Magnet anzieht. Auch ich stellte mir diese Frage jetzt. Vielleicht hatte Ethridge recht. Ich ließ mich zu sehr von meinen Fällen vereinnahmen und ging damit Risiken ein. Ich hatte mich schon einige Male zuvor in brenzligen Situationen befunden, die mich leicht in die ewigen Jagdgründe hätten bringen können.
Als ich schließlich doch noch ermattet einschlief, träumte ich

fürchterlichen Unsinn. Ethridge brannte sich mit Zigarrenglut ein Loch in die Weste. Fielding arbeitete an einer Leiche, die schon aussah wie ein Nadelkissen, weil er keine Arterie finden konnte, die noch etwas Blut hergab. Marino hüpfte auf einem Springstock einen steilen Hügel hinauf, und ich wußte, daß er umfallen würde.

## 12

Am frühen Morgen stand ich in meinem dunklen Wohnzimmer und starrte hinaus auf die Schatten und Silhouetten in meinem Garten.

Mein Plymouth war noch nicht aus der Werkstatt zurück. Als ich draußen den übergroßen Kombiwagen sah, auf den ich weiterhin angewiesen war, fragte ich mich, wie schwer es wohl einem ausgewachsenen Mann fallen würde, sich darunter zu verstecken und mich am Fuß zu packen, wenn ich die Fahrertür öffnete. Er würde mich gar nicht umbringen müssen. Ich würde schon vorher an einem Herzinfarkt sterben. Die Straße war leer, und Straßenlaternen brannten trübe. Ich spähte durch die kaum geöffneten Vorhänge und entdeckte nichts. Ich hörte nichts. Nichts schien außergewöhnlich. Vermutlich war Cary Harper auch nichts außergewöhnlich erschienen, als er von der Gaststätte nach Hause fuhr.

Mein verabredetes Frühstück mit dem Generalstaatsanwalt sollte in weniger als einer Stunde stattfinden. Wenn ich nicht bald den Mut aufbrachte, die zehn Meter Gehsteig von meiner Vordertür zum Auto zu überwinden, würde ich zu spät kommen. Ich beobachtete die Büsche und Sträucher, die an meinen vorderen Rasen angrenzten, und unterzog ihre bewegungslosen Silhouetten einer genauen Prüfung, als der

Himmel langsam heller wurde. Der Mond schimmerte rund wie eine weiße Prunkwinde, und das Gras glänzte silbrig gefroren.

Wie war er zu ihren Häusern, wie zu *meinem Haus* gelangt? Er mußte doch über irgendein Fortbewegungsmittel verfügen. Über die Transportmöglichkeiten des Mörders hatten wir bisher zu wenig nachgedacht. Dabei ist die Art des Fahrzeugs ein genauso wichtiger Teil des Täterprofils wie Alter und Rasse, und trotzdem hatte sich noch niemand, nicht einmal Wesley, dazu geäußert. Ich fragte mich, warum, während ich hinaus auf die leere Straße starrte. Auch Wesleys düsteres Auftreten in Quantico machte mir immer noch zu schaffen.

Ich erzählte Ethridge von meinen Sorgen, als wir unser Frühstück aßen.

»Es kann sein, daß es ganz einfach Dinge gibt, die Wesley Ihnen nicht sagen will«, schlug er vor.

»Aber er war bisher immer sehr offen mir gegenüber.«

»Das FBI neigt zur Geheimniskrämerei, Kay.«

»Wesley erstellt Täterprofile«, erwiderte ich. »Er hat immer freizügig seine Theorien und Meinungen verkündet. Aber in diesem Fall verrät er nichts. Er hat für diese Morde auch noch kein richtiges Täterprofil erarbeitet. Und irgendwie hat er sich verändert. Er hat auf einmal keinen Humor mehr und kann mir kaum mehr in die Augen schauen. Das ist unheimlich und geht mir schrecklich auf die Nerven.«

Ich atmete tief durch.

Dann fragte Ethridge: »Sie fühlen sich immer noch isoliert, oder etwa nicht, Kay?«

»Ja, Tom.«

»Und ein kleines bißchen paranoid.«

»Auch das«, gab ich zu.

»Vertrauen Sie mir, Kay? Glauben Sie, daß ich auf Ihrer Seite

stehe und nur Ihr Bestes im Sinn habe?« wollte er von mir wissen.
Ich nickte und atmete noch einmal tief durch.
Wir sprachen mit gedämpften Stimmen im Speisesaal des Capitol Hotels, einem beliebten Treffpunkt von Politikern und Geldadel. Drei Tische neben uns saß Senator Partin, sein bekanntes Gesicht kam mir noch verknitterter vor als sonst, und er sprach mit einem jungen Mann, den ich irgendwo schon einmal gesehen hatte.
»Wir alle fühlen uns isoliert und paranoid, wenn wir gestreßt sind. Wir glauben, allein in der Wildnis zu sein.« Ethridges Augen sahen mich freundlich an, aber sein Gesicht war besorgt.
»Ich bin allein in der Wildnis«, erwiderte ich. »Ich fühle mich so, weil es wahr ist.«
»Ich kann mir gut vorstellen, warum Wesley beunruhigt ist.«
»Natürlich.«
»Und was mich an Ihnen beunruhigt, Kay, ist, daß Sie Ihre Theorien auf Intuition aufbauen und Ihrem Instinkt vertrauen. Manchmal kann das sehr gefährlich sein.«
»Manchmal vielleicht schon. Aber es kann auch sehr gefährlich sein, wenn man die Sachen komplizierter gestaltet, als sie sind. Mord ist normalerweise niederschmetternd einfach.«
»Aber nicht immer.«
»Fast immer, Tom.«
»Sie meinen also nicht, daß Sparacinos Machenschaften etwas mit diesen Morden zu tun haben?« wollte der Generalstaatsanwalt wissen.
»Ich glaube, daß wir uns sehr leicht von diesen Machenschaften ablenken lassen könnten. Es wäre doch auch möglich, daß Sparacinos Aktionen und die des Killers wie Züge

auf parallelen Gleisen nebeinander herlaufen. Beide sind gefährlich, ja sogar tödlich. Aber sie sind verschieden und stehen in keinem Zusammenhang miteinander. Sie werden nicht von derselben Kraft angetrieben.«

»Sie meinen nicht, daß das vermißte Manuskript in Verbindung mit den Morden steht?«

»Ich weiß es nicht.«

»Sind Sie denn der Wahrheit noch nicht nähergekommen?«

Diese Befragung erweckte in mir das Gefühl, als habe ich meine Hausaufgaben nicht gemacht. Ich wünschte, er hätte mich nicht gefragt.

»Nein, Tom«, gab ich zu. »Ich habe keine Ahnung, wo es ist.«

»Wäre es möglich, daß Sterling Harper es kurz vor ihrem Tod verbrannt hat?«

»Ich glaube nicht. Der Dokumentensachverständige hat sich die verbrannten Papiere angesehen und als Hadernpapier von hoher Qualität identifiziert. Das ist sehr teures Briefpapier oder ein Papier, das Notare für Urkunden verwenden. Es ist sehr unwahrscheinlich, daß jemand den Entwurf für ein Buch auf einem solchen Papier schreibt. Es ist viel wahrscheinlicher, daß Miss Harper Briefe oder andere persönliche Papiere verbrannt hat.«

»Briefe von Beryl Madison?«

»Wir können das nicht ausschließen«, antwortete ich, obwohl ich es selbst schon mit ziemlicher Sicherheit ausgeschlossen hatte.

»Oder vielleicht waren es Cary Harpers Briefe?«

»Wir haben eine ziemlich große Anzahl seiner privaten Papiere im Haus gefunden«, sagte ich. »Es gibt kein Anzeichen dafür, daß irgend jemand sie kürzlich in der Hand gehabt hat.«

»Wenn die Briefe von Beryl Madison stammten, warum hätte sie Miss Harper dann verbrennen sollen?«
»Das weiß ich nicht«, antwortete ich. Allerdings wußte ich, daß Ethridge schon wieder an Sparacino dachte.
Sparacino handelte schnell. Ich hatte die ganzen 32 Seiten seiner Klageschrift gelesen. Sparacino verklagte mich, die Polizei und den Gouverneur. Als ich das letzte Mal mit Rose gesprochen hatte, hatte sie mir gesagt, daß das *People*-Magazin angerufen und ein Fotograf dieser Zeitschrift Bilder von unserem Gebäude aufgenommen habe, nachdem ihm der Eintritt verwehrt worden sei. Langsam wurde ich berühmt-berüchtigt. Ich entwickelte mich aber auch zu einer Expertin im Verweigern jeglichen Kommentars, die es meisterhaft verstand, sich rar zu machen.
»Sie meinen, daß wir es mit einem Verrückten zu tun haben, oder?« fragte mich Ethridge geradeheraus.
Das dachte ich, egal, ob nun eine orangefarbene Acrylfaser eine Verbindung zu Terroristen herstellte oder nicht. Und ich sagte es ihm auch.
Er schaute auf seinen halb leer gegessenen Teller, und als er die Augen wieder hob, brachte mich das, was ich in ihnen sah, aus der Fassung. Es war Trauer und Enttäuschung. Und ein schreckliches Zögern.
»Kay«, begann er, »was ich Ihnen jetzt sagen muß, fällt mir nicht leicht.«
Ich nahm ein Biskuit.
»Aber Sie müssen es wissen. Ganz gleich, was wirklich geschieht oder warum, ganz gleich, was Sie persönlich glauben oder meinen, Sie müssen mir jetzt zuhören.«
Ich entschloß mich, lieber zu rauchen, als zu essen, und holte meine Zigaretten heraus.
»Ich habe da einen Gewährsmann. Es muß Ihnen genügen,

wenn ich sage, daß er über die Aktivitäten des Justizministeriums Bescheid weiß –«
»Es geht um Sparacino«, unterbrach ich.
»Es geht um Mark James«, verbesserte er.
Wenn der Generalstaatsanwalt mir einen Fluch entgegengeschleudert hätte, hätte er mich damit kaum mehr geschockt.
Ich fragte: »Was ist mit Mark?«
»Ich glaube, diese Frage sollte lieber ich Ihnen stellen, nicht wahr, Kay?«
»Was genau meinen Sie damit?«
»Sie wurden vor einigen Wochen zusammen mit ihm in New York gesehen. In Gallaghers Steakhouse.« Es entstand eine unangenehme Pause, als er hustete und dann überflüssigerweise bemerkte: »Ich war schon seit Jahren nicht mehr dort.«
Ich starrte auf den Rauch, der von meiner Zigarette aufstieg.
»Wenn ich mich recht erinnere, waren die Steaks dort ganz ordentlich . . .«
»Hören Sie auf, Tom«, bat ich ruhig.
»Eine Menge gutgelaunter Iren dort, die viel saufen und immer einen Witz auf Lager haben –«
»Hören Sie auf damit, verdammt noch mal«, unterbrach ich ihn, ein wenig zu laut.
Senator Partin schaute direkt zu uns herüber, in seinen Augen erwachte schwache Neugier, als er zuerst Ethridge und dann mich erkannte. Unser Ober war auf einmal zur Stelle, goß Kaffee nach und fragte, ob wir noch etwas benötigten. Mir war es unangenehm warm.
»Machen Sie sich nicht lustig über mich, Tom«, bat ich. »Wer hat mich gesehen?«
Er schob die Frage beiseite. »Wichtig ist nur, woher Sie Mark James kennen.«
»Ich kenne ihn schon sehr lange.«

»Das ist keine Antwort.«
»Seit meinem Jurastudium.«
»Standen Sie sich nahe?«
»Ja.«
»Waren Sie seine Geliebte?«
»Mein Gott, Tom.«
»Es tut mir leid, Kay, aber es ist wichtig.« Er tupfte sich seine Lippen mit der Serviette ab und griff nach dem Kaffee. Seine Augen wanderten durch den Speisesaal. Ethridge fühlte sich absolut nicht wohl in seiner Haut.
»Sagen wir einmal, daß Sie in New York fast die ganze Nacht zusammen mit ihm verbrachten. Im Omni-Hotel.«
Meine Wangen brannten wie Feuer.
»Ihr Privatleben geht mich überhaupt nichts an, Kay, auch niemand anderen. Außer in diesem einen, sehr wichtigen Fall. Wissen Sie, es tut mir wirklich leid.« Er räusperte sich und blickte mich wieder an. »Verdammt. Das Justizministerium ermittelt gegen Marks Komplizen, Sparacino –«
»Seinen *Komplizen*?«
»Das Ganze ist sehr ernst, Kay«, fuhr Ethridge fort. »Ich weiß nicht, wie Mark James war, als Sie ihn während des Jurastudiums kannten, aber ich weiß, was aus ihm seitdem geworden ist. Ich kenne seine Akte. Seit man Sie mit ihm gesehen hat, habe ich ein paar Nachforschungen angestellt. Er hatte vor sieben Jahren eine Menge Ärger in Talahassee. Organisierte Erpressung und Betrug. Er wurde wegen dieser Verbrechen verurteilt und saß sogar eine Zeitlang im Gefängnis. Nach dieser Geschichte wurde er Sparacinos Partner, der unter Verdacht stand, mit dem organisierten Verbrechen in Verbindung zu stehen.«
Ich fühlte mich, als würde mir eine Klammer das Herz zusammendrücken, und ich mußte bleich geworden sein, denn Ethridge gab mir schnell ein Glas Wasser und wartete

geduldig, bis ich mich wieder gefangen hatte. Aber als ich ihm wieder in die Augen sah, fuhr er dort fort, wo ich seine niederschmetternde Aussage unterbrochen hatte.

»Mark hat niemals für Orndorff & Berger gearbeitet, Kay. In der Kanzlei kennt man ihn überhaupt nicht. Was mich nicht wundert. Mark James könnte gar nicht als Rechtsanwalt arbeiten. Er ist aus der Anwaltskammer ausgeschlossen worden. Es sieht so aus, als ob er ganz einfach nur Sparacinos persönlicher Handlanger sei.«

»Arbeitet denn Sparacino für Orndorff & Berger?« gelang es mir zu fragen.

»Er ist ihr Anwalt für die Unterhaltungsbranche. Insofern stimmt die Geschichte«, antwortete er.

Ich sagte nichts und kämpfte mit meinen Tränen.

»Halten Sie sich fern von ihm, Kay«, riet Ethridge, und seine Stimme, die versuchte, sanft zu klingen, hörte sich an wie eine rauhe Liebkosung. »Um Himmels willen, brechen Sie die Geschichte ab. Was auch immer Sie mit ihm haben, brechen Sie es ab.«

»Ich habe nichts mit ihm«, sagte ich aufgewühlt.

»Wann hatten Sie das letzte Mal Kontakt mit ihm?«

»Vor einigen Wochen. Er rief mich an. Wir sprachen kaum länger als eine halbe Minute.«

Er nickte, als habe er nichts anderes erwartet. »Ein gehetztes Leben. Der Preis der Kriminalität. Ich möchte bezweifeln, daß Mark James jemals lange Telefongespräche führt, und ebenso möchte ich bezweifeln, daß er sich Ihnen nähert, ohne etwas von Ihnen zu wollen. Erzählen Sie mir, wieso Sie sich mit ihm in New York getroffen haben.«

»Er wollte mich sehen, mich vor Sparacino warnen.«

Und lahm fügte ich hinzu: »Jedenfalls hat er das behauptet.«

»Und hat er Sie vor ihm gewarnt?«

»Ja.«

»Was hat er gesagt?«
»Genau dasselbe, was auch Sie mir über Sparacino erzählt haben.«
»Warum hat Mark Ihnen das erzählt?«
»Er sagte, daß er mich beschützen wolle.«
»Glauben Sie das?«
»Ich weiß nicht, was, zum Teufel, ich noch glauben soll«, erwiderte ich.
»Lieben Sie diesen Mann?«
Ich starrte den Generalstaatsanwalt stumm mit versteinerten Augen an.
Er sagte sehr ruhig: »Ich muß wissen, wie verletzbar Sie sind. Bitte denken Sie nicht, daß mir das Spaß macht, Kay.«
»Meinen Sie etwa, mir macht es Spaß, Tom?« fragte ich, und meine Stimme überschlug sich fast dabei.
Ethridge nahm seine Serviette von seinem Schoß und faltete sie sorgfältig zusammen, bevor er sie unter den Rand seines Tellers schob.
»Ich habe Grund zu der Befürchtung«, flüstete er, so leise, daß ich mich vorbeugen mußte, um ihn zu verstehen, »daß Mark James Ihnen schreckliches Unheil zufügen könnte, Kay. Es besteht der begründete Verdacht, daß er hinter dem Einbruch in Ihr Büro stecken könnte –«
»Was für ein Verdacht?« Ich unterbrach ihn mit erhobener Stimme. »Wovon sprechen Sie überhaupt? Haben Sie Beweise –«
Die Worte blieben mir im Mund stecken, weil Senator Partin und sein junger Begleiter auf einmal an unserem Tisch standen. Ich hatte gar nicht bemerkt, daß sie aufgestanden und zu uns herübergekommen waren. Ich sah in ihren Gesichtern, daß sie sich bewußt waren, eine angespannte Unterhaltung unterbrochen zu haben.
»John, wie schön, Sie zu sehen.« Ethridge schob seinen Stuhl

zurück. »Sie kennen doch die Chefin der Gerichtsmedizin, Kay Scarpetta, oder?«
»Aber natürlich. Wie geht es Ihnen, Dr. Scarpetta?«
Der Senator schüttelte lächelnd meine Hand, aber seine Augen schienen weit entfernt. »Und dies ist mein Sohn, Scott.«
Ich bemerkte, daß Scott weder die derben, ziemlich grobschlächtigen Gesichtszüge seines Vaters noch seine kleine, untersetzte Statur geerbt hatte. Der junge Mann sah unglaublich gut aus, groß, sportlich, und sein hübsches Gesicht wurde von herrlichem, schwarzem Haar umrahmt. Er war etwa 20, und in seinen Augen brannte eine Überheblichkeit, die mich irritierte. Die freundliche Unterhaltung nahm meine Bestürzung nicht von mir, und ebensowenig fühlte ich mich besser, als Vater und Sohn uns schließlich wieder allein ließen.
»Ich habe ihn irgendwo schon einmal gesehen«, sagte ich zu Ethridge, nachdem der Ober uns frischen Kaffee nachgegossen hatte.
»Wenn? John?«
»Nein, nein, natürlich habe ich den Senator schon vorher gesehen. Ich spreche von seinem Sohn. Scott. Er kommt mir sehr bekannt vor.«
»Sie haben ihn vermutlich im Fernsehen gesehen«, antwortete er und schaute verstohlen auf seine Uhr. »Er ist Schauspieler, jedenfalls versucht er, einer zu werden. Ich glaube, er hatte einige kleinere Rollen in diversen Seifenopern.«
»Ach, du meine Güte«, murmelte ich.
»Vielleicht auch ein paar winzige Nebenrollen in Filmen. Er war in Kalifornien und lebt jetzt in New York.«
»Nein«, sagte ich verblüfft.
Ethridge setzte seine Kaffeetasse ab und sah mich mit ruhigen Augen an.

»Woher wußte er, daß wir heute morgen hier frühstücken würden, Tom?« fragte ich und konnte nur mit Mühe meine Stimme ruhig halten, als ich mich plötzlich wieder erinnerte. Gallaghers. Der junge Mann, der ein paar Tische von Mark und mir entfernt allein sein Bier getrunken hatte.
»Ich weiß nicht, woher er es wußte«, antwortete Ethridge, in seinen Augen leuchtete stille Zufriedenheit. »Lassen Sie mich nur soviel sagen, daß es mich nicht erstaunt, Kay. Der junge Partin beschattet mich schon seit Tagen.«
»Er ist nicht Ihr Informant im Justizministerium . . .«
»Großer Gott, nein«, erwiderte Ethridge trocken.
»Sparacino?«
»Das glaube ich auch. Das ergäbe auch den meisten Sinn, meinen Sie nicht, Kay?«
»Wieso?«
Er studierte die Rechnung und erklärte dann: »Um sich auf dem laufenden zu halten. Um zu spionieren. Oder um einzuschüchtern.« Er blickte auf zu mir. »Suchen Sie sich etwas aus.«
Scott Partin war mir wie einer von diesen jungen Männern vorgekommen, die sich selbst genügen und einen schwermütigen Glanz ausstrahlen. Ich erinnerte mich daran, daß er die *New York Times* gelesen und trübsinnig ein Bier getrunken hatte. Ich hatte ihn nur deshalb am Rande wahrgenommen, weil extrem schöne Menschen, ähnlich wie phantastische Blumenarragements, nur schwer zu übersehen sind.
Ich verspürte den Drang, Marino alles darüber zu berichten, als wir später am Tag im Aufzug meines Büros in den ersten Stock fuhren.
»Ich bin sicher«, wiederholte ich, »daß er bei Gallaghers zwei Tische entfernt von uns gesessen hat.«
»Und er war ohne Begleitung?«

»Richtig. Er hat gelesen und ein Bier getrunken. Ich glaube nicht, daß er etwas gegessen hat, aber so genau kann ich mich nicht mehr daran erinnern«, antwortete ich, als wir durch einen großen Lagerraum gingen, der nach Pappe und Staub roch.
Mein Herz und Hirn rotierten, während ich versuchte, wieder einer von Marks Lügen auf den Grund zu gehen. Mark hatte behauptet, daß Sparacino von meiner Reise nach New York nichts gewußt habe und daß er nur aus Zufall in dem Steakhouse aufgetaucht sei. Das konnte nicht stimmen. Der junge Partin hatte an diesem Abend den Auftrag gehabt, mir nachzuspionieren, und das war nur möglich, wenn Sparacino gewußt hatte, daß ich mit Mark dort hingehen würde.
»Nun, man kann die Sache auch anders sehen«, meinte Marino, als wir durch die staubigen Eingeweide des Gebäudes gingen.
»Sagen wir, Partin hält sich in New York unter anderem damit über Wasser, daß er ab und zu einmal für Sparacino herumschnüffelt, okay? Es könnte sein, daß Partin von Sparacino Mark hinterhergeschickt wurde und nicht Ihnen. Denken Sie dran, daß Sparacino es war, der Mark das Steakhaus empfahl –; oder wenigstens hat Mark Ihnen das erzählt. Also hatte Sparacino allen Grund zu der Annahme, daß Mark an diesem Abend dort essen würde. Sparacino beordert Partin hin, um herauszufinden, was Mark dort tat. Partin geht in das Lokal, sitzt allein da und trinkt sein Bier, bis Sie beide hereinkommen. Vielleicht ist er kurz aufgestanden und hat Sparacino angerufen, um ihm seine Entdeckung mitzuteilen. Bingo! Bald darauf spaziert Sparacino zur Tür herein.«
Ich hätte das gerne geglaubt.
»Es ist nur eine Theorie«, fügte Marino hinzu.
Ich wußte, daß ich es nicht glauben konnte. Die Wahrheit, erinnerte ich mich brutal, war, daß Mark mich betrogen

hatte, daß er genau der Kriminelle war, als den Ethridge ihn geschildert hatte.
»Sie müssen alle Möglichkeiten in Betracht ziehen«, schloß Marino.
»Natürlich«, murmelte ich.
Wir gingen einen weiteren Gang entlang und blieben vor einer schweren Metalltür stehen. Nachdem ich den richtigen Schlüssel gefunden hatte, betraten wir den Schießstand, auf dem unsere Sachverständigen für Schußwaffen schon mit so gut wie jeder der Menschheit bekannten Waffe Testschüsse abgegeben haben. Es war ein trister, bleiverseuchter Raum mit Wänden aus Betonziegeln. Eine Lochplatte, an der unzählige Revolver, Pistolen und Maschinenpistolen hingen, welche die Gerichte eingezogen und schließlich dem Labor zur Verfügung gestellt hatten, nahm eine ganze Wand ein. In Regalen an der anderen Wand standen aneinandergereiht Schrotflinten und Gewehre. Die hintere Wand schließlich war in der Mitte stahlarmiert und mit den Einschlaglöchern von Tausenden von Schüssen, die im Lauf der Jahre auf sie abgegeben worden waren, übersät. Marino schlenderte in eine Ecke des Raumes, in der die Torsi, Hüften, Köpfe und Beine nackter Schaufensterpuppen wirr durcheinanderlagen, so daß der Haufen auf gespenstische Weise an ein Massengrab in Auschwitz erinnerte.
»Sie bevorzugen helles Fleisch, oder?« fragte er und wählte eine bleiche, fleischfarbene, männliche Brust.
Ich ignorierte ihn und öffnete die Schatulle mit meinem Ruger aus rostfreiem Stahl. Plastik klapperte, als Marino in dem Haufen herumwühlte, bis er schließlich den Kopf eines Weißen mit aufgemalten braunen Haaren und Augenbrauen gefunden hatte, den er auf die Brust steckte. Beides zusammen stellte er dann auf eine Pappschachtel vor der Stahlwand, etwa 30 Schritt entfernt von uns.

»Sie haben ein Magazin, um ihn wegzupusten«, sagte Marino.
Ich lud meinen Revolver und sah auf, als Marino aus seinem Gürtel eine 9-Millimeter Automatikpistole zog. Er zog den Schlitten zurück, entnahm das Magazin und ließ ihn wieder nach vorne schnappen.
»Fröhliche Weihnachten«, bemerkte er und hielt mir die gesicherte Waffe mit dem Griff nach vorne vor die Nase.
»Nein, vielen Dank«, antwortete ich so höflich wie möglich.
»Ihr Ding da hustet fünfmal, und dann sind Sie weg vom Fenster.«
»Nur wenn ich daneben schieße.«
»Unsinn, Doc. Jeder schießt ein paar Schüsse daneben. Das Problem ist, daß Sie mit dieser Ruger da nicht mehr als ein paar haben.«
»Ich gebe lieber ein paar gutgezielte Schüsse mit meinem Revolver ab, als daß ich mit Ihrer Bleispritze da unkontrolliert herumballere.«
»Aber sie besitzt einfach viel mehr Feuerkraft.«
»Ich weiß. Auf 15 Meter Entfernung hat sie ungefähr 100 Pfund pro Quadratfuß mehr Aufschlagkraft als meine, wenn ich Silvertips-P-Munition benütze.«
»Und Sie haben mit der Automatikpistole dreimal mehr Schuß zur Verfügung«, ergänzte Marino.
Ich hatte schon vorher mit 9-Millimeter-Pistolen geschossen, und ich mochte sie nicht. Sie trafen ihre Ziele nicht so genau wie meine 38er Spezial. Sie waren auch nicht so funktionssicher, weil sie manchmal zu Ladehemmungen neigten. Ich hatte nie Qualität durch Quantität ersetzt, und Sachkenntnis und Training konnte man sowieso durch nichts ersetzen.
»Ein Schuß genügt«, sagte ich und setzte mir ein paar Ohrenschützer auf.

»Ja. Wenn er zwischen die Augen oder direkt ins Herz trifft.«
Ich nahm die linke Hand zu Hilfe, um den Revolver ruhig zu halten, und drückte mehrmals ab. Ich traf die Puppe einmal in den Kopf, dreimal in die Brust, und die fünfte Kugel streifte ihre linke Schulter. All das geschah innerhalb von Sekunden. Der Kopf und der Torso fielen von dem Karton herunter und schlugen mit einem dumpfen Geräusch gegen die Stahlwand. Wortlos legte Marino die 9-Millimeter auf einen Tisch und zog seine 357er aus dem Schulterhalfter. Ich wußte, daß ich ihn gekränkt hatte. Ohne Zweifel hatte es ihn eine Menge Mühe gekostet, die Automatik für mich zu besorgen. Er hatte geglaubt, mir damit einen Gefallen zu erweisen.
»Vielen Dank, Marino«, sagte ich.
Er ließ die Trommel einschnappen und hob langsam seinen Revolver. Ich wollte noch bemerken, daß ich seine Fürsorge zu schätzen wußte, aber mir war klar, daß er mich weder hören konnte noch wollte.
Ich trat einen Schritt zurück, als er sechs Schuß abgab, so daß der Kopf der Schaufensterpuppe wie wild auf dem Boden herumtanzte. Er stopfte hastig neue Patronen in die Trommel und machte sich über den Torso her. Als er fertig war, lag beißender Pulverdampf in der Luft, und ich war mir sicher, daß ich nie zur Zielscheibe seiner mörderischen Wut werden wollte.
»Es gibt doch nichts Schöneres, als auf jemanden zu schießen, der am Boden liegt«, stellte ich ironisch fest.
»Da haben Sie recht.« Er zog die Stöpsel aus seinen Ohren. »Es gibt wirklich nichts Schöneres.«
Wir zogen einen Holzrahmen heran, der in einer Deckenschiene lief, und befestigten eine Zielscheibe aus Papier an ihm. Als die Patronenschachtel leer war und ich mich wie-

der einmal davon überzeugt hatte, daß ich noch in der Lage war, ein Scheunentor zu treffen, verschoß ich noch ein paar Silvertips, um den Lauf durchzublasen, bevor ich ihn mit einem Gewehrreinigungstuch säuberte. Der Geruch des Mittels erinnerte mich immer an Quantico.

»Soll ich Ihnen mal meine Meinung verraten?« fragte Marino, der seine Waffe ebenfalls reinigte. »Was Sie zu Hause brauchen, ist eine Schrotflinte.«

Ich sagte nichts und legte die Ruger zurück in ihre Schatulle.

»Wissen Sie, so etwas wie eine halbautomatische Remington, drei Zoll Doppelnull Magnum. Das wäre, als würden Sie einen Kerl mit 15 von Ihren Kugeln auf einmal treffen, dreimal so viel, wie Sie ihm mit dreimal Nachladen hineinpusten können. Wir sprechen von 45 gottverdammten Bleiklumpen. Wen das trifft, der hat ausgelitten.«

»Marino«, erwiderte ich ruhig, »ich komme auch so ganz gut zurecht, okay? Ich brauche kein riesiges Waffenarsenal.«

Er sah mich an, und seine Augen waren hart. »Wissen Sie überhaupt, wie es ist, auf einen Kerl zu schießen, der trotzdem immer näher kommt?«

»Nein, das weiß ich nicht«, antwortete ich.

»Nun, ich weiß es. Als ich noch Polizist in New York war, schoß ich mein ganzes Magazin auf so eine Bestie leer, die auf Trip war und völlig durchdrehte. Ich traf den Bastard viermal im Oberkörper, und es hat ihn nicht im geringsten aufgehalten. Es war wie bei Stephen King, der Kerl kam auf mich zu wie ein verdammter Zombie.«

Ich fand in den Taschen meines Labormantels ein paar Papiertaschentücher und wischte mir damit das Gewehröl von den Fingern.

»Der Irre, der Beryl durch ihr Haus gejagt hat, war so einer, Doc. Wie dieser Verrückte, von dem ich gerade gesprochen

habe. Was auch immer er tut, wenn er einmal losgelegt hat, ist er durch nichts mehr aufzuhalten.«
»Der Mann in New York«, fragte ich, »ist er gestorben?«
»O ja. In der Notaufnahme. Wir wurden in demselben Notarztwagen ins Krankenhaus gebracht. Das war vielleicht eine Fahrt!«
»Hatte er Sie schwer verletzt?«
Marino antwortete mit undurchdringlicher Miene: »Nö. Sie brauchten nur achtundsiebzig Stiche, um mich wieder zusammenzuflicken. Fleischwunden. Sie haben mich noch nie ohne Hemd gesehen. Der Kerl hatte ein Messer.«
»Wie schrecklich«, murmelte ich.
»Ich mag keine Messer, Doc.«
»Ich auch nicht«, stimmte ich zu.
Wir verließen den Schießstand. Ich fühlte mich schmutzig vom Gewehröl und den Pulverrückständen. Schießen ist viel schmutziger, als viele Leute meinen.
Als wir zurückgingen, holte Marino seine Brieftasche heraus und gab mir eine kleine weiße Karte.
»Ich habe doch gar keinen Antrag ausgefüllt«, sagte ich, als ich ziemlich verdattert auf die Lizenz starrte, die mir das verdeckte Tragen einer Waffe erlaubte.
»Ja, nun, Richter Reinhard schuldete mir noch einen Gefallen.«
»Danke, Marino.«
Er lächelte, als er mir die Tür aufhielt.

* * *

Entgegen Wesleys und Marinos Verhaltensregeln und wider mein eigenes besseres Wissen blieb ich so lange im Büro, bis es draußen dunkel und der Parkplatz leer war. Ich hatte es aufgegeben, auf meinem Schreibtisch Ordnung zu schaf-

fen, und ein Blick auf meinen Terminkalender hatte mir den Rest gegeben.
Rose hatte mein Leben systematisch umorganisiert. Verabredungen hatte sie um Wochen verschoben oder abgesagt und Vorlesungen sowie Lehrautopsien auf Fielding übertragen. Der Leiter des Gesundheitsamtes, mein unmittelbarer Vorgesetzter, hatte dreimal versucht, mich zu erreichen, und wollte schließlich wissen, ob ich krank sei.
Fielding sprang mit wachsendem Geschick für mich ein. Rose tippte seine Autopsieprotokolle und Diktate. Sie arbeitete mehr für ihn als für mich. Die Erde hatte nicht aufgehört, sich zu drehen, bloß weil ich nicht im Büro war, und meine Dienststelle funktionierte ohne Probleme, weil ich meine Angestellten mit Bedacht eingestellt und gut ausgebildet hatte. Ich fragte mich, wie sich Gott wohl gefühlt haben mochte, als er sah, daß die Welt, die er geschaffen hatte, ihn nicht länger zu benötigen glaubte.
Ich fuhr nicht gleich nach Hause, sondern nach Chamberlayne Gardens. An den Wänden der Aufzugskabine hingen noch immer dieselben überholten Anschläge. Ich fuhr zusammen mit einer ausgemergelten, kleinen Frau nach oben, die ihre einsamen Augen die ganze Fahrt über nicht von mir abwendete und sich an ihren Krückstock krallte wie ein Vogel an seinen Ast.
Ich hatte Mrs. McTigue nicht von meinem Kommen unterrichtet. Als sich nach wiederholtem lautem Klopfen die Tür Nr. 378 endlich öffnete, spähte sie fragend aus ihrem mit viel zu vielen Möbeln und von lauten Geräuschen aus dem Fernseher angefüllten Bau heraus.
»Mrs. McTigue?« stellte ich mich noch einmal vor. Ich war nicht sicher, ob sie mich wiedererkennen würde.
Die Tür öffnete sich weiter, und ihr Gesicht hellte sich nun auf.

»Ja, ach, natürlich. Wie schön, daß Sie vorbeischauen. Wollen Sie nicht hereinkommen?«
Sie trug einen rosafarbenen, gesteppten Hausmantel und die dazu passenden Slipper. Als ich ihr in das Wohnzimmer folgte, schaltete sie den Fernseher aus und nahm eine Decke vom Sofa, auf dem sie offensichtlich gerade etwas Früchtebrot und Saft zu sich genommen und sich dabei die Abendnachrichten angesehen hatte.
»Bitte entschuldigen Sie«, sagte ich. »Ich habe Sie beim Abendessen gestört.«
»Aber nein. Ich habe nur etwas geknabbert. Darf ich Ihnen eine Erfrischung anbieten?« fragte sie hastig.
Ich lehnte dankend ab und setzte mich, während sie herumlief und aufräumte. Mich überkamen auf einmal herzzerreißende Erinnerungen an meine eigene Großmutter, deren Humor ungebrochen war, selbst als sie den Verfall ihres eigenen Körpers mit ansehen mußte. Ich werde nie vergessen, wie sie uns in dem Sommer vor ihrem Tod in Miami besucht hatte und ich mit ihr zum Einkaufen gegangen war. Wir waren mitten in Woolworths gestanden, als an ihrer »Windel«, die sie sich aus einer Männerunterhose und Damenbinden gebastelt hatte, eine Sicherheitsnadel aufgegangen und die »Windel« ihr bis zu den Knien heruntergerutscht war. Sie hatte schnell alles zusammengerafft, und wir waren zur nächsten Damentoilette geeilt, wobei wir beide so sehr gelacht hatten, daß ich selbst fast die Kontrolle über meine Blase verloren hatte.
»Der Wetterbericht sagt, daß es heute nacht vielleicht schneien wird«, bemerkte Mrs. McTigue, als sie sich hinsetzte.
»Es ist sehr feucht draußen«, antwortete ich zerstreut. »Und es ist kalt genug für Schnee.«
»Ich glaube nicht, daß er liegenbleiben wird.«

»Ich fahre nicht gerne im Schnee«, bemerkte ich, während mein Verstand an schweren, unangenehmen Dingen arbeitete.
»Vielleicht bekommen wir dieses Jahr weiße Weihnachten. Wäre das nicht etwas Besonderes?«
»Ja, das wäre wirklich etwas Besonderes.« Ich hielt vergeblich nach irgendeinem Anzeichen Ausschau, daß sich eine Schreibmaschine in dem Appartement befand.
»Ich kann mich nicht erinnern, wann wir das letzte Mal weiße Weihnachten hatten.«
Mit ihrer hektischen Unterhaltung versuchte sie, ihre innere Unruhe zu überdecken. Sie wußte, daß ich aus einem bestimmten Grund gekommen war, und ahnte, daß ich keine guten Neuigkeiten brachte.
»Sind Sie sicher, daß ich Ihnen nichts zu trinken bringen soll? Ein Glas Portwein vielleicht?«
»Nein, vielen Dank«, sagte ich.
Stille.
»Mrs. McTigue«, begann ich. Ihre Augen waren so verletzlich und unsicher wie die eines Kindes. »Könnten Sie mir vielleicht das Foto noch einmal zeigen? Das, welches Sie mir gezeigt haben, als ich das letzte Mal bei Ihnen war.«
Sie blinzelte ein paar Mal. Ihr Lächeln war dünn und bleich wie eine Narbe.
»Das Foto von Beryl Madison«, fügte ich hinzu.
»Aber sicher, warum nicht?« antwortete sie und stand langsam auf. Sie schien resigniert, als sie zum Sekretär ging, um es zu holen. Sie gab mir das Foto, und ich sah Furcht oder vielleicht auch nur Verwirrung in ihrem Gesicht.
Ich bat sie, mir auch den Umschlag und das leicht getönte Papier zu geben, in welchem das Foto gelegen hatte.
Ich wußte sofort, als ich das Blatt in der Hand fühlte, daß es sich um Hadernpapier handelte, und als ich es gegen das

Licht hielt, sah ich das Crane-Wasserzeichen durchschimmern. Ich blickte flüchtig auf das Foto, und nun machte Mrs. McTigue einen völlig verwirrten Eindruck.
»Es tut mir leid«, entschuldigte ich mich. »Ich weiß, daß Sie sich fragen, was um alles in der Welt ich da mache.«
Sie war sprachlos.
»Mir ist etwas aufgefallen. Das Foto sieht viel älter aus als das Papier.«
»Das stimmt«, bestätigte sie und wendete ihre angsterfüllten Augen nicht von mir ab. »Ich habe das Foto in Joes Papieren gefunden und zur Aufbewahrung in den Umschlag gesteckt.«
»Ist das Ihr Briefpapier?« erkundigte ich mich so wohlwollend wie möglich.
»O nein.« Sie griff nach ihrem Saft und nahm vorsichtig einen Schluck. »Es gehörte meinem Mann, aber ich habe es für ihn ausgesucht. Es war ein sehr schön gedrucktes Geschäftspapier, müssen Sie wissen. Nach seinem Dahinscheiden habe ich die nicht bedruckten Blätter und die Briefumschläge aufgehoben. Ich besitze mehr davon, als ich jemals verbrauchen könnte.«
Es gab nur den einen Weg. Ich mußte sie direkt fragen.
»Mrs. McTigue, besaß Ihr Mann eine Schreibmaschine?«
»Ja, wieso? Ich habe sie meiner Tochter gegeben. Sie wohnt in Falls Church. Ich schreibe meine Briefe immer mit der Hand. Jetzt allerdings nicht mehr so viele, wegen meiner Arthritis.«
»Was war das für eine Schreibmaschine?«
»Ach, du liebe Güte. Ich erinnere mich nicht mehr daran, außer daß sie elektrisch war und ziemlich neu«, stammelte sie. »Joe gab seine Schreibmaschine alle paar Jahre gegen eine neue in Zahlung. Wissen Sie, sogar als diese Computer kamen, bestand er darauf, seine Korrespondenz weiterhin

so zu erledigen, wie er es immer getan hatte. Burt – das war sein Büroleiter – drängte Joe jahrelang, doch den Computer zu benützen, aber Joe mußte immer seine Schreibmaschine haben.«

»Zu Hause oder im Büro?«

»Beides. Er blieb oft lange auf und arbeitete zu Hause an seinem Schreibtisch.«

»Hat er mit den Harpers korrespondiert, Mrs. McTigue?«

Sie hatte ein Papiertaschentuch aus der Tasche ihres Hausmantels geholt und drehte es zwischen ihren Fingern.

»Es tut mir leid, daß ich Ihnen so viele Fragen stelle«, beharrte ich sanft.

Sie starrte auf ihre knorrigen, dünnhäutigen Hände und sagte nichts.

»Bitte«, drängte ich ruhig. »Wenn es nicht wichtig wäre, würde ich Sie nicht fragen.«

»Es geht um sie, oder?« Das Papiertaschentuch war zerrissen, und sie sah immer noch nicht auf.

»Sterling Harper.«

»Ja.«

»Bitte, Mrs. McTigue, sagen Sie es mir.«

»Sie war sehr schön. Und so graziös. Eine sehr feine Dame«, erwiderte Mrs. McTigue.

»Hat Ihr Mann mit Miss Harper korrespondiert?« fragte ich.

»Ich bin mir ziemlich sicher.«

»Warum glauben Sie das?«

»Ich überraschte ihn ein- oder zweimal dabei, wie er einen Brief schrieb. Er behauptete immer, es handele sich um etwas Geschäftliches.«

Ich sagte nichts.

»Ja, mein Joe.« Sie lächelte, aber ihre Augen waren tot. »Was für ein Frauenheld. Wissen Sie, er küßte den Damen immer die Hand, und sie fühlten sich dabei wie Königinnen.«

»Hat Miss Harper ihm auch geschrieben?« fragte ich zögernd, denn ich wollte die alte Wunde nicht noch weiter aufreißen.
»Nicht, daß ich wüßte.«
»Er schrieb ihr, aber sie beantwortete seine Briefe nie?«
»Joe war ein Mann des Wortes. Er sagte immer, daß er eines Tages ein Buch schreiben werde. Und immer hat er irgend etwas gelesen.«
»Jetzt verstehe ich, warum ihm Cary Harper so gefiel«, bemerkte ich.
»Mr. Harper telefonierte oft mit meinem Mann, besonders, wenn es ihm schlechtging. Ich glaube, man nennt so etwas eine Schreibsperre. Er rief dann Joe an, und die beiden sprachen über eine Menge interessanter Dinge. Literatur und was weiß ich noch alles.« Das Papiertaschentuch bestand nur noch aus kleinen Stückchen zerfetzten Papiers in ihrem Schoß. »Joes Lieblingsschriftsteller war Faulkner, hätten Sie das erraten? Er mochte auch Hemingway und Dostojewski. Als wir uns den Hof machten, lebte ich in Arlington und er hier. Er schrieb mir die schönsten Briefe, die Sie sich vorstellen können.«
Briefe, wie er sie auch seiner späteren Geliebten geschrieben hatte, dachte ich. Briefe, wie er sie der umwerfenden, unverheirateten Sterling Harper geschrieben hatte, die sie gütigerweise vor ihrem Tod verbrannte, weil sie nicht das Herz und auch nicht die Erinnerungen seiner Witwe vergiften wollte.
»Sie haben sie also gefunden«, sagte sie nur.
»Die Briefe an sie?«
»Ja. Seine Briefe.«
»Nein.« Es war vielleicht die gnädigste Halbwahrheit, die ich je geäußert hatte. »Nein, ich kann nicht behaupten, daß wir irgend etwas in dieser Art gefunden haben. Die Polizei hat keine Briefe Ihres Mannes in der persönlichen Hinterlas-

senschaft der Harpers gefunden, weder mit dem Geschäftsbriefkopf Ihres Mannes noch irgend etwas intimerer Natur, das Sterling Harper gegolten haben könnte.«
Ihr Gesicht entspannte sich, als ich meine abschlägige Antwort vertiefte.
»Haben Sie selbst eigentlich die Harpers kennengelernt? Bei einer Einladung zum Beispiel?« fragte ich.
»Aber ja. Zweimal, wenn ich mich richtig erinnere. Einmal kam Mr. Harper zu einer Dinnerparty. Und bei einer anderen Gelegenheit haben die Harpers und Beryl Madison bei uns übernachtet.«
Das stachelte meine Neugier an. »Wann haben sie bei Ihnen übernachtet?«
»Ein paar Monate bevor Joe starb. Ich schätze, es muß wohl so um Neujahr herum gewesen sein, einen Monat oder zwei nachdem Beryl vor unserer Gruppe gesprochen hatte. Eigentlich bin ich mir ziemlich sicher, denn wir hatten noch den Christbaum im Haus. Daran erinnere ich mich. Daß sie da war, bedeutete einen Festtag für mich.«
»Daß Beryl da war?«
»O ja! Ich freute mich so. Ich glaube, die drei hatten in New York geschäftlich zu tun gehabt. Soviel ich weiß, hatten sie Beryls Agent besucht. Sie landeten auf ihrem Nachhauseweg in Richmond und waren so freundlich, über Nacht bei uns zu bleiben. Oder sagen wir so, die Harpers blieben über Nacht bei uns, da Beryl ja in Richmond wohnte. Spät am Abend hat Joe sie nach Hause gebracht, und am nächsten Morgen fuhr er die Harpers nach Williamsburg.«
»Erinnern Sie sich noch an diesen Abend?« fragte ich.
»Lassen Sie mich mal sehen . . . Ich erinnere mich, daß ich eine Lammkeule gebraten hatte. Sie kamen mit Verspätung vom Flughafen, weil Mr. Harpers Koffer verlorengegangen war.«

Das geschah vor fast einem Jahr, dachte ich. Damals hatte, soviel uns bekannt war, Beryl noch keine Drohung erhalten.
»Sie waren ziemlich müde von der Reise«, fuhr Mrs. McTigue fort. »Aber Joe war so gut. Er war der liebenswürdigste Gastgeber, den Sie sich je wünschen könnten.«
Hatte Mrs. McTigue es damals beobachtet? Hatte sie an der Art, wie ihr Mann Miss Harper angesehen hatte, gemerkt, daß er in sie verliebt war?
Ich dachte daran, wie abwesend Marks Augen in den lang vergangenen letzten Tagen unserer Beziehung ausgesehen hatten. Als ich auf einmal, rein instinktiv, alles gewußt hatte. Ich hatte gewußt, daß er nicht an mich dachte, und trotzdem hatte ich nicht glauben können, daß er in eine andere verliebt war, bis er es mir schließlich erzählte.
»Es tut mir leid, Kay«, hatte er gesagt, als wir zum letzten Mal in unserer Lieblingsbar in Georgetown zusammen Irish Coffee getrunken hatten und winzige Schneeflocken aus einem grauen Himmel auf die schönen Paare heruntergewirbelt waren, die, eingepackt in Wintermäntel und bunte gestrickte Schals, vorbeiflaniert waren. »Du weißt, daß ich dich liebe, Kay.«
»Aber nicht so, wie ich dich liebe«, hatte ich geantwortet, und der schlimmste Schmerz, den ich je verspürt hatte, hatte mein Herz zusammengepreßt.
Er hatte die Augen gesenkt. »Ich wollte dir nie weh tun.«
»Natürlich wolltest du das nicht.«
»Es tut mir leid. Es tut mir so leid.«
Ich hatte gewußt, daß das stimmte. Es hatte ihm wirklich und aufrichtig leid getan, aber es hatte überhaupt nichts mehr geändert.
Ich habe nie ihren Namen erfahren, denn ich wollte ihn nicht erfahren, und sie war auch nicht die Frau, die er, wie er mir

erzählte, später geheiratet hatte. Janet, die dann gestorben war. Aber vielleicht war auch das eine Lüge gewesen.

». . . er konnte ganz schön jähzornig sein.«

»Wer?« fragte ich und bemerkte auf einmal wieder Mrs. McTigue vor mir.

»Mr. Harper«, antwortete sie und sah dabei sehr müde aus. »Er war so gereizt gewesen wegen seines Koffers. Glücklicherweise kam er schon mit dem nächsten Flug.« Sie verstummte. »Meine Güte. Es kommt mir vor, als sei es schon so lange her, und dabei ist es das gar nicht.«

»Wie war Beryl?« fragte ich. »Erinnern Sie sich noch, wie sie an diesem Abend war?«

»Und sie alle sind jetzt tot.« Die Hände in ihrem Schoß erstarrten, als sie in diesen dunklen, leeren Spiegel sah. Alle waren sie tot, außer ihr. Die Gäste dieses so herbeigesehnten und zugleich fürchterlichen Abendessens waren nur noch blasse Gespenster.

»Wir sprechen von ihnen, Mrs. McTigue. Sie sind immer noch bei uns.«

»Vermutlich ist das so«, erwiderte sie, und Tränen funkelten in ihren Augen.

»Wir brauchen ihre Hilfe, und sie brauchen die unsere.«

Sie nickte.

»Erzählen Sie mir von diesem Abend«, forderte ich sie wieder auf. »Von Beryl.«

»Sie war sehr still. Ich erinnere mich, daß sie dauernd ins Feuer starrte.«

»Und sonst?«

»Es gab da einen Vorfall.«

»Was für einen Vorfall, Mrs. McTigue?«

»Irgend etwas zwischen ihr und Mr. Harper schien nicht in Ordnung zu sein«, sagte sie.

»Warum? Haben sie sich gestritten?«

»Gleich als der Botenjunge den Koffer gebracht hatte, machte Mr. Harper ihn auf und nahm einen Umschlag mit Papieren heraus. Ich weiß nicht, worum es sich handelte. Aber er hatte schrecklich viel getrunken.«
»Was passierte dann?«
»Er geriet in einen ziemlich heftigen Wortwechsel mit seiner Schwester und Beryl. Dann nahm er die Papiere und warf sie einfach ins Feuer. Er schrie: ›Das halte ich davon! Es ist Mist, Mist!‹ Oder so ähnlich.«
»Wissen Sie, was er verbrannt hat? War es vielleicht ein Vertrag?«
»Ich erinnere mich, daß ich den Eindruck hatte, es handelte sich um etwas, das Beryl geschrieben hatte. Ich glaube, es waren mit Schreibmaschine beschriebene Seiten, und seine Wut schien sich gegen Beryl zu richten.«
Die Autobiographie, an der sie schrieb, dachte ich. Oder vielleicht ein Exposé dazu, über das Miss Harper, Beryl und Sparacino mit einem immer wütender werdenden und außer Kontrolle geratenden Cary Harper in New York diskutiert hatten. »Joe ging dazwischen«, erzählte Mrs. McTyne weiter und krallte ihre entstellten Finger zusammen, um ihren Schmerz zurückzuhalten.
»Was tat er?«
»Er fuhr sie heim«, sagte sie. »Er fuhr Beryl Madison nach Hause.« Sie verstummte und starrte mich voller Furcht an. »Deshalb ist es passiert. Ich weiß es.«
»Was ist deshalb passiert?« fragte ich.
»Deshalb sind sie tot«, antwortete sie. »Ich weiß es. Ich hatte damals schon so ein Gefühl. Es war ein fürchterliches Gefühl.«
»Beschreiben Sie es mir. Können Sie das?«
»Deshalb sind sie tot«, wiederholte sie. »Es war an diesem Abend so viel Haß zwischen ihnen.«

# 13

Die Valhalla-Nervenklinik lag auf einer Anhöhe in der vornehmen Welt des Albemarle County, in dem ich wegen fakultärer Verbindungen zur Universität von Virginia ein paarmal im Jahr zu tun hatte. Obwohl mir das mächtige Ziegelgebäude hoch oben auf seinem Hügel schon oft vom Interstate-Highway aus aufgefallen war, hatte ich die Klinik bisher weder aus beruflichen noch aus privaten Gründen aufgesucht. Früher war sie einmal ein Grand Hotel gewesen, in dem betuchte und berühmte Gäste gern abstiegen. Während der großen Depression ging es bankrott und wurde von drei Brüdern, die alle Psychiater waren, gekauft. Diese verwandelten Valhalla systematisch in eine Freudianische Fabrik, in ein psychiatrisches Asyl für die Reichen, wohin Familien mit dem nötigen finanziellen Hintergrund ihre genetischen Ausrutscher und Peinlichkeiten, ihre senilen Alten und schlecht programmierten Kinder abschieben konnten.

Es überraschte mich nicht, daß Al Hunt als Teenager hier behandelt worden war. Daß sein Psychiater so ungern über ihn sprechen wollte, überraschte mich allerdings schon eher. Unter Dr. Warner Mastersons kollegialer Freundlichkeit verbarg sich das Urgestein der Verschwiegenheit, das hart genug war, um auch der bohrendsten Befragung standzuhalten. Ich wußte, daß er nicht mit mir sprechen wollte. Er wußte, daß er keine andere Wahl hatte.

Ich stellte das Auto auf dem gekiesten Besucherparkplatz ab und ging in die Empfangshalle, die mit Stilmöbeln, Orientteppichen und schweren, schon leicht fadenscheinig wirkenden Wandbehängen ausgestattet war. Ich wollte mich gerade am Empfang anmelden, als mich jemand von hinten ansprach.

»Dr. Scarpetta?«
Ich drehte mich um und sah einen großen, schlanken Mann, der einen schwarzen Anzug im europäischen Schnitt trug. Er hatte sandfarbenes, etwas schütteres Haar und eine hohe, aristokratische Stirn.
»Ich bin Warner Masterson«, stellte er sich vor und reichte mir mit einem breiten Lächeln die Hand.
Ich überlegte mir gerade, ob ich ihn vielleicht schon einmal irgendwo gesehen hatte und mich jetzt womöglich nicht mehr an ihn erinnerte, als er mir erklärte, daß er mein Gesicht aus der Zeitung und den Fernsehnachrichten kannte, worüber ich nicht gerade hocherfreut war.
»Gehen wir nach hinten in mein Büro«, fügte er freundlich hinzu. »Ich hoffe, Ihre Fahrt hier heraus hat Sie nicht allzusehr ermüdet. Darf ich Ihnen etwas anbieten? Kaffee? Oder ein Mineralwasser?«
Während diesem ganzen Gerede ging er mit großen Schritten voran, so daß ich Mühe hatte, an seiner Seite zu bleiben. Ein nicht unwesentlicher Teil der Menschheit hat keine Ahnung davon, was es bedeutet, nur mit kurzen Beinen ausgerüstet zu sein, und ich komme mir oft lächerlich vor, wenn ich wie eine hektisch pumpende Dräsine neben diesen Expreßzügen herrasen muß. Dr. Masterson war schon am anderen Ende eines langen, mit Teppich ausgelegten Korridors angelangt, als er schließlich daran dachte, sich umzudrehen.
Er wartete vor einer Tür, bis ich ihn eingeholt hatte, und bat mich dann einzutreten. Ich setzte mich unaufgefordert auf den nächsten Stuhl, während er seine Position hinter seinem Schreibtisch einnahm und mit automatisch wirkenden Bewegungen begann, eine teuer aussehende Pfeife zu stopfen.
»Ich brauche Ihnen ja wohl nicht zu sagen, Dr. Scarpetta, wie sehr mich Al Hunts Tod entsetzt hat«, begann Dr. Masterson

in seiner langsamen, genauen Art und öffnete eine dicke Akte.
»Hat Sie sein Tod überrascht?«
»Nicht unbedingt.«
»Ich würde mir während unseres Gesprächs gerne mal seine Akte ansehen«, bat ich.
Er zögerte so lange, daß ich mir überlegte, ob ich ihn nicht auf mein gesetzlich verbrieftes Recht auf Akteneinsicht aufmerksam machen sollte. Aber dann lächelte er wieder, sagte: »Aber gern«, und reichte mir den Ordner.
Ich öffnete ihn und begann, seinen Inhalt zu studieren, während wohlriechender, blauer Pfeifenrauch mich einhüllte. An Al Hunts körperlicher Aufnahmeuntersuchung konnte ich nichts Außergewöhnliches entdecken. Er hatte sich in guter körperlicher Verfassung befunden, als er am 10. April vor elf Jahren in die Klinik gekommen war. Die Untersuchung seines Geisteszustandes hingegen hatte ganz andere Ergebnisse zu Tage gefördert.
»Er befand sich tatsächlich im Zustand der Katatonie, als er eingeliefert wurde?« fragte ich.
»Schwerst depressiv und unansprechbar«, antwortete Dr. Masterson. »Er konnte uns nicht sagen, warum er hier war. Er konnte uns überhaupt nichts sagen. Er hatte nicht genügend seelische Kraft, um Fragen zu beantworten. Sie können in seiner Akte nachlesen, daß wir weder den Stanford-Binet-Test noch das MMPI mit ihm machen konnten und diese Tests später nachholen mußten.«
Die Ergebnisse der Tests fand ich in der Akte. Al Hunts Index beim Stanford-Binet-Intelligenztest lag um die 130. Mangelnde Intelligenz war sicherlich nicht sein Problem gewesen, aber das hatte ich auch nicht vermutet. Beim anderen Test, dem Minnesota-Multiphasic-Personality-Inventory, zeigte er weder die Symptome von Schizophrenie noch

die für angeborene Geisteskrankheiten. Dr. Mastersons Einschätzung zufolge litt Al Hunt an einer »schizoiden Persönlichkeitsstörung mit den typischen Merkmalen einer Borderline-Persönlichkeit, die sich als eine kurze reaktive Psychose manifestierte, als er sich im Badezimmer einschloß und mit einem Steakmesser die Pulsadern an den Handgelenken aufschnitt«. Es hatte sich dabei gewissermaßen um eine selbstmörderische Geste gehandelt, und die oberflächlichen Wunden waren mehr als ein Schrei nach Hilfe zu sehen denn als ernsthafter Versuch, seinem Leben ein Ende zu setzen. Seine Mutter brachte ihn eiligst zur Nothilfe in das nächstgelegene Krankenhaus, wo er genäht und dann entlassen wurde. Am nächsten Morgen wurde er in die Valhalla-Klinik eingeliefert. Bei einem Gespräch mit Mrs. Hunt stellte sich heraus, daß der Vorfall sich ereignet hatte, nachdem ihr Mann beim Abendessen Al gegenüber »die Beherrschung verloren hatte«.
»Anfänglich«, fuhr Dr. Masterson fort, »wollte Al sich weder an Gruppensitzungen noch an Beschäftigungstherapie beteiligen, an der hier alle Patienten teilnehmen müssen. Er sprach nur schlecht auf die ihm verabreichten antidepressiven Medikamente an, und während unserer Sitzungen konnte ich kaum ein Wort aus ihm herausbringen.«
Als sich nach der ersten Woche noch keine Besserung gezeigt habe, erklärte mir Dr. Masterson weiter, habe er eine Behandlung mit Elektroschocks in Erwägung gezogen, die sich EKT, Elektro-Konvulsiv-Therapie, nennt und für das Gehirn in etwa dasselbe ist, als würde man einen Computer neu starten, anstatt einer Fehlfunktion auf den Grund zu gehen. Auch wenn das Endergebnis durch die Neukanalisierung der Denkströme möglicherweise eine gesunde Neuordnung des Gehirns ist, gehen die Fehlfunktionen, die vorher Störungen verursacht haben, dabei möglicherweise

für immer verloren, ohne daß man ihren Ursachen auf den Grund gegangen ist. Im Normalfall wendet man die EKT bei jüngeren Patienten nicht an.
»Wurde Al denn mit der EKT behandelt?« fragte ich, weil ich keinen Anhaltspunkt dafür in der Akte entdeckte.
»Nein. Gerade als ich beschloß, daß es keine andere Möglichkeit mehr gab, geschah eines Morgens beim Psychodrama ein kleines Wunder.«
Er schwieg kurz, um sich die Pfeife wieder anzuzünden.
»Erklären Sie mir doch bitte, wie so eine Psychodrama-Sitzung abläuft«, sagte ich.
»Am Beginn einer solchen Sitzung werden nur Vorübungen gemacht, quasi zum Aufwärmen. Bei der Sitzung, von der ich spreche, mußten sich die Patienten in einer Reihe aufstellen und Blumen darstellen. Tulpen, Narzissen, Gänseblümchen, was ihnen so einfiel. Die Patienten verdrehten ihre Körper so, wie sie sich die von ihnen gewählte Blume vorstellten. Es liegt auf der Hand, daß man aus der Blume eine Menge Rückschlüsse auf den Patienten ziehen kann. Es war das erste Mal, daß Al überhaupt bei etwas mitmachte. Er bog seine Arme und senkte den Kopf.« Dr. Masterson machte es vor. Er sah eher wie ein Elefant und nicht wie eine Blume aus. »Als der Therapeut ihn fragte, was für eine Blume er denn sei, antwortete Al: Ein Stiefmütterchen.«
Ich sagte nichts, und eine Welle des Mitleids mit diesem verlorenen Jungen, dessen Person wir eben heraufbeschworen, überkam mich.
»Natürlich nahmen wir zuerst an, daß das etwas mit der Art und Weise zu tun habe, wie sein Vater von ihm dachte«, erklärte Dr. Masterson und putzte seine Brille mit einem Taschentuch. »Eine brutale, höhnische Anspielung auf Als feminine Züge und seine Zerbrechlichkeit. Aber es war mehr als das.«

Er setzte seine Brille wieder auf und sah mich unverwandt an. »Wissen Sie etwas von Als Farbassoziationen?«
»Ein wenig.«
»Bei Stiefmütterchen denken viele Leute an eine bestimmte Farbe.«
»Ja, an ein sehr dunkles Violett«, stimmte ich zu.
»Es entsteht aus der Mischung von Blau, das für Depression steht, und Rot, das Zorn bedeutet. Es ist die Farbe von blauen Flecken, die Farbe des Schmerzes. Als Farbe. Diese Farbe strahlte seine Seele aus.«
»Es ist auch eine leidenschaftliche und intensive Farbe«, erwiderte ich.
»Al Hunt war ein sehr empfindsamer junger Mann, Dr. Scarpetta. Wissen Sie, daß er glaubte, hellseherische Fähigkeiten zu besitzen?«
»Nicht im einzelnen«, antwortete ich beunruhigt.
»Sein magisches Denken umfaßte Hellseherei, Telepathie und Aberglauben. Es versteht sich von selbst, daß diese Eigenschaften unter extremem Streß besonders stark hervortraten, und dann glaubte er, er könne anderer Leute Gedanken lesen.«
»Konnte er?«
»Er besaß eine große Intuition.« Dr. Masterson griff nach seinem Feuerzeug. »Ich muß sagen, seine Wahrnehmungen hatten oftmals Hand und Fuß, und das war ein Problem für ihn. Er spürte, was andere dachten oder fühlten, und manchmal schien er auf unerklärliche Weise erahnen zu können, was sie tun würden oder was sie bereits getan hatten. Schwierig wurde es erst, wie ich ja in unserem Telefongespräch schon kurz angedeutet habe, als Al begann, immer mehr in seine Ahnungen hineinzuprojizieren, und bei seinen Wahrnehmungen zu weit ging. Er verlor sich in anderen Menschen, erregte sich bis zur Paranoia, was teil-

weise auch daran lag, daß sein eigenes Ego so schwach war. Er war wie Wasser, das immer die Form des Gefäßes annimmt, welches es ausfüllt. Um ein Klischee zu gebrauchen, er personalisierte das ganze Universum.«

»Das ist gefährlich«, bemerkte ich.

»Wenn nicht mehr. Er ist tot.«

»Meinen Sie, daß er sich selbst für mitfühlend hielt?«

»Bestimmt.«

»Aber das scheint mir mit seiner Diagnose nicht im Einklang zu stehen«, entgegnete ich. »Menschen, die unter Abgrenzungsschwierigkeiten leiden, zeigen normalerweise kein Gefühl für andere.«

»Ja, aber es war Teil seines magischen Denkens, Dr. Scarpetta. Al glaubte, daß seine sozialen und beruflichen Störungen von seinem überwältigenden Mitgefühl für andere herrührten. Er war wirklich davon überzeugt, daß er die Schmerzen anderer Leute fühlen, ja spüren konnte und daß er wußte, was in ihren Köpfen vor sich ging. Aber das habe ich ja schon erwähnt. In Wirklichkeit war Al sozial isoliert.«

»Das Personal des Metropolitan-Krankenhauses sagte, daß er vorbildlich mit den Patienten umging, als er dort als Krankenpfleger arbeitete«, gab ich zu bedenken.

»Was nicht verwunderlich ist«, konterte Dr. Masterson. »Er war Pfleger in der Notaufnahme. In einer Station, auf der Patienten für lange Zeit gepflegt werden müssen, hätte er es nie ausgehalten. Al konnte sehr hilfsbereit sein, vorausgesetzt, daß ihm niemand zu nahe kam, daß er nicht gezwungen wurde, zu jemandem eine wirkliche Beziehung aufzubauen.«

»Das erklärt vielleicht auch, warum er zwar seinen Magister schaffte, dann aber im psychotherapeutischen Praktikum versagte«, mutmaßte ich.

»Genau.«

»Wie war das Verhältnis zu seinem Vater?«
»Es war gestört, völlig verquer«, antwortete Dr. Masterson. »Mr. Hunt ist ein harter, beherrschender Mann. Seine Vorstellung von der Erziehung seines Sohnes bestand darin, Männlichkeit in ihn hineinzuprügeln. Al hatte ganz einfach nicht die psychische Konstitution, um der dauernden Unterdrückung, derben Behandlung und dem seelischen Schliff zu widerstehen, mit denen er aufs Leben vorbereitet werden sollte. All das ließ ihn in den Schutz seiner Mutter fliehen, wo das Bild, das er sich von sich selbst machte, immer verwirrender wurde. Ich bin sicher, daß es für Sie keine Neuigkeit ist, Dr. Scarpetta, daß die meisten Homosexuellen die Söhne von großen, brutalen Vätern sind, die Pickups mit Gewehrhaltern und Aufklebern in Form der Südstaatenflagge fahren.«
Ich dachte an Marino. Ich wußte, daß er einen erwachsenen Sohn hatte. Bis zu diesem Moment war mir noch nie aufgefallen, daß Marino niemals von seinem Sohn erzählte, der irgendwo im Westen lebte.
Ich fragte: »Wollen Sie andeuten, daß Al homosexuell war?«
»Ich will andeuten, daß er zu unsicher war und sich zu minderwertig fühlte, als daß er eine intime Beziehung gleich welcher Art hätte eingehen können. Soweit ich weiß, hatte er nie ein homosexuelles Erlebnis.« Sein Gesicht war undurchschaubar, als er über meinen Kopf hinweg sah und an seiner Pfeife zog.
»Was passierte in der Gruppentherapie an diesem Tag, Dr. Masterson? Was war das kleine Wunder, von dem Sie gesprochen haben? War es seine Imitation des Stiefmütterchens?«
»Das war nur der Anfang«, sagte er. »Aber das Wunder, wenn Sie es so nennen wollen, war ein sehr intensiver und lebhafter Dialog, den er danach mit seinem Vater führte, von

dem er sich vorstellte, daß er auf einem leeren Stuhl in der Mitte des Raumes säße. Als dieser Dialog intensiver wurde, merkte der Therapeut, was los war, setzte sich in den Stuhl und spielte die Rolle von Als Vater. Mittlerweile war Al so in das Spiel vertieft, daß er fast in Trance fiel. Er konnte Wirklichkeit und Vorstellung nicht mehr trennen, und schließlich brach seine ganze Wut aus ihm heraus.«

»Wie hat sie sich manifestiert? Wurde er gewalttätig?«

»Er begann hemmungslos zu weinen«, antwortete Dr. Masterson.

»Wie verhielt sich sein Vater dabei?«

»Er überschüttete ihn mit den üblichen Vorwürfen, kritisierte ihn, sagte ihm, wie wertlos er sei, als Mann und als Mensch. Al reagierte überempfindlich auf Kritik, Dr. Scarpetta. Darin lag teilweise auch ein Grund für seine Verwirrtheit. Er dachte, er sei empfindlich für die Gefühle anderer, während er in Wirklichkeit nur für seine eigenen empfindlich war.«

»Wurde Al hier von einem Fürsorger betreut?« fragte ich, während ich durch die Akte blätterte und keine Eintragungen über einen Therapeuten fand.

»Natürlich.«

»Wer war es?« Mir schien, als fehlten in der Akte einige Seiten.

»Der Therapeut, von dem ich gerade sprach«, antwortete er knapp.

»Der Therapeut aus der Gruppentherapie?«

Er nickte.

»Arbeitet er immer noch in diesem Krankenhaus?«

»Nein«, sagte Dr. Masterson. »Jim ist nicht mehr hier –«

»Jim?« unterbrach ich ihn.

Er klopfte den verbrannten Tabak aus seiner Pfeife.

»Wie ist sein Nachname, und wo ist er jetzt?« fragte ich.

»Bedauerlicherweise kam Jim Barnes vor vielen Jahren bei einem Autounfall ums Leben.«
»Vor wie vielen Jahren?«
Dr. Masterson putzte wieder seine Brille. »Ich glaube, es ist acht, neun Jahre her.«
»Wie kam es dazu, und wo?«
»Ich kann mich nicht mehr an die Einzelheiten erinnern.«
»Wie tragisch«, bemerkte ich, als ob die Sache damit für mich nicht mehr interessant wäre.
»Ich vermute, daß Al Hunt in Ihrem Fall zu den Tatverdächtigen zählt«, sagte Dr. Masterson
»Es sind zwei Fälle. Zwei Morde«, antwortete ich.
»Also gut, zwei Fälle.«
»Um Ihre Frage zu beantworten, Dr. Masterson, meine Aufgabe besteht nicht darin, irgend jemanden irgendeiner Sache zu verdächtigen. Das ist Sache der Polizei. Ich bin gerade dabei, Informationen über Al Hunt zusammenzutragen, mit deren Hilfe ich abklären kann, ob er bereits früher Selbstmordgedanken hegte.«
»Bestehen darüber irgendwelche Zweifel, Dr. Scarpetta? Er hat sich erhängt, oder? Könnte es sich um irgend etwas anderes als um einen Selbstmord gehandelt haben?«
»Er war merkwürdig gekleidet. In T-Shirt und Unterhosen«, antwortete ich sachlich. »So etwas führt zu Spekulationen.«
»Spielen Sie auf autoerotische Asphyxie an?« Er hob erstaunt die Augenbrauen. »Daß sein Tod ein Mißgeschick war, während er masturbierte?«
»Ich werde mein Bestes tun, um diese Möglichkeit auszuschließen, falls jemals danach gefragt werden sollte.«
»Ich verstehe. Wegen der Versicherung. Für den Fall, daß seine Familie die von Ihnen festgestellte Todesursache in Zweifel ziehen sollte.«

»Nicht nur aus diesem Grund«, erwiderte ich.
»Hegen Sie wirklich Zweifel über die Art und Weise seines Todes?« Er runzelte die Stirn.
»Nein«, antwortete ich. »Ich glaube, er hat sich das Leben genommen, Dr. Masterson. Ich glaube, daß er genau das vorhatte, als er in den Keller ging, und daß er seine Hose höchstwahrscheinlich ablegte, als er den Gürtel herauszog. Den Gürtel, mit dem er sich erhängte.«
»Nun gut. Vielleicht kann ich für Sie noch eine andere Sache ein wenig aufklären, Dr. Scarpetta. Al zeigte niemals gewalttätige Tendenzen. Die einzige Person, die er meines Wissens jemals verletzte, war er selbst.«
Ich glaubte ihm. Ich glaubte aber auch, daß es viel gab, was er mir nicht erzählt hatte, und daß seine Gedächtnislücken und seine verschwommenen Antworten Absicht waren. Jim Barnes, dachte ich. *Jim Jim.*
»Wie lange blieb Al hier?« wechselte ich das Thema.
»Vier Monate, glaube ich.«
»War er jemals in Ihrer geschlossenen Abteilung?«
»Valhalla hat keine geschlossene Abteilung in dem Sinne. Es gibt hier eine Station, die wir Backhall nennen, auf der psychotische Patienten und solche, die an Delirium tremens leiden und eine Gefahr für sich selbst darstellen, untergebracht sind, wir verwahren hier keine kriminellen Geisteskranken.«
»War Al jemals auf dieser Station?« fragte ich.
»Dafür bestand nie die Notwendigkeit.«
»Vielen Dank, daß Sie mir Ihre Zeit geopfert haben«, sagte ich und stand auf. »Wenn Sie mir bitte einfach eine Fotokopie dieser Akte hier zuschicken könnten, wäre ich Ihnen sehr dankbar.«
»Mit Vergnügen.« Er lächelte wieder sein breites Lächeln, aber sah mich diesmal dabei nicht an. »Zögern Sie nicht,

mich anzurufen, wenn ich Ihnen noch irgendwie behilflich sein kann.«
Während wir den langen, leeren Korridor zur Lobby zurückgingen, überlegte ich die ganze Zeit, ob ich ihn noch nach Frankie fragen, ob ich diesen Namen überhaupt erwähnen sollte. Mein Instinkt riet mir, es nicht zu tun. Backhall. Patienten, die psychotisch sind oder unter Delirium tremens leiden. Al Hunt hatte erwähnt, daß er mit Patienten in der geschlossenen Abteilung gearbeitet habe. War das ein Produkt seiner Phantasie oder seiner Verwirrung gewesen? Es gab keine geschlossene Abteilung in Valhalla. Und doch hätte leicht jemand mit dem Namen Frankie in der Backhall-Station eingeschlossen gewesen sein können. Vielleicht hatte sich Frankies Zustand mit der Zeit gebessert, so daß er zu der Zeit, als Al in Valhalla war, schon auf eine andere Station verlegt worden war. Vielleicht hatte sich Frankie nur eingebildet, daß er seine Mutter ermordet hatte, vielleicht hatte er sich bloß gewünscht, dazu fähig zu sein?
*Frankie erschlug seine Mutter mit einem Holzscheit*. Cary Harpers Mörder erschlug ihn mit einem Stück Metallrohr.
Als ich in mein Büro zurückkehrte, war es draußen dunkel, und die Wächter waren dagewesen und schon wieder gegangen.
Ich setzte mich an meinen Schreibtisch und drehte meinen Stuhl, bis ich am Computer-Terminal saß. Ich gab einige Kommandos ein, und bald erschien ein bernsteinfarbener Bildschirm vor mir, über den ein paar Momente später der Fall Jim Barnes flimmerte. Am 21. April vor neun Jahren war er mit seinem Wagen bei einem Unfall in Albemarle County verunglückt. Als Todesursache waren »schwere Kopfverletzungen« angegeben. Sein Blutalkohol betrug 1,8 Promille, doppelt soviel, wie das vom Gesetz erlaubte Maximum, außerdem hatte er noch Nortriptyline und Amitriptyline

genommen. Jim Barnes hatte offensichtlich ein größeres Suchtproblem gehabt.
Das sperrige, archaische Mikrofilmgerät thronte dick und fett wie ein Buddha auf einem Tisch im Archiv ein paar Türen weiter den Gang hinunter. Ich verfüge nicht gerade über eine besondere audiovisuelle Geschicklichkeit. Erst nach einer ungeduldigen Suche im Mikrofilmarchiv fand ich die Filmrolle, die ich brauchte, und irgendwie gelang es mir sogar, sie richtig einzufädeln. Bei ausgeschaltetem Raumlicht ließ ich einen endlosen Strom von unscharfen Schwarzweißbildern an meinen Augen vorbeiziehen. Sie schmerzten bereits, als ich endlich das fand, wonach ich gesucht hatte. Ich drehte an einem Knopf und stellte den handgeschriebenen Polizeibericht auf dem Bildschirm scharf. An einem Freitagabend gegen 10 Uhr 45 fuhr Barnes in seinem 1973er BMW auf dem Interstate 64 mit hoher Geschwindigkeit in östlicher Richtung. Als sein rechtes Vorderrad von der befestigten Fahrbahn abkam, reagierte er zu heftig, geriet auf den Mittelstreifen und flog durch die Luft. Ich drehte den Film weiter und fand den ersten Untersuchungsbericht des Leichenbeschauers. Ein gewisser Dr. Brown hatte in ihm vermerkt, daß der Verstorbene an demselben Nachmittag von der Valhalla-Klinik, wo er als Fürsorger beschäftigt gewesen sei, entlassen worden sei. Als er die Klinik gegen fünf Uhr nachmittags verlassen hatte, benahm er sich auffallend erregt und wütend. Barnes war unverheiratet und erst 31 Jahre alt, als er starb. Der Bericht des Leichenbeschauers führte zwei Zeugen auf, die Dr. Brown offensichtlich befragt hatte. Einer davon war Dr. Masterson, der andere eine Angestellte des Krankenhauses namens Miss Jeanie Sample.

* * *

Wenn man an einem Mordfall arbeitet, fühlt man sich manchmal so, als habe man sich verirrt. Man folgt jedem Weg, der auch nur annähernd vielversprechend erscheint. Und manchmal, wenn man Glück hat, mündet ein unbedeutender Nebenpfad irgendwann auf den richtigen Lösungsweg. Was konnte ein Therapeut, der seit neun Jahren tot war, mit den Morden an Beryl Madison und Cary Harper zu tun haben? Und doch hatte ich das Gefühl, daß es da irgendeine Verbindung gab.

Ich freute mich nicht gerade darauf, Dr. Mastersons Mitarbeiter zu befragen, und hätte jeden Betrag darauf verwettet, daß er längst diejenigen, die betroffen waren, vor meinem Anruf gewarnt und ihnen gesagt hatte, daß sie höflich, aber verschwiegen sein sollten. Am nächsten Morgen, es war Samstag, ließ ich mein Unterbewußtsein an diesem Problem weiterknobeln und rief das Johns-Hopkins-Krankenhaus an in der Hoffnung, daß Dr. Ismail da wäre. Er war da und bestätigte meine Theorie. Proben aus Sterling Harpers Mageninhalt und ihrem Blut hatten ergeben, daß sie kurz vor ihrem Tod Levorphanol eingenommen hatte, dessen tödliche Konzentration von acht Milligramm pro Liter Blut zu hoch war, um versehentlich eingenommen worden zu sein. Sie hatte sich das Leben genommen, und zwar so, daß es unter normalen Umständen nie entdeckt worden wäre.

»Wußte sie, daß Dextromethorphan und Levorphanol in einem routinemäßig durchgeführten toxikologischen Test beide wie Dextromethorphan erscheinen?« fragte ich Dr. Ismail.

»Ich kann mich nicht erinnern, jemals mit ihr über so etwas gesprochen zu haben«, sagte er. »Aber sie interessierte sich sehr für ihre Behandlung und die Medikamente, die sie einnahm. Es wäre möglich, daß sie sich in unserer medizinischen Bibliothek über den Sachverhalt informiert hat. Ich erinnere mich daran, daß sie eine Menge Fragen an mich stellte, als ich ihr zum ersten Mal Levorphanol verordnete. Das war vor einigen Jahren. Weil das Medikament noch im Versuchsstadium steckte, war sie neugierig und vielleicht ein wenig beunruhigt . . .«

Ich hörte kaum zu, während er mit seinen Erklärungen und Rechtfertigungen fortfuhr. Ich würde niemals in der Lage sein zu beweisen, daß Miss Harper die Flasche mit dem Hustensaft absichtlich so hingestellt hatte, daß ich sie finden mußte. Aber ich war mir ziemlich sicher, daß sie es getan hatte. Sie war entschlossen gewesen, in Würde und ohne Vorwürfe zu sterben, aber sie hatte dabei nicht alleine sein wollen.

Nachdem ich aufgelegt hatte, machte ich mir eine Tasse heißen Kaffee und ging in der Küche auf und ab, wobei ich manchmal stehenblieb und hinaus in den sonnigen Dezembertag schaute.

Sammy, eines der seltenen Albino-Eichhörnchen, die es in Richmond gab, plünderte schon wieder mein Vogelhaus. Einen Moment lang schauten wir uns in die Augen, während seine pelzigen Kiefer wie wild kauten. Unter seinen Pfoten flogen die Sonnenblumenkerne nur so durch die Luft, und sein zerzauster, weißer Schwanz stand wie ein zuckendes Fragezeichen vor dem blauen Himmel. Wir hatten uns im letzten Winter angefreundet, als ich am Fenster gestanden war und seine wiederholten Versuche beobachtet hatte, von einem Ast auf das Vogelhaus zu springen, wo er vom schrägen Dach langsam abgerutscht war und sich mit wild durch die Luft grapschenden Pfoten festzuhalten versucht hatte. Nach einer Reihe von spektakulären Stürzen hinunter zu Mutter Erde hatte Sammy schließlich doch den richtigen Dreh gefunden. Ab und zu streute ich ihm draußen eine Handvoll Erdnüsse hin, und mittlerweile war es

schon so weit gekommen, daß ich Angst um ihn bekam, wenn er eine Weile nicht zu sehen war. Um so erleichterter war ich, wenn er wieder auftauchte und mich erneut ausraubte.
Ich setzte mich mit einem Schreibblock und einem Stift bewaffnet an den Küchentisch und wählte die Nummer der Valhalla-Klinik.
»Jeanie Sample, bitte«, sagte ich, ohne mich vorzustellen.
»Handelt es sich um eine Patientin?« fragte die Frau am Empfang gleichmütig.
»Nein, um eine Angestellte . . .« Ich spielte die Ahnungslose.
»Jedenfalls nehme ich das an. Ich habe Jeanie schon seit Jahren nicht mehr gesehen.«
»Einen Moment, bitte.«
Nach kurzer Zeit kam die Frau wieder an den Apparat. »Wir haben niemanden mit diesem Namen in unserem Verzeichnis.«
Verdammt. Wie konnte das sein? Die Telefonnummer, die zusammen mit ihrem Namen im Bericht des Leichenbeschauers gestanden hatte, war die Nummer von Valhalla gewesen. Hatte Dr. Brown einen Fehler gemacht? Das Ganze war neun Jahre her. In neun Jahren konnte viel geschehen. Miss Sample konnte woanders hingezogen sein. Sie konnte auch geheiratet haben.
»Es tut mir leid«, sagte ich. »Sample war ihr Mädchenname.«
»Wissen Sie, wie sie jetzt heißt?«
»Wie schrecklich. Ich sollte ihn wissen, aber –«
»Jean Wilson?«
Ich machte eine unsichere Pause.
»Wir haben hier eine Jean Wilson«, fuhr die Stimme fort. »Eine unserer Therapeutinnen. Können Sie bitte kurz

dranbleiben?« Sie war schnell wieder in der Leitung. »Ja, ihr Mädchenname ist Sample. Aber am Wochenende arbeitet sie nicht. Sie kommt am Montag um acht Uhr morgens wieder hierher. Wollen Sie ihr eine Nachricht hinterlassen?«
»Besteht irgendeine Möglichkeit, sie am Wochenende zu erreichen?«
»Wir dürfen keine Privatnummern herausgeben.« Sie begann, mißtrauisch zu werden. »Wenn Sie mir Ihren Namen und Ihre Telefonnummer hinterlassen, dann werde ich versuchen, sie zu erreichen und ihr zu sagen, daß sie Sie zurückrufen soll.«
»Ich bin unter dieser Nummer leider nicht mehr lange zu erreichen.« Ich dachte einen Moment lang nach und klang dann schrecklich enttäuscht, als ich hinzufügte: »Ich probiere es ein anderes Mal wieder, wenn ich noch einmal in diese Gegend komme. Ich nehme an, daß ich ihr unter der Adresse des Valhalla-Krankenhauses schreiben kann.«
»Ja, Madam, das können Sie.«
»Und die wäre?«
Sie gab mir die Adresse.
»Und wie ist der Name ihres Mannes?«
Sie zögerte. »Skip, glaube ich.«
Manchmal ist das ein Spitzname für Leslie, dachte ich. »Mrs. Skip oder Leslie Wilson«, murmelte ich, so, als würde ich den Namen notieren. »Haben Sie vielen Dank.«
Die Auskunft teilte mir mit, daß es einen Leslie Wilson in Charlottesville gäbe und einen L. P. Wilson sowie einen L. T. Wilson. Ich fing an zu wählen. Der Mann, der sich hinter der L. T.-Wilson-Nummer am Telefon meldete, sagte mir, daß »Jeanie« unterwegs sei und innerhalb der nächsten Stunde wieder nach Hause käme.

Ich wußte, daß ich keinen Erfolg haben würde, wenn ich Jeanie Wilson mit einer ihr unbekannten Stimme übers Telefon Fragen stellen würde. Sie würde darauf bestehen, zuerst Rücksprache mit Dr. Masterson zu halten, und damit wäre die Sache gelaufen gewesen. Es ist jedoch ein wenig schwieriger, jemanden abzuwimmeln, der in Fleisch und Blut unerwartet auf der Türschwelle steht, besonders wenn sich diese Person als Chief Medical Examiner vorstellt und das auch noch mit einer Dienstmarke beweisen kann.
Jeanie Sample Wilson sah in ihren Jeans und dem roten Pullover nicht einen Tag älter als 30 aus. Sie war eine lebhafte Brünette mit freundlichen Augen und vielen Sommersprossen auf der Nase. Ihre langen Haare waren zu einem Pferdeschwanz zusammengebunden. Durch die offene Wohnzimmertür konnte ich zwei kleine Buben auf dem Teppich sitzen sehen, die gerade einen Zeichentrickfilm im Fernsehen ansahen.
»Wie lange arbeiten Sie schon in der Valhalla-Klinik?« fragte ich.
Sie zögerte. »Etwa zwölf Jahre.«
Ich war so erleichtert, daß ich fast einen lauten Seufzer ausgestoßen hätte. Jeanie Wilson hatte also nicht nur, als Jim Barnes vor neun Jahren entlassen wurde, in der Klinik gearbeitet, sondern auch schon zwei Jahre zuvor, als Al Hunt dort Patient gewesen war.
Sie stand wie angewurzelt an der Tür. Vor dem Haus parkte außer meinem Auto nur noch ein anderes. Es schien so, als sei ihr Mann nicht da. Gut.
»Ich untersuche die Morde an Beryl Madison und Cary Harper«, sagte ich.
Ihre Augen weiteten sich. »Und was wollen Sie dann von mir? Ich kannte weder sie noch ihn –«
»Dürfte ich vielleicht hereinkommen?«

»Aber sicher. Entschuldigen Sie. Kommen Sie bitte.«
Wir setzten uns in ihre kleine Küche mit Linoleumfußboden und Möbeln aus Kiefer und weißem Resopal. Sie war pieksauber. Cornflakes- und Müslipackungn waren ordentlich auf dem Kühlschrank aufgereiht, und in einem Regal standen große Glasgefäße mit Plätzchen, Reis und Nudeln.
Die Spülmaschine lief, und ich roch, daß im Backrohr ein Kuchen war. Ich fiel gleich mit der Tür ins Haus, um jedes mögliche Zögern im Keim zu ersticken: »Mrs. Wilson, Al Hunt, der vor elf Jahren Patient im Valhalla war, wurde eine ganze Zeit lang verdächtigt, mit den genannten Mordfällen in Verbindung zu stehen. Er kannte Beryl Madison.«
»Al Hunt?« Sie sah verwirrt aus.
»Erinnern Sie sich an ihn?« fragte ich.
Sie schüttelte den Kopf.
»Aber Sie erzählten doch, daß Sie seit zwölf Jahren am Valhalla-Krankenhaus tätig seien?«
»Seit elfeinhalb Jahren, genauer gesagt.«
»Wie schon erwähnt, Al Hunt war dort vor elf Jahren Patient.«
»Der Name sagt mir nichts . . .«
»Er hat in der vergangenen Woche Selbstmord begangen«, berichtete ich.
Jetzt schien sie sehr verwirrt.
»Ich habe mit ihm kurz vor seinem Tod gesprochen, Mrs. Wilson. Sein Fürsorger starb vor neun Jahren bei einem Autounfall. Jim Barnes. Ich muß Ihnen ein paar Fragen über ihn stellen.«
Ihr Gesicht lief rot an. »Meinen Sie, daß sein Selbstmord in irgendeiner Weise etwas mit Jim zu tun hat?«
Da war ich überfragt. »Anscheinend wurde Jim Barnes nur Stunden vor seinem Tod vom Krankenhaus gefeuert«, fuhr ich fort. »Ihr Name – oder zumindest Ihr Mäd-

chenname – steht im Bericht des Leichenbeschauers, Mrs. Wilson.«
»Es bestand – nun, es bestand da eine gewisse Unsicherheit«, stammelte sie. »Sie wissen schon – ob es ein Unfall oder Selbstmord war. Auch ich wurde befragt. Von einem Doktor oder einem Leichenbeschauer. Ich weiß nicht mehr. Aber ein Mann rief mich damals an.«
»Dr. Brown?«
»Ich erinnere mich nicht mehr an seinen Namen«, sagte sie.
»Warum wollte er mit Ihnen sprechen, Mrs. Wilson?«
»Vermutlich weil ich eine der letzten Personen war, die Jim lebendig gesehen hatten. Ich glaube, der Doktor hatte bei der Aufnahme im Krankenhaus angerufen, und Betty hatte ihn an mich verwiesen.«
»Betty?«
»Sie saß damals an der Aufnahme.«
»Sie müssen mir alles erzählen, was Ihnen zu Jim Barnes' Entlassung damals noch einfällt«, bat ich. Sie stand auf und schaute nach, wie weit der Kuchen war.
Als sie sich wieder setzte, wirkte sie ein wenig gefaßter. Sie sah nicht mehr nervös aus, sondern wütend.
Sie sagte: »Man sollte ja über Tote nichts Schlechtes sagen, Dr. Scarpetta, aber Jim war kein netter Mensch. Er stellte ein großes Problem für die Klinik dar, und er hätte eigentlich schon viel früher entlassen werden müssen.«
»Inwiefern stellte er ein Problem dar?«
»Patienten erzählen immer eine ganze Menge. Sie sind oft nicht besonders, na, sagen wir, glaubwürdig. Es ist schwer zu entscheiden, was wahr ist an ihrem Gerede und was nicht. Dr. Masterson und auch anderen Therapeuten kamen von Zeit zu Zeit Beschwerden über Jim zu Ohren, aber nichts konnte bewiesen werden, bis sich eines Morgens ein Vorfall

vor Zeugen ereignete. Am selben Tag noch wurde Jim gefeuert, und gleich darauf verunglückte er.«

»Waren Sie Zeugin des besagten Vorfalls?« fragte ich.

»Ja.« Sie marschierte mit einem entschlossenen Zug um den Mund quer durch die Küche.

»Was ist passiert?«

»Ich ging gerade durch die Eingangshalle, um Dr. Masterson wegen irgend etwas zu sprechen, als Betty nach mir rief. Sie arbeitete damals am Empfang und nahm Telefonanrufe entgegen, wie ich schon sagte . . . Tommy, Clay, jetzt seid doch mal ein bißchen leiser da drinnen!«

Das Geschrei drang nur noch lauter aus dem Wohnzimmer, und Fernsehsender wurden wie verrückt umgeschaltet. Mrs. Wilson stand genervt auf und sah nach ihren Söhnen. Ich hörte das gedämpfte Klatschen einer Hand auf Hosenböden, und danach wurde der Sender nicht mehr umgeschaltet. Dafür vernahm ich nun das Tackern eines Maschinengewehrs, mit dem anscheinend Zeichentrickfiguren wild herumballerten.

»Wo war ich stehengeblieben?« fragte sie, als sie an den Küchentisch zurückkam.

»Sie sprachen gerade von Betty«, erinnerte ich sie.

»Ach ja. Sie rief mich zu sich und sagte, daß Jims Mutter am Telefon sei und daß es sich offensichtlich um ein wichtiges Ferngespräch handele. Ich kannte den Grund des Anrufs nicht, aber Betty bat mich, Jim zu suchen. Er war im Psychodrama, das wie üblich im Ballsaal stattfand. Wissen Sie, wir benützen den Ballsaal im Valhalla für verschiedene Sachen. Für die Tanzveranstaltungen am Samstagabend, zum Beispiel. Oder für Parties. Es gibt dort eine Orchesterbühne. Alles noch aus der Zeit, als das Valhalla ein Hotel war. Ich schlüpfte also durch die Hintertüre hinein, und als ich sah, was sich da abspielte, konnte ich es zuerst gar nicht fassen.« Jeanie Wilsons Augen funkelten vor Zorn. Sie fing an, am Rand eines Untersetzers herumzuzupfen. »Ich rührte mich nicht von der Stelle und sah zu. Jim stand mit dem Rücken zu mir auf der Bühne, auf der sich außer ihm noch fünf oder sechs Patienten befanden. Sie saßen auf Stühlen, die so aufgestellt waren, daß sie nicht sehen konnten, was er mit einer anderen Patientin trieb. Es handelte sich um ein junges Mädchen namens Rita, und sie war vielleicht 13 Jahre alt. Ihr Stiefvater hatte sie vergewaltigt. Sie sprach nie und war aufgrund ihrer schrecklichen Erfahrungen stumm geworden. Jim zwang sie gerade, das alles noch einmal durchzuleben.«

»Die Vergewaltigung?« fragte ich ruhig.

»Der verdammte Bastard. Entschuldigen Sie. Aber ich rege mich immer noch darüber auf.«

»Verständlicherweise.«

»Er behauptete später, daß er nichts Unrechtes getan habe. Der verdammte Lügner. Er stritt alles ab. Aber ich hatte es gesehen. Ich wußte genau, was er gemacht hatte. Er spielte die Rolle des Stiefvaters, und Rita war vor Angst wie gelähmt, wie festgefroren an ihrem Stuhl. Jim starrte ihr aus nächster Nähe ins Gesicht und sprach mit leiser Stimme auf sie ein. Der Ballsaal hat eine gute Akustik. Ich konnte alles hören. Rita war für ihr Alter körperlich schon sehr gut entwickelt. Jim fragte sie ständig: »War es das, was er mit dir gemacht hat, Rita?« Dabei berührte er sie. Er streichelte sie so, wie es ihr Stiefvater vermutlich getan hatte. Ich schlich mich hinaus. Er wußte nicht, daß ich ihn beobachtet hatte, bis Dr. Masterson und ich ihn ein paar Minuten später zur Rede stellten.«

Ich verstand jetzt, warum Dr. Masterson mit mir nicht über Jim Barnes reden wollte, und vielleicht auch, warum in Al Hunts Krankenakte einige Seiten fehlten. Wenn irgend et-

was Derartiges an die Öffentlichkeit gelangte, würde es für das Ansehen der Klinik einen schweren Schlag bedeuten, auch wenn der Vorfall schon etliche Jahre zurücklag.
»Hatten Sie den Verdacht, daß Jim Barnes schon vorher ähnliches getan hatte?« fragte ich.
»Einige der gegen ihn erhobenen Beschwerden liefen darauf hinaus«, antwortete Jeanie Wilson mit funkelnden Augen.
»Waren es immer Frauen gewesen?«
»Nicht immer.«
»Hatten sich auch männliche Patienten beschwert?«
»Einer der jungen Männer. Ja. Aber zu der Zeit nahm das niemand ernst. Dieser Patient litt ohnehin an sexuellen Problemen, war vielleicht belästigt worden oder ähnliches. Er war genau das richtige Opfer für jemanden wie Jim, weil dem armen Jungen niemand auch nur ein Wort geglaubt hätte.«
»Können Sie sich an den Namen dieses Patienten erinnern?«
»Mein Gott.« Sie runzelte die Stirn. »Es ist schon so lange her.« Sie dachte nach. »Frank . . . Frankie. Das war's. Ich erinnere mich, daß einige der Patienten ihn Frankie nannten. Aber ich weiß nicht, wie er mit Nachnamen hieß.«
»Wie alt war er?« Ich spürte, wie mein Herz auf einmal viel heftiger schlug.
»Ich weiß nicht. Siebzehn oder achtzehn.«
»Was können Sie mir sonst noch über Frankie erzählen?« fragte ich. »Es ist wichtig. Sehr wichtig.«
Ein Küchenwecker klingelte, und sie stand auf, um den Kuchen aus dem Ofen zu nehmen. Weil sie gerade stand, schaute sie auch schnell einmal zu ihren beiden Buben hinüber. Als sie zurückkam, runzelte sie die Stirn.
Sie fuhr in ihrer Erzählung fort: »Ich erinnere mich dunkel, daß er gleich nach seiner Aufnahme eine ganze Zeit lang im Backhall bleiben mußte, bevor er hinunter in den

zweiten Stock auf die Männerstation kam. Er nahm an meiner Gruppe für Beschäftigungstherapie teil.« Während sie nachdachte, berührte sie mit dem Zeigefinger ihr Kinn. »Er war sehr fleißig, daran kann ich mich erinnern. Er machte viele Ledergürtel und Reibebilder. Und er strickte gerne, was ein wenig ungewöhnlich war. Die meisten männlichen Patienten wollen nicht stricken. Sie arbeiten zum Beispiel lieber mit Leder oder stellen Aschenbecher her. Er war sehr kreativ und recht geschickt. Und noch etwas fiel mir an ihm auf. Seine Ordnung. Er war zwanghaft ordentlich, säuberte stets seinen Arbeitsplatz und hob jedes noch so kleine Ding, das auf den Boden gefallen war, wieder auf. So, als könne er es nicht ertragen, wenn irgend etwas nicht haargenau auf seinem Platz lag und pieksauber war.« Sie sah mich an.

»Wann hat er sich über Jim Barnes beschwert?« fragte ich sie.

»Nicht lange nachdem ich angefangen hatte, in Valhalla zu arbeiten.« Sie zögerte und dachte angestrengt nach. »Ich glaube, daß Frankie kaum einen Monat in Valhalla war, als er etwas über Jim sagte. Ich glaube, er erzählte es einem anderen Patienten. Eigentlich –« sie hielt einen Moment inne und zog ihre hübsch geschwungenen Augenbrauen zusammen –»eigentlich war es dieser andere Patient, der sich bei Dr. Masterson beschwerte.«

»Wissen Sie, wer dieser Patient war? Der Patient, dem Frankie diese Geschichte erzählte?«

»Nein.«

»War es möglicherweise Al Hunt? Sie haben gesagt, daß Sie damals noch nicht lange im Valhalla gearbeitet hatten. Hunt muß im Frühling und Sommer vor elf Jahren dort Patient gewesen sein.«

»Ich erinnere mich an keinen Al Hunt . . .«

»Sie müssen beide etwa in demselben Alter gewesen sein«, fügte ich hinzu.
»Das ist interessant.« Ihre Augen füllten sich mit unschuldigem Erstaunen und schauten mich an. »Frankie hatte einen Freund, einen etwa gleich alten Jungen. Daran erinnere ich mich. Blond. Der Junge war blond, sehr schüchtern und still. Mir fällt nur sein Name nicht mehr ein.«
»Al Hunt war blond«, sagte ich.
Stille.
»Oh, mein Gott.«
Ich half ihr auf die Sprünge. »Er war ruhig, war schüchtern . . .«
»Oh, mein Gott«, wiederholte sie. »Ich wette, daß er es war. Und er hat letzte Woche Selbstmord begangen?«
»Ja.«
»Hat er Ihnen gegenüber Jim erwähnt?«
»Er sprach von jemandem, den er Jim Jim nannte.«
»*Jim Jim*«, wiederholte sie. »Mein Gott, ich weiß nicht . . .«
»Was ist denn weiter mit Frankie passiert?«
»Er war nicht lange da, zwei oder drei Monate.«
»Kehrte er wieder nach Hause zurück?« fragte ich.
»Das kann ich mir kaum vorstellen«, erwiderte sie. »Da war etwas mit seiner Mutter. Ich glaube, er wohnte bei seinem Vater. Frankies Mutter hatte ihn im Stich gelassen, als er klein war – oder so ähnlich. Alles, woran ich mich erinnern kann, ist, daß seine familiäre Situation sehr traurig war. Aber eigentlich trifft das auf fast alle Patienten im Valhalla zu.«
Sie seufzte. »Mein Gott, das ist ja eine Geschichte. Ich habe all die Jahre nie dran gedacht. Frankie.« Sie schüttelte den Kopf. »Ich frage mich, was wohl aus ihm geworden ist.«
»Haben Sie irgendeine Idee?«
»Überhaupt keine.« Sie sah mich lange an, dann dämmerte

es ihr. Ich konnte direkt sehen, wie ihr die Angst in die Augen stieg. »Diese zwei Morde. Sie glauben doch nicht etwa, daß Frankie . . .«
Ich schwieg.
»Er war nie gewalttätig, jedenfalls nicht, während ich mit ihm arbeitete. Er war eigentlich sehr sanft.«
Sie wartete. Ich gab keine Antwort.
»Ich meine, er verhielt sich mir gegenüber sehr lieb und höflich, war immer aufmerksam und hat alles getan, was ich ihm sagte.«
»Er mochte Sie«, vermutete ich.
»Er strickte mir einen Schal. Eben fällt es mir wieder ein. Er war rot, weiß und blau. Das hatte ich völlig vergessen. Wo ist er nur hingekommen?« Ihre Stimme verlor sich. »Ich muß ihn wohl irgendwann der Heilsarmee gegeben haben. Ich weiß es nicht mehr. Frankie, nun, ich glaube, er hatte irgendwie ein Faible für mich.« Sie lachte nervös.
»Mrs. Wilson, wie sah Frankie aus?«
»Groß, dünn, mit dunklen Haaren.« Sie schloß kurz ihre Augen. »Es ist schon so lange her.« Sie sah mich wieder an. »Er war nicht besonders auffällig. Aber ich erinnere mich nicht, daß er besonders gut ausgesehen hätte. Wissen Sie, ich würde mich vielleicht besser an ihn erinnern, wenn er wirklich gut aussehend oder ausgesprochen häßlich gewesen wäre. Ich glaube, er war irgendwie unscheinbar.«
»Hat vielleicht die Klinik noch irgendwelche Fotos von ihm in ihren Akten?«
»Nein.«
Wir schwiegen wieder. Dann blickte sie mich erstaunt an.
»Er stotterte«, sagte sie zuerst langsam, dann noch einmal mit mehr Überzeugung.
»Wie bitte?«

»Manchmal stotterte er. Ich erinnere mich. Wenn Frankie sehr aufgeregt oder nervös war, stotterte er.«
*Jim Jim.*
Al Hunt hatte genau das gemeint, was er gesagt hatte. Als Frankie ihm erzählt hatte, was Barnes mit ihm gemacht hatte oder versucht hatte zu machen, war Frankie natürlich verstört und erregt gewesen. Er hatte bestimmt immer gestottert, wenn er mit Hunt über Jim Barnes gesprochen hatte. Über Jim Jim! An der ersten Telefonzelle, die ich fand, nachdem ich von Jeanie Wilsons Haus weggefahren war, hielt ich an. Marino, der Trottel, war zum Bowling gegangen.

## 14

Am Montag zog eine Kaltwetterfront mit düsteren grauen Wolken auf, die die Vorberge der Blue Ridge Mountains einhüllten und die Valhalla-Klinik vor unseren Blicken verbargen. Der Wind rüttelte an Marinos Wagen, und als er ihn vor der Klinik parkte, prasselten kleine Eisnadeln auf die Windschutzscheibe.
»So ein Mist«, maulte er, als wir ausstiegen. »Darauf könnte ich wahrlich verzichten.«
»Es soll nicht allzu schlimm werden«, beruhigte ich ihn und zuckte gleich darauf zusammen, als mir die eisigen Kristalle in die Wangen stachen. Wir senkten unsere Köpfe gegen den Wind und hasteten frierend und stumm auf den Haupteingang zu. Dr. Masterson erwartete uns in der Eingangshalle, und hinter einem gezwungenen Lächeln war sein Gesicht hart wie Stein. Als sich die beiden Männer die Hände gaben, beäugten sie sich wie zwei bösartige Kater. Ich tat nichts, um die Spannung zwischen ihnen abzubauen, denn ich hatte

die Spielchen des Psychiaters, ehrlich gesagt, satt. Er wußte etwas, das wichtig für uns war, und es blieb ihm nichts anderes übrig, als es vollständig und ohne Beschönigungen zu erzählen. Entweder tat er das freiwillig, oder wir würden ihn per Gerichtsbeschluß dazu zwingen. Er konnte es sich aussuchen. Ohne uns aufzuhalten, gingen wir mit ihm in sein Büro, und dieses Mal schloß er die Tür.

»Nun, womit kann ich Ihnen behilflich sein?« fragte er, sofort nachdem er sich gesetzt hatte.

»Mit ausführlicheren Informationen«, antwortete ich.

»Sicher. Aber ich muß gestehen, Dr. Scarpetta«, fuhr er fort, als ob Marino gar nicht im Raum wäre, »ich kann mir nicht vorstellen, was ich Ihnen im Zusammenhang mit Al Hunt noch sagen könnte. Sie haben seine Akte gesehen, und ich habe Ihnen alles gesagt, woran ich mich erinnern kann –«

Marino schnitt ihm den Satz ab. »O ja? Nun, wir sind gekommen, um Ihrem Gedächtnis ein wenig auf die Sprünge zu helfen«, meinte er und holte seine Zigaretten aus der Tasche. »Und wir sind nicht einmal so sehr an Al Hunt interessiert.«

»Ich verstehe nicht.«

»Uns interessiert mehr sein Kumpel«, erklärte Marino.

»Was für ein Kumpel?« Dr. Masterson sah ihn abschätzig an.

»Sagt Ihnen der Name Frankie etwas?«

Dr. Masterson putzte seine Brille, und ich dachte, daß das wohl sein Lieblingstrick war, um Zeit zu gewinnen.

»Als Al Hunt hier war, war zugleich auch ein Junge mit dem Namen Frankie in dieser Klinik«, sagte Marino.

»Es tut mir leid, aber da muß ich passen.«

»Passen Sie, soviel Sie wollen, Doc. Aber verraten Sie uns, wer dieser Frankie ist.«

»Wir haben ständig über dreihundert Patienten in Valhalla, Lieutenant«, antwortete er. »Es ist mir völlig unmöglich, mich an jeden, der einmal in der Klinik war, zu erinnern. Besonders, wenn es sich um Patienten handelt, deren Aufenthalt bei uns nur von kurzer Dauer war.«
»Damit behaupten Sie also, daß dieser Frankie nicht lange bei Ihnen war?« fragte Marino.
Dr. Masterson griff nach seiner Pfeife. Er hatte sich verplappert, und ich konnte in seinen Augen sehen, daß er sich ärgerte.
»Ich behaupte überhaupt nichts dergleichen, Lieutenant.« Er stopfte bedächtig Tabak in die Pfeife. »Aber wenn Sie mir vielleicht ein wenig mehr Informationen über diesen Patienten, diesen jungen Mann, den Sie Frankie nennen, geben könnten, dann hätte ich wenigstens einen Anhaltspunkt. Können Sie mir mehr über ihn erzählen, außer, daß er ein Junge war?«
Ich schaltete mich ein: »Anscheinend hatte Al Hunt, während er hier war, einen Freund, den er Frankie nannte. Al hat ihn bei seinem Gespräch mit mir erwähnt. Wir glauben, daß dieser Frankie nach seiner Aufnahme hier zunächst in Backhall war und erst später auf eine andere Station kam, wo er dann möglicherweise Al kennenlernte. Er wurde uns als groß, dunkelhaarig und schlank beschrieben. Außerdem soll er gern gestrickt haben, was ja für männliche Patienten ziemlich ungewöhnlich sein dürfte.«
»Hat Ihnen Al Hunt das erzählt?« fragte Dr. Masterson ohne rechten Nachdruck.
»Frankie war auch extrem ordentlich«, ergänzte ich und wich der Frage damit aus.
»Ich fürchte, daß die Freude eines Patienten am Stricken etwas ist, was man mir für gewöhnlich nicht mitzuteilen pflegt«, bemerkte er und zündete erneut seine Pfeife an.

»Es ist auch möglich, daß er unter Streß zum Stottern neigte«, fügte ich hinzu und bezähmte meine Ungeduld.
»Hmm. Vielleicht jemand mit spastischer Dysphonie. Das wäre zumindest ein Ausgangspunkt –«
»Ich schlage Ihnen einen anderen Ausgangspunkt vor, nämlich, daß Sie endlich mit dem Quatsch aufhören«, unterbrach ihn Marino brutal.
»Also wirklich, Lieutenant.« Dr. Masterson lächelte Marino herablassend an. »Für Ihre Feindseligkeit besteht nun wirklich kein Anlaß.«
»Mag sein, aber ich werde Ihnen gleich einen Anlaß dazu geben, etwas gesprächiger zu werden. Ich könnte nämlich Lust bekommen, einen Haftbefehl herauszuziehen und Sie wegen Beihilfe zum Mord hinter Schloß und Riegel zu stecken. Wie gefällt Ihnen das?« Marino funkelte ihn böse an.
»Langsam habe ich genug von Ihren Unverschämtheiten«, antwortete Dr. Masterson nervtötend ruhig. »Mit Drohungen erreichen Sie bei mir gar nichts, Lieutenant.«
»Und bei mir erreicht man nichts, wenn man mich an der Nase herumführt«, konterte Marino.
»Wer ist Frankie?« fragte ich noch einmal.
»Ich versichere Ihnen, daß ich das nicht aus dem Stegreif sagen kann«, antwortete Dr. Masterson. »Aber wenn Sie die Güte hätten, ein paar Minuten zu warten, könnte ich nachsehen, ob wir vielleicht etwas über ihn in unserem Computer haben.«
Der Psychiater war kaum aus der Tür heraus, als Marino loslegte.
»Was für ein Drecksack!«
»Marino!« rief ich genervt.
»Sieht nicht so aus, als ob es in diesem Schuppen von Jugendlichen nur so wimmeln würde. Ich halte jede Wette,

daß fünfundsiebzig Prozent aller Patienten hier über sechzig sind. Junge Leute müssen da doch in der Erinnerung herausragen, oder? Er weiß verdammt gut, wer Frankie ist. Wahrscheinlich könnte er uns auswendig die Schuhgröße dieses Penners nennen.«

»Vielleicht.«

»Da gibt es kein Vielleicht. Ich sage Ihnen, der Kerl führt uns an der Nase herum.«

»Und er wird es so lange tun, bis Sie endlich damit aufhören, ihn anzugreifen, Marino.«

»Mist.« Er stand auf und ging zu dem Fenster hinter Dr. Mastersons Schreibtisch. Er schob die Vorhänge zur Seite und schaute hinaus in den tristen Vormittag. »Ich hasse es wie die Pest, wenn jemand mich anlügt. Ich schwöre bei Gott, wenn er mir keine andere Wahl läßt, dann werde ich ihn einlochen. Das kotzt mich so an bei diesen Seelenklempnern. Sie könnten Jack the Ripper unter ihren Patienten haben, und es wäre ihnen egal. Selbst dann würden sie einen immer noch anlügen, das Schwein ins Bett packen und mit Hühnersuppe füttern, als wäre es Mr. Apple Pie America.« Er hielt inne und murmelte: »Wenn es wenigstens aufhören würde zu schneien.«

Ich wartete, bis er sich wieder gesetzt hatte, und sagte dann: »Ich glaube, Ihre Drohung, ihn wegen Beihilfe zum Mord zu verhaften, war ein bißchen zuviel.«

»Sie hat ihn wenigstens aufgerüttelt, oder nicht?«

»Geben Sie ihm eine Chance, sein Gesicht zu wahren, Marino.«

Er starrte mürrisch auf die Vorhänge vor dem Fenster und rauchte.

»Ich glaube, daß es ihm jetzt klar ist, daß es nur in seinem eigenen Interesse liegt, wenn er uns hilft«, fügte ich hinzu.

»Ja, und es ist ganz bestimmt nicht in meinem Interesse, hier herumzusitzen und mit ihm Katz und Maus zu spielen. Während wir hier reden, läuft dieser Irre Frankie mit seinen verqueren Gedanken frei herum, wie eine tickende Zeitbombe, die jeden Moment hochgehen kann.«

Ich dachte an mein ruhiges Haus in meiner ruhigen Nachbarschaft, an Cary Harpers Goldkette, die über dem Türknopf hing, und an die flüsternde Stimme auf meinem Anrufbeantworter. *Ist dein Haar naturblond, oder bleichst du es?* . . . Wie sonderbar. Ich rätselte, was diese Frage wohl bedeuten mochte: Warum war das so wichtig für ihn?

»Wenn Frankie unser Mörder ist«, sagte ich ruhig und atmete tief durch, »kann ich mir nicht vorstellen, wie es irgendeine Verbindung zwischen Sparacino und diesen Morden geben soll.«

»Wir werden sehen«, murmelte er, zündete noch eine Zigarette an und starrte säuerlich auf die Tür.

»Was meinen Sie mit: Wir werden sehen?«

»Es überrascht mich immer wieder, wie sich ein Ding aus einem anderen ergibt«, antwortete er geheimnisvoll.

»Was? Was für Dinge ergeben sich aus anderen Dingen, Marino?«

Er blickte auf seine Uhr und fluchte. »Wo, zum Teufel steckt er überhaupt? Ist er zum Essen gegangen?«

»Ich hoffe, daß er nach Frankies Akte sucht.«

»Ja. Das hoffe ich auch.«

»Welche Dinge ergeben sich aus anderen Dingen?« fragte ich ihn noch einmal. »An was denken Sie? Könnten Sie das vielleicht ein bißchen präzisieren?«

»Lassen Sie es mich mal so sagen: Ich habe das dringende Gefühl, daß alle drei noch am Leben wären, wenn Beryl nicht dieses verdammte Buch geschrieben hätte. Sogar Hunt wäre vermutlich noch quicklebendig.«

»Da wäre ich mir nicht so sicher.«

»Natürlich sind Sie das nicht. Sie sind ja immer so verdammt objektiv. Aber ich bin mir sicher, okay?« Er schaute zu mir herüber und rieb sich seine müden Augen. Sein Gesicht war rot. »Ich habe nun mal dieses Gefühl, okay? Es sagt mir, daß Sparacino und das Buch der Schlüssel sind. Das hat den Mörder ursprünglich mit Beryl verbunden, und danach ergab eines das andere. Als nächstes brachte der Irre Harper um. Daraufhin nahm Miss Harper eine Dosis Tabletten, die auch ein Pferd umgebracht hätte, um nicht allein in ihrer riesigen Hütte herumlaufen zu müssen, während der Krebs sie langsam auffraß. Und dann baumelte auch noch Hunt von der Decke, in seinen gottverdammten Unterhosen.«
Die orangefarbene Faser mit ihrem merkwürdigen Querschnitt eines dreiblättrigen Kleeblatts kam mir in den Sinn, ebenso wie Beryls Manuskript, Sparacino, Jeb Price, Senator Partins Hollywood-Sohn, Mrs. McTigue und Mark. Sie waren Glieder und Sehnen eines Körpers, den ich nicht zusammensetzen konnte. Auf irgendeine unerklärliche Art und Weise waren sie die Alchimie, durch die anscheinend völlig unbeteiligte Leute und Ereignisse zu Frankie geformt worden waren. Marino hatte recht. Ein Ding ergibt sich immer aus einem anderen. Mord entsteht niemals im Vakuum. Nichts, was böse ist, tut das.
»Haben Sie irgendeine Theorie, wie diese Verbindung aussehen könnte?« fragte ich Marino.
»Nein, überhaupt keine«, antwortete er und gähnte, genau in dem Moment, als Dr. Masterson wieder in das Büro trat und die Tür schloß.
Mit Zufriedenheit bemerkte ich, daß er einen Stapel Patientenakten bei sich hatte.
»Nun denn«, begann er kühl und ohne einen von uns anzusehen. »Ich habe niemanden mit dem Namen Frankie gefunden, aber ich glaube ohnehin, daß es sich dabei um einen

Spitznamen handelt. Deshalb habe ich einige Fälle anhand des Therapiedatums, des Alters und der Rasse des Patienten herausgesucht. Ich habe hier außer der Akte von Al Hunt die Akten von sechs männlichen Weißen, die in dem Zeitraum, der Sie interessiert, Patienten im Valhalla waren. Sie waren damals zwischen 13 und 24 Jahre alt.«

»Wie wäre es, wenn Sie uns die Akten mal kurz durchblättern ließen, während Sie sich gemütlich zurücklehnen und Ihre Pfeife rauchen?« Marino war ein bißchen weniger angriffslustig, aber nicht viel.

»Ich würde es vorziehen, Ihnen aus Gründen der Schweigepflicht zunächst einmal die Geschichte der einzelnen Patienten vorzutragen, Lieutenant. Wenn sie eine davon besonders interessiert, können wir den Fall im Detail durchgehen. Ist das fair?«

»Ja« antwortete ich, bevor Marino etwas einwenden konnte.

»Der erste Fall«, begann Dr. Masterson und öffnete die erste Akte, »ist ein 19jähriger aus Highland Park in Illinois. Er wurde im Dezember 1978 wegen Drogenmißbrauchs eingeliefert – es handelte sich um Heroin.« Er blätterte um. »Er war einen Meter siebzig groß und wog sechsundsiebzig Kilo, Augen braun, Haare braun. Seine Behandlung dauerte drei Monate.«

»Al Hunt kam erst im April darauf in die Klinik«, erinnerte ich den Psychiater. »Sie hätten also nicht zur gleichen Zeit Patienten sein können.«

»Ja, ich glaube, Sie haben recht. Ein Versehen meinerseits. Den können wir also streichen.« Er legte die Akte auf seine Schreibunterlage, und ich warf Marino einen warnenden Blick zu. Ich wußte, daß er gleich explodieren würde. Sein Gesicht war rot wie der Weihnachtsmann.

Dr. Masterson öffnete eine neue Akte und begann wieder: »Als nächstes haben wir einen vierzehnjährigen Jungen, blond, blauäugig, einssiebenundfünfzig groß, zweiundfünfzig Kilo. Er kam im Februar 1979 und wurde sechs Monate später entlassen. Er litt unter Hospitalismus, zeitweisen Wahnvorstellungen und anderen Verhaltensstörungen. Er wurde als verwirrter hebephrenischer Schizophrener diagnostiziert.«

»Würden Sie uns bitte erklären, was, in drei Teufels Namen, das bedeutet?« fragte Marino.

»Seine Störung äußerte sich in Verwirrtheit, bizarrem Benehmen, extremer sozialer Zurückgezogenheit und in anderen merkwürdigen Verhaltensweisen. Zum Beispiel –« er überflog eine Seite, »ging er am Morgen zur Bushaltestelle, kam aber nie in der Schule an, und einmal wurde er unter einem Baum sitzend entdeckt, wie er unsinniges Zeug in sein Schulheft malte.«

»Ach ja. Und heute ist er ein berühmter Maler und lebt in New York«, murmelte Marino zynisch. »Ist sein Name Frank, Franklin, oder beginnt er überhaupt mit einem F?«

»Nein.«

»Also, wer kommt als nächster?«

»Als nächster kommt ein Zweiundzwanzigjähriger aus Delaware. Rothaarig, mit grauen Augen, äh, einsachtundsiebzig groß und achtundsechzig Kilo schwer. Er wurde im März 1979 aufgenommen und im Juni entlassen. Seine Diagnose lautete auf organisches Wahnsyndrom. Dazu kamen zeitweise Epilepsie und früherer Cannabis-Mißbrauch. Als Komplikationen kamen eine Dysphorie und ein unter Wahnvorstellungen begangener Versuch der Selbstkastration hinzu.«

»Was ist eine Dysphorie?« erkundigte sich Marino.

»Ein Zustand der Angst, Ruhelosigkeit und der Depression.«

»War das bevor oder nachdem er versucht hatte, sich selbst zum Sopran zu machen?«

Dr. Masterson wurde langsam ärgerlich, was ich ihm nicht verübeln konnte.
»Nächster!« befahl Marino wie ein Feldwebel auf dem Exerzierplatz.
»Als vierten Fall hätten wir einen Achtzehnjährigen mit schwarzem Haar und braunen Augen. Einsfünfundsiebzig groß, fünfundsechzig Kilo schwer. Er kam im Mai 1979 und war laut Diagnose ein paranoider Schizophrener. Seine Vorgeschichte« – er blätterte um und nahm seine Pfeife – »verzeichnet grundlose Wutanfälle, Angstzustände mit Zweifeln an der Geschlechtszugehörigkeit und eine ausgesprochene Angst davor, als homosexuell angesehen zu werden. Seine Psychose begann offensichtlich damit, daß er auf der Herrentoilette von einem Homosexuellen belästigt wurde –.«
»Einen Moment mal!« Wenn Marino ihn nicht gestoppt hätte, hätte ich es getan. »Über den da müssen wir uns genauer unterhalten. Wie lange war er in Valhalla?«
Dr. Masterson zündete sich seine Pfeife an. Er nahm sich Zeit, um die Akte durchzusehen, und sagte dann: »Zehn Wochen.«
»Also war er in der Klinik, als auch Hunt hier war«, stellte Marino fest.
»Das stimmt.«
»Er ist also in einer Herrentoilette belästigt worden und hat seither nicht mehr alle Tassen im Schrank. Wie war das genau? Was für eine Psychose hatte er?« fragte Marino.
Dr. Masterson blätterte durch die Akte. Er schob sich die Brille hoch und antwortete: »Es handelte sich um zeitweiligen Größenwahn. Er dachte, Gott habe ihm befohlen, gewisse Dinge zu tun.«
»Was für Dinge?« fragte Marino weiter und beugte sich etwas vor.

»Hier steht nichts Spezifisches, außer daß er ziemlich bizarre Sachen geäußert haben soll.«
»Und er war ein paranoider Schizophrener?«
»Ja.«
»Können Sie das mal näher definieren? Wie waren zum Beispiel seine anderen Symptome?«
»Im klassischen Sinne«, antwortete Dr. Masterson, »gibt es viele Symptome, die mit Größenwahn oder mit Halluzinationen größenwahnsinnigen Inhalts in Verbindung gebracht werden. Da wäre zum Beispiel krankhafte Eifersucht, extrem intensive interpersonale Interaktionen, Streitsucht und manchmal auch Gewalttätigkeit.«
»Wo kam er her?«
»Aus Maryland.«
»Mist«, murmelte Marino. »Lebte er bei seinen beiden Eltern?«
»Er lebte bei seinem Vater.«
Ich sagte: »Sind Sie sicher, daß er paranoid und nicht undifferenziert schizophren war?«
Dieser Unterschied erschien mir wichtig. Schizophrene des undifferenzierten Typs legen oft ein extrem verwirrtes Verhalten an den Tag. Sie sind normalerweise nicht in der Lage, ein Verbrechen zu planen und sich danach erfolgreich der Festnahme zu entziehen. Die Person, nach der wir suchten, mußte immerhin gefestigt genug sein, um Verbrechen planen und durchführen zu können und dabei unentdeckt zu bleiben.
»Ich bin mir ziemlich sicher, daß er paranoid schizophren war«, antwortete Dr. Masterson. Nach einer Pause fügte er sanft hinzu: »Der Vorname dieses Patienten ist interessanterweise Frank.«
Dann übergab er mir die Akte, und Marino und ich überflogen sie schnell.

Frank Ethan Aims, oder Frank E., also »Frankie«, wie ich mir zusammenreimte, hatte Valhalla Ende Juli 1979 verlassen und war, wie eine von Dr. Masterson später hinzugefügte Notiz besagte, kurz darauf aus dem Haus seines Vaters in Maryland verschwunden.

»Woher wissen Sie, daß er von zu Hause weggelaufen ist?« fragte Marino und sah den Psychiater an. »Woher wissen Sie, was mit ihm passierte, nachdem er diese Klitsche hier verlassen hatte?«

»Sein Vater rief mich an. Er war völlig durcheinander«, erklärte Dr. Masterson.

»Und weiter?«

»Ich fürchte, daß weder ich noch irgend jemand anders da etwas machen konnte. Frank war volljährig, Lieutenant.«

»Können Sie sich erinnern, ob je irgend jemand von ihm als Frankie gesprochen hat?« fragte ich.

Er schüttelte den Kopf.

»Und was war mit Jim Barnes? War er Frank Aims' Fürsorger?«

»Ja«, gab Dr. Masterson widerstrebend zu.

»Hatte Frank Aims ein schlimmes Erlebnis mit Jim Barnes?« fragte ich.

Er zögerte. »Angeblich.«

»Welcher Art?«

»Angeblich sexueller Natur, Dr. Scarpetta. Und, um Himmels willen, ich bin wirklich bereit, Ihnen zu helfen. Ich hoffe, Sie werden das nicht vergessen.«

»Hey«, sagte Marino, »Wir werden's schon nicht vergessen, okay? Ich meine damit, daß wir nicht vorhaben, Presseerklärungen abzugeben.«

»Frank kannte also Al Hunt«, vermutete ich.

Dr. Masterson zögerte wieder, sein Gesicht war angespannt. »Ja. Es war Al, der die Beschuldigungen vorbrachte.«

»Bingo«, murmelte Marino.
»Was meinen Sie damit, daß Al Hunt die Beschuldigungen vorbrachte?« wollte ich wissen.
»Ich meine damit, daß er sich bei einem unserer Therapeuten beschwerte«, antwortete Dr. Masterson in defensivem Ton. »Er sagte auch mir in etwa das gleiche während einer unserer Sitzungen. Frank wurde befragt, aber er weigerte sich zu sprechen. Er war ein sehr zorniger, zugeknöpfter junger Mann. Ich konnte allein aufgrund Als Aussage unmöglich etwas unternehmen. Ohne Franks Bestätigung waren die Beschuldigungen nicht mehr als Gerüchte.«
Marino und ich schwiegen.
»Es tut mir leid«, sagte Dr. Masterson, der jetzt völlig aus der Fassung geraten war. »Ich kann Ihnen nicht mit Franks Aufenthaltsort dienen. Ich weiß auch sonst nichts mehr. Vor sieben oder acht Jahren habe ich das letzte Mal etwas von seinem Vater gehört.«
»Bei welcher Gelegenheit haben Sie mit ihm gesprochen?« fragte ich weiter.
»Mr. Aims rief mich an.«
»Aus welchem Grund?«
»Er wollte wissen, ob ich etwas von Frank gehört hätte.«
»Und, hatten Sie?« erkundigte sich Marino.
»Nein«, antwortete Dr. Masterson. »Es tut mir leid, aber ich habe nie auch nur ein Wort von Frank gehört.«
»Warum wollte Mr. Aims wissen, ob Sie von Frank etwas gehört hätten?« Das war für mich die eigentlich entscheidende Frage.
»Er wollte ihn ausfindig machen und hoffte, daß ich vielleicht eine Idee hätte, wo er sein könnte. Seine Mutter war gestorben. Franks Mutter, meine ich.«
»Wo starb sie, und was ist passiert?« fragte ich.

»In Freeport in Maine. Ich bin mir über die genauen Umstände nicht im klaren.«
»Starb sie eines natürlichen Todes?«
»Nein«, sagte Dr. Masterson und vermied es, uns in die Augen zu sehen. »Ich bin mir ziemlich sicher, daß es nicht so war.«
Marino brauchte nicht lange, bis er alles darüber herausgefunden hatte. Er rief die Polizei in Freeport, Maine, an. Nach ihren Aufzeichnungen wurde. Mrs. Wilma Aims am späten Nachmittag des 15. Januar 1983 von einem »Einbrecher«, der offensichtlich in ihr Haus eingedrungen war, während sie beim Einkaufen gewesen war, erschlagen. Sie war 42, als sie starb, eine zierliche Frau mit blauen Augen und blond gebleichten Haaren. Der Fall wurde niemals aufgeklärt.

Ich hegte keine Zweifel darüber, um wen es sich bei dem sogenannten Einbrecher handelte. Auch Marino nicht.
Er sagte: »Also war Hunt wirklich eine Art Hellseher, was? Er wußte, daß Frankie seine Mutter um die Ecke gebracht hatte. Schließlich war es schon Jahre her, daß die beiden Irren zusammen in der Klapsmühle waren.«
Wir schauten Sammy, dem Eichhörnchen, bei seinen Turnübungen am Vogelhaus zu. Nachdem mich Marino von der Klinik nach Hause gefahren hatte, hatte ich ihn noch zu einer Tasse Kaffee eingeladen.
»Und Sie sind sicher, daß Frankie während der letzten paar Jahre nicht in Hunts Autowaschanlage beschäftigt war?« fragte ich.
»Ich kann mich nicht erinnern, in Büchern dort einen Frank oder Frankie Aims gesehen zu haben«, antwortete er.
»Es ist sehr gut möglich, daß er seinen Namen änderte«, sagte ich.
»Wenn er seine alte Dame wirklich abgemurkst hat, hat er

das mit ziemlicher Sicherheit getan. Er konnte sich ja ausrechnen, daß die Polizei nach ihm suchen würde.« Er nahm seinen Kaffee. »Das Problem ist, daß wir keine aktuelle Beschreibung von ihm haben, und daß bei Klitschen wie Masterwash die Angestellten sich praktisch die Klinke in die Hand geben. Ständig werden neue Kerle eingestellt, oft nur für eine Woche oder einen Monat. Haben Sie eine Ahnung, wie viele Weiße groß, schlank und dunkelhaarig sind? Sie alle zu überprüfen wäre reiner Irrsinn.«

Wir waren der Lösung so nahe und doch so fern. Es war zum Verrücktwerden.

»Die Faseruntersuchungen weisen auf eine Waschanlage hin«, sagte ich frustriert. »Hunt arbeitete in Beryls bevorzugter Waschanlage und kannte möglicherweise ihren Mörder. Verstehen Sie, was ich damit sagen möchte, Marino? Hunt wußte, daß Frankie seine Mutter umgebracht hatte, weil Hunt und Frankie auch nach Valhalla vielleicht noch Kontakt miteinander hatten. Frankie hat vielleicht in Hunts Waschanlage gearbeitet, vielleicht sogar bis vor kurzem. Es ist möglich, daß Frankie auf Beryl aufmerksam wurde, als sie ihren Wagen zum Waschen brachte.«

»Sie beschäftigen sechsunddreißig Angestellte dort. Alle, bis auf elf, sind Schwarze, Doc, und unter diesen elf Bleichgesichtern sind sechs Frauen. Bleiben also wie viele? Fünf? Drei von ihnen sind unter zwanzig, das heißt, daß sie so acht, neun Jahre alt waren, als Frankie in Valhalla war. Die scheiden also aus. Und die anderen zwei kommen auch nicht in Frage, und zwar aus diversen Gründen.«

»Was sind das für Gründe?« fragte ich.

»Zum Beispiel, daß sie erst in den letzten paar Monaten dort arbeiteten, also gar nicht da gewesen sein konnten, als Beryl ihre Mühle hingebracht hat. Ganz zu schweigen von ihrer

körperlichen Beschreibung, die nicht einmal annähernd stimmt. Einer hat rote Haare, und der andere ist fast ein Liliputaner, kaum größer als Sie.«
»Vielen Dank.«
»Ich werde weiter nachforschen«, sagte er und drehte sich mit dem Rücken zum Vogelhaus, von wo aus uns unentwegt Sammy, das Eichhörnchen, mit rosa umränderten Augen anblickte.
»Und was ist mit Ihnen?«
»Was soll mit mir sein?«
»Weiß Ihre Dienststelle eigentlich noch, daß Sie dort arbeiten?« fragte Marino.
Er sah mich komisch an.
»Alles unter Kontrolle«, behauptete ich.
»Da bin ich mir nicht so sicher, Doc.«
»Aber ich.«
»Aber ich glaube, daß es Ihnen momentan nicht allzu gut geht.« Marino gab keine Ruhe.
»Ich werde noch ein paar Tage nicht ins Büro gehen«, erklärte ich bestimmt. »Ich muß Beryls Manuskript finden. Ethridge kümmert sich um die Anzeige, die deswegen gegen mich läuft. Und wir müssen wissen, was in dem Manuskript steht. Vielleicht ist es die Verbindung, von der Sie gesprochen haben.«
»Aber denken Sie an meine Verhaltensregeln.« Er schickte sich an zu gehen.
»Ich werde sehr vorsichtig sein«, versicherte ich.
»Und Sie haben wirklich nichts mehr von ihm gehört?«
»Richtig«, bestätigte ich. »Keine Anrufe. Und auch sonst keine Anzeichen von ihm. Nichts.«
»Nun, ich will Sie bloß daran erinnern, daß er Beryl auch nicht jeden Tag angerufen hat.«
Er mußte mich nicht erst daran erinnern, und ich wollte

nicht, daß er schon wieder damit anfing. »Wenn er anruft, sage ich einfach: Hallo, Frankie. Was ist los?«

»Hey. Das ist kein Witz.« Er blieb in der Diele stehen und drehte sich um. »Sie haben doch einen Witz gemacht, oder?«

»Natürlich.« Ich lächelte und klopfte ihm auf den Rükken.

»Ich meine es ernst, Doc. Machen Sie nichts dergleichen. Wenn Sie ihn auf Ihrem Anrufbeantworter hören, dann heben Sie nicht ab, verdammt noch mal –«.

Marino erstarrte, als ich die Tür öffnete, und riß erschreckt die Augen auf.

»Ach, du Scheiße . . .« Er trat hinaus auf meine Veranda, zog idiotischerweise seinen Revolver und fuchtelte damit wie ein Wilder in der Luft herum.

Ich war zu verblüfft, um etwas zu sagen, und schaute nur an ihm vorbei, wo prasselnde, brausende Hitze die Winterluft erzittern ließ.

Marinos Auto war nur noch ein flammendes Inferno vor dem schwarzen Nachthimmel. Gelbe Flammen tanzten und züngelten hinauf zur schmalen Sichel des Monds. Ich packte Marino am Ärmel und riß ihn zurück ins Haus, gerade in dem Augenblick, als ich in der Ferne eine Sirene hörte und der Benzintank explodierte. Hinter den Fenstern des Wohnzimmers stieg ein Feuerball in den Himmel und setzte die Sträucher am Rand meines Grundstücks in Brand.

»O Gott!« schrie ich, als der Strom ausfiel.

Marinos großer Schatten lief auf dem Teppich auf und ab und sah in der Dunkelheit aus wie ein gereizter Stier, der gleich angreifen wird. Er fummelte an seinem Handfunkgerät herum und fluchte.

»Der verfluchte Bastard! Der gottverfluchte Bastard!«

Kurz nachdem das ausgebrannte Wrack, das einmal sein geliebtes neues Auto war, auf einem Tieflader abtransportiert worden war, schickte ich Marino nach Hause. Er hatte darauf bestanden, über Nacht zu bleiben. Ich hingegen hatte darauf bestanden, daß es ausreiche, wenn er ein paar Streifenwagen vor meinem Haus postiere. Er hatte darauf bestanden, daß ich wenigstens in ein Hotel ginge, und ich hatte es abgelehnt, mich von der Stelle zu bewegen. Er mußte sich um seinen Schaden kümmern und ich mich um den meinen. Die Straße vor meinem Grundstück und meine Einfahrt waren ein rußiger Sumpf, und das Erdgeschoß des Hauses wurde von widerlich riechendem Rauch umnebelt. Der Briefkasten an meiner Einfahrt sah aus wie ein abgebranntes Streichholz, und ich hatte mindestens ein halbes Dutzend Sträucher und ebenso viele Bäume verloren. Aber in Wahrheit wollte ich allein sein, obwohl ich Marinos Fürsorge durchaus zu schätzen wußte.

Es war schon nach Mitternacht, und ich zog mich eben bei Kerzenlicht aus, als das Telefon läutete. Frankies Stimme sickerte wie giftiges Gas in mein Schlafzimmer und verpestete schon allein dadurch, daß sie in mein schützendes Haus eindrang, die Luft, die ich atmete.

Ich saß auf der Bettkante und starrte blind auf den Anrufbeantworter, während mir die Galle hochkam und mein Herz krampfhaft gegen meine Rippen schlug.

». . . Ich wünschte, ich hätte noch ein wenig bleiben und zusehen können. War das nicht ein be-be-eindruckendes Feuer, Kay? War das nichts? Ich mag es nicht, wenn du andere Mä-Mä-Männer im Haus hast. Jetzt weißt du's . . . So, jetzt weißt du's.«

Der Anrufbeantworter blieb stehen, und das Licht, das eine daraufgesprochene Botschaft anzeigte, begann zu blinken. Ich schloß die Augen und atmete langsam und tief, während

mein Herz wie wild schlug und die Kerzenflamme Schatten über die Wände flackern ließ. Warum mußte das alles mir passieren?
Ich wußte, was ich zu tun hatte, nämlich das gleiche, was auch Beryl Madison getan hatte. Ich fragte mich, ob ich jetzt wohl dieselbe Furcht empfand wie sie, als sie das in ihre Autotür gekratzte Herz entdeckt hatte und aus der Waschanlage geflohen war. Meine Hände zitterten heftig, als ich die Nachttischschublade öffnete und das Branchenverzeichnis herausholte. Nachdem ich gebucht hatte, rief ich Benton Wesley an.
»Ich würde Ihnen davon abraten, Kay«, sagte er und war sofort hellwach. »Nein. Tun Sie das unter keinen Umständen. Hören Sie mir zu, Kay –.«
»Ich habe keine andere Wahl, Benton. Ich wollte nur, daß jemand es weiß. Sie können Marino informieren, wenn Sie wollen. Aber mischen Sie sich nicht ein. Bitte. Das Manuskript –«
»Kay –«
»Ich muß es finden. Ich glaube, daß es dort ist.«
»Kay! Sie können jetzt doch gar nicht klar denken.«
»Schauen Sie.« Meine Stimme erhob sich. »Was soll ich denn tun? Hier warten, bis der Bastard meine Tür einschlägt oder mein Auto in die Luft jagt? Wenn ich hier bleibe, bin ich tot. Sind Sie nicht auch zu diesem Schluß gekommen, Bentley?«
»Sie haben eine Alarmanlage. Sie haben eine Waffe. Er kann ihr Auto nicht in die Luft jagen, wenn Sie drin sind. Äh, Marino hat angerufen. Er hat mir erzählt, was passiert ist. Die Polizei ist ziemlich sicher, daß jemand einen benzingetränkten Lumpen in den Benzintank gesteckt und angezündet hat. Sie haben Spuren am Schloß gefunden. Er hat es aufgebrochen und –«
»Mein Gott, Benton, Sie hören mir ja nicht einmal zu.«

»Hören *Sie* zu. Bitte, Kay. Hören Sie auf mich. Ich werde Sie beschützen lassen, ich lasse jemanden in Ihrem Haus wohnen, okay? Eine unserer Agentinnen –«

»Gute Nacht, Benton.«

»Kay!«

Ich legte auf und hob nicht ab, als er kurz darauf wieder anrief. Wie betäubt hörte ich zu, wie er seine Proteste auf den Anrufbeantworter sprach. Mein Puls schlug bis in den Hals, während die Bilder wieder über mich hereinbrachen. Wie Marinos Auto zischte, als das Wasser aus dick geschwollenen Feuerwehrschläuchen, die wie Schlangen über die Straße liefen, in hohem Bogen auf die Flammen spritzte. Als ich dann die verkohlte, kleine Leiche am Ende der Auffahrt gefunden hatte, brach etwas in mir entzwei. Der Benzintank von Marinos Auto mußte genau in dem Moment explodiert sein, als Sammy, das Eichhörnchen, wie verrückt an der Stromleitung herumturnte. Verschreckt wollte er sich in Sicherheit bringen, und für den Bruchteil einer Sekunde berührten seine Pfoten gleichzeitig das geerdete Trafohäuschen und die Hochspannungsleitung. 20 000 Volt rasten durch seinen kleinen Körper, ließen ihn in Flammen aufgehen und die Hauptsicherung durchbrennen.

Ich hatte ihn in eine Schuhschachtel geschaufelt und in meinem Rosengarten beerdigt. Der Anblick seiner schwarzen Leiche im Morgenlicht wäre zuviel für mich gewesen.

Als ich mit dem Packen fertig war, war immer noch kein Strom da. Ich ging nach unten, trank einen Brandy und rauchte so lange, bis ich nicht mehr zitterte. Meine Ruger auf dem Barschränkchen glitzerte im Licht der Petroleumlampen. Ich legte mich nicht mehr ins Bett. Als ich die Haustür zuschloß, ignorierte ich die Verwüstung meines Gartens. Ich rannte so hastig zu meinem Auto, daß mir der Koffer gegen die Beine schlug und schmutziges Wasser unter meinen Tritten hochspritzte. Ich konnte nicht einen einzigen Streifenwagen entdecken, als ich schnell die stille Straße hinunterfuhr. Ich kam kurz nach fünf Uhr früh am Flughafen an und schloß mich in der Damentoilette ein, wo ich meine Pistole aus der Handtasche nahm, sie entlud und in meinen Koffer packte.

## 15

Am Mittag verließ ich das Flugzeug durch den Landefinger und stürzte mich in das sonnendurchflutete Gedränge des Miami International Airport.

Ich blieb stehen, um mir den *Miami Herald* zu kaufen und eine Tasse Kaffee zu trinken. Ich fand einen kleinen Tisch hinter einer Topfpalme, zog meinen Winterblazer aus und rollte mir die Ärmel hoch. Schweiß lief mir am ganzen Körper hinunter, so daß ich völlig durchnäßt war. Meine Augen brannten von zu wenig Schlaf, und was ich entdeckte, als ich die Zeitung aufschlug, war auch nicht gerade geeignet, meine Laune zu verbessern. Unten links auf der Titelseite sah ich ein spektakuläres Foto, das Feuerwehrmänner zeigte, wie sie eben Marinos brennendes Auto löschten. Unter dem dramatischen Tableau aus Wasserbögen, Rauchschwaden und den brennenden Bäumen am Rand meines Hofes las ich folgende Schlagzeile:

POLIZEIWAGEN EXPLODIERT

Die Feuerwehr von Richmond löscht den Wagen eines Beamten der Mordkommission, der auf einer ruhigen Wohnstraße in Flammen aufging. Der Ford LTD war leer, als er gestern nacht explodierte. Niemand wurde verletzt. Es besteht der Verdacht auf Brandstiftung.

Wenigstens stand da nicht, wem das Haus gehörte, vor dem Marinos Wagen geparkt war, und warum er dort gestanden hatte, Gott sei Dank. Trotzdem würde meine Mutter das Bild sehen und versuchen mich anzurufen. »Ich wünschte, du wärest wieder in Miami, Kay. Dieses Richmond muß ja schrecklich sein. Und das Büro des Medical Examiner hier ist so ein schönes, neues Gebäude, Kay«, würde sie sagen. »Es sieht aus wie aus einem Film.« Komischerweise kam es meiner Mutter nie in den Sinn, daß es in meiner spanischsprechenden Heimatstadt jedes Jahr mehr Morde, Schießereien, Drogendeals, Rassenunruhen, Vergewaltigungen und bewaffnete Raubüberfälle gab als in Virginia und den ganzen Neuenglandstaaten zusammen.
Ich beschloß, meine Mutter später anzurufen. Der liebe Gott mochte mir vergeben, ich konnte jetzt einfach nicht mit ihr sprechen.
Ich sammelte meine Sachen zusammen, drückte meine Zigarette aus und mischte mich unter die tropisch gekleidete Menschenflut, die Einkaufstüten aus dem Duty-free-Shop mit sich herumschleppte und in fremden Zungen schnatternd zur Gepäckabholung strömte. Ich drückte meine Handtasche fester an meinen Körper.
Erst ein paar Stunden später, als ich in meinem gemieteten Wagen über die Seven Mile Bridge glitt, fing ich an, mich zu entspannen. Wie ich so, zwischen dem Golf von Mexiko auf der einen und dem Atlantik auf der anderen Seite, weiter nach Süden fuhr, versuchte ich mich daran zu erinnern, wann ich das letzte Mal in Key West gewesen war. Wenn Tony und ich meine Familie in Miami besucht hatten, hatten wir nie an einen Ausflug dorthin gedacht. Ich war mir

ziemlich sicher, daß ich das letzte Mal mit Mark hinuntergefahren war.
In seiner Liebe zum Strand, dem Wasser und der Sonne zeigte sich eine Hingabe, die irgendwie erwidert wurde. Wenn es möglich ist, daß die Natur manche ihrer Geschöpfe mehr bevorzugt als andere, so war Mark ganz sicher eines davon.
Ich konnte mich kaum mehr an das Jahr erinnern, noch viel weniger daran, wohin wir damals genau gefahren waren, als wir eine Woche bei meiner Familie verbracht hatten. An andere Dinge erinnerte ich mich hingegen noch sehr deutlich. An seine schlottrige, weiße Badehose, zum Beispiel, und an die feste Wärme seiner Hand, als er bei unseren Spaziergängen über den kühlen, nassen Sand die meine hielt. Ich erinnerte mich an das umwerfende Weiß seiner Zähne, das sich vom Kupferbraun seiner Haut abhob, an seine gesunden, freudigen Augen, wenn er Haifischzähne und Muscheln suchte, während ich ihn aus dem Schatten eines weitkrempigen Huts anlächelte. Am wenigsten aber konnte ich vergessen, daß ich einen jungen Mann mit dem Namen Mark James mehr geliebt hatte, als ich geglaubt hatte, daß man irgend etwas auf der Welt lieben könnte.
Was hatte ihn nur so verändert? Ich konnte es nur schwer begreifen, daß er, wie Ethridge annahm, zur feindlichen Seite übergelaufen war, aber es blieb mir nichts anderes übrig, als diese Tatsache zu akzeptieren. Mark hatte schon immer alles bekommen, was er wollte, und er hatte einem schon immer das Gefühl gegeben, daß er auf alles einen Anspruch habe, ein Gefühl, wie es einem die schönen Söhne besserer Leute vermitteln können. Die Gaben der Erde gehörten ihm und warteten darauf, daß er sich ihrer bediente, aber unehrlich war er nie gewesen und grausam ebensowenig. Ich konnte nicht einmal sagen, daß er denen gegenüber,

die nicht soviel Glück gehabt hatten, wie er selbst, herablassend gewesen wäre oder daß er andere, die seinem Charme verfallen waren, irgendwie ausgenützt hätte. Seine einzige wirkliche Sünde war es, mich nicht genügend geliebt zu haben.

Vom erhabenen Standpunkt meiner jetzigen Lebenserfahrung aus konnte ich ihm das verzeihen. Was ich ihm nicht verzeihen konnte, war seine Unaufrichtigkeit. Ich konnte ihm nicht verzeihen, daß er zu einem Mann verkommen war, der weniger wert war als der, den ich einmal respektiert und angehimmelt hatte. Ich konnte ihm nicht verzeihen, daß er nicht mehr er selbst war.

Ich fuhr auf dem Highway 1 am U.S. Marine Hospital vorbei und folgte auf dem North Roosevelt Boulevard der sanft geschwungenen Küste.

Bald darauf steckte ich im Straßenlabyrinth von Key West und suchte nach dem Weg zur Duval Street. Sonnenlicht tauchte die engen Straßen in leuchtendes Weiß, und die Schatten tropischer Bäume, die sich in einer leichten Brise bewegten, tanzten über das Pflaster. Unter einem endlosen blauen Himmel spendeten große Palmen und Magnolienbäume mit ihren weit ausgebreiteten grünen Armen Häusern und Geschäften kühlen Schatten. Purpurn und hellrot leuchteten Bougainvillea und Hibiskus auf Gehsteigen und Veranden. Langsam fuhr ich an Leuten in Shorts und Sandalen und einer endlosen Schlange von Mopeds vorbei. Es gab sehr wenig Kinder und überdurchschnittlich viele Männer hier.

Das La Concha war ein hohes, rosafarbenes Holiday Inn mit vielen Innenhöfen voller prächtiger tropischer Pflanzen. Ich bekam ohne Probleme ein Zimmer, angeblich deshalb, weil die Touristensaison erst in der dritten Septemberwoche begann. Aber als ich mein Auto auf dem halbleeren Parkplatz abgestellt hatte und in die ziemlich verlassene Lobby ging, mußte ich daran denken, was Marino gesagt hatte. Niemals zuvor in meinem Leben hatte ich so viele gleichgeschlechtliche Paare gesehen, und es war vollkommen klar, daß unter der gesunden Oberfläche dieser kleinen Insel vor der Küste die Krankheit lauerte. Wohin ich auch sah, überall glaubte ich sterbende Männer zu sehen. Ich hatte keine Angst davor, daß ich mich mit Hepatitis oder Aids infizieren könnte, weil ich schon vor langer Zeit gelernt hatte, mit der theoretischen Gefahr von Krankheiten, die zu meinem Beruf gehörten, umzugehen. Auch hatte ich nichts gegen Homosexuelle. Je älter ich wurde, desto mehr war ich der Meinung, daß man Liebe auf viele verschiedene Arten empfinden kann. Es gibt keine richtige oder falsche Art zu lieben.

Als mir der Empfangschef meine Kreditkarte zurückgab, ließ ich mir von ihm den Weg zu den Aufzügen zeigen, und mit benebeltem Kopf fuhr ich zu meinem Zimmer in den fünften Stock hinauf. Ich zog mich bis auf die Unterwäsche aus, kroch ins Bett und schlief 14 Stunden lang tief und fest.

Der folgende Tag war ebenso strahlend sonnig wie der vergangene, und ausgerüstet wie jeder andere Tourist, bis auf die Ruger in meiner Handtasche, machte ich mich auf den Weg. Ich hatte mir die Aufgabe gestellt, diese Insel von etwa 30 000 Einwohnern nach zwei Männern zu durchsuchen, von denen ich einzig wußte, daß sie P. J. und Walt hießen.

Ich wußte aus den Briefen, die Beryl Ende August geschrieben hatte, daß sie ihre Freunde gewesen waren und in demselben Haus wie sie gewohnt hatten. Ich hatte nicht die leiseste Ahnung, wie diese Pension hieß oder wo sie sich befand. Ich konnte nur hoffen, daß jemand in Louies Kneipe mir das würde sagen können. Ich ging die Duval Street hinunter, vorbei an Reihen von Geschäften und Restaurants mit prächtigen Balkonbrüstungen, die mich an das französische Viertel in New Orleans erinnerten. Ich schlenderte an Ständen auf dem Gehsteig vorbei, die Kunstwerke feilboten, und passierte Boutiquen, die exotische Pflanzen, Seidentücher und Perugina-Schokolade verkauften. An einer Kreuzung blieb ich stehen und sah zu, wie die knallgelben Wagen des Conch-Tour-Touristenzuges vorbeiratterten. Langsam begann ich zu verstehen, warum Beryl Madison nicht aus Key West fortgewollt hatte. Mit jedem Schritt, den ich tat, verblaßte Frankies bedrohliche Gegenwart ein wenig mehr. Als ich schließlich nach links in die South Street abbog, erschien er mir so fern wie das rauhe Dezemberwetter von Virginia.

Louies Restaurant war ein umgebautes weißes Holzhaus an der Ecke Vernon- und Waddelstreet. Seine Hartholzfußböden und die pfirsichfarbene Tischwäsche strahlten vor Sauberkeit. Die Tische waren perfekt gedeckt und mit ausgesucht hübschen frischen Blumen geschmückt. Ein Ober führte mich durch den klimatisierten Speisesaal zu einem Tisch auf der Veranda. Ich war überwältigt von dem Anblick, der sich mir bot. Wo sich Wasser und Himmel trafen, funkelte das Meer in den verschiedensten Blautönen. Überall standen Palmen, und Hängekörbe voller blühender Pflanzen schwangen langsam in einem sanften, nach Meer duftenden Lufthauch hin und her. Der Atlantik lag mir praktisch zu Füßen, und eine bunte Schar von Segelbooten ankerte nur eine kurze Schwimmstrecke entfernt. Ich bestellte einen Rum mit Tonic, dachte an Beryls Briefe und fragte mich, ob ich jetzt vielleicht genau dort saß, wo sie sie geschrieben hatte.

Die meisten Tische waren besetzt, der meinige stand etwas abgesondert von den anderen in einer Ecke am Geländer. Links von ihm führten viele Stufen hinunter auf eine große

Plattform, auf der sich ein paar junge Männer und Frauen in Badeanzügen in der Nähe einer kleinen Bar sonnten. Ich sah zu, wie ein sehniger, lateinamerikanisch aussehender Junge in einer gelben Badehose eine Zigarettenkippe ins Wasser schnippte, aufstand und sich träge streckte. Er watschelte davon, um bei dem bärtigen Barkeeper, der sich schwerfällig bewegte wie jemand, der nicht mehr ganz jung ist und den sein Job schon seit langem anödet, eine neue Runde Bier zu holen.

Ich hatte meinen Salat und meine Schüssel mit Muschelsuppe längst gegessen, als die jungen Leute endlich die Treppe zum Meer hinunterkletterten und unter lautem Gejohle ins Wasser stürmten. Bald schwammen sie in Richtung auf die vor Anker liegenden Boote davon. Ich bezahlte und ging hinunter zu dem Barkeeper. Er saß zurückgelehnt auf einem Stuhl unter seinem Schilfdach und las in einem Roman.

»Was darf's sein?« fragte er gedehnt, stand ohne viel Elan auf und verstaute das Buch unter der Bar.

»Verkaufen Sie auch Zigaretten?« fragte ich. »Ich habe drinnen keinen Automaten gesehen.«

»Das stimmt«, bestätigte er und deutete auf eine beschränkte Auswahl an Zigaretten hinter ihm. Ich sagte ihm, welche ich wünschte. Er knallte das Päckchen vor mich auf die Bar, verlangte die unverschämte Summe von zwei Dollar, und auch als ich ihm 50 Cent Trinkgeld gab, wurde er nicht höflicher. Seine Augen waren unfreundlich und grün, und jahrelange Sonneneinstrahlung hatte sein Gesicht gegerbt. Sein dichter, dunkler Bart hatte graue Stellen. Er sah feindselig und hart aus, und ich hatte den Verdacht, daß er schon seit einer ganzen Weile in Key West lebte.

»Dürfte ich Ihnen eine Frage stellen?« sagte ich

»Das haben Sie gerade getan, Madam, aber das macht nichts«, antwortete er.

Ich lächelte. »Sie haben recht. Das habe ich wirklich getan. Und jetzt stelle ich Ihnen gleich noch eine. Wie lange arbeiten Sie schon hier bei Louies Restaurant?«
»So an die fünf Jahre.« Er nahm ein Tuch und fing an, die Bar zu polieren.
»Dann müßten Sie eigentlich eine junge Frau gekannt haben, die Straw genannt wurde«, sagte ich. Beryl hatte, ihren Briefen zufolge, nie ihren richtigen Namen benützt.
»Straw?« wiederholte er und runzelte die Stirn, während er weiter polierte.
»Das war ihr Spitzname. Sie war blond, schlank und sehr hübsch. Im vergangenen Sommer kam sie fast jeden Nachmittag zu Louie's. Sie saß an einem Tisch und schrieb.«
Er hörte mit dem Polieren auf und schaute mich mit seinen harten Augen an. »Was geht denn Sie das an? Ist sie eine Freundin von Ihnen?«
»Sie ist eine Patientin von mir.« Ich sagte das einzige, was mir einfiel, das weder abschreckend klang noch eine plumpe Lüge war.
»Hä?« Seine dichten Augenbrauen schossen nach oben. »Eine Patientin? Sind Sie ihre Ärztin?«
»Ganz genau.«
»Nun, ich glaube nicht, daß Sie ihr jetzt noch allzuviel helfen können, Doc. Tut mir leid, das sagen zu müssen.« Er ließ sich in seinen Stuhl fallen, lehnte sich zurück und wartete.
»Das ist mir bekannt«, erwiderte ich. »Ich weiß, daß sie tot ist.«
»Ja. Ich war ziemlich geschockt, als ich es erfuhr. Vor ein paar Wochen hat die Polizei mit Gummischläuchen und Daumenschrauben die Bude hier gestürmt. Ich weiß auch nicht mehr als das, was meine Kumpel denen erzählt haben. Niemand hier hat auch nur die geringste Ahnung, was mit Straw geschehen ist. Sie war wirklich cool, eine echt tolle Lady. Sie saß

immer genau dort drüben.« Er deutete auf einen nicht weit entfernten, leeren Tisch. »Saß die ganze Zeit nur da und kümmerte sich um ihre eigenen Angelegenheiten.«

»Hat irgendwer von Ihnen sie näher kennengelernt?«

»Sicher.« Er zuckte die Achseln. »Wir haben alle ein paar Bier mit ihr getrunken. Sie stand auf mexikanisches Bier mit Limonensaft. Aber ich kann nicht sagen, daß irgend jemand hier sie näher gekannt hat. Ich meine, ich bin mir nicht einmal sicher, daß einer von uns Ihnen sagen könnte, wo genau sie herkam, außer, daß es irgend so ein Land der Schneevögel war.«

»Richmond, Virginia«, erklärte ich.

»Wissen Sie, eine Menge Leute kommen hierher und gehen wieder weg. Hier in Key West heißt es leben und leben lassen. Es gibt eine Menge armer Künstler in der Gegend. Straw war nicht anders als – andere Leute, die ich hier getroffen habe. Allerdings wurden die meisten von ihnen nicht ermordet. Verdammt.« Er kratzte sich am Bart und schüttelte langsam den Kopf. »Ich kann es mir kaum vorstellen. Das geht irgendwie über meinen Horizont.«

»Es gibt da eine Menge offener Fragen«, bemerkte ich und zündete mir eine Zigarette an.

»Ja. Zum Beispiel, warum rauchen Sie, um alles in der Welt? Ich dachte immer, daß Ärzte es eigentlich besser wissen müßten.«

»Es ist eine schlechte und ungesunde Angewohnheit. Und ich weiß es wirklich besser. Und Sie können mir gleich noch mal einen Rum mit Tonic machen, denn zu allem Überfluß trinke ich auch noch recht gerne. Einen Barbancourt mit einem Spritzer Limone, bitte.«

»Vier oder acht Jahre alt, wie hätten Sie's denn gerne?« Er wollte anscheinend mein Wissen über edle Spirituosen überprüfen.

»Fünfundzwanzig, falls Sie so was haben.«
»Tut mir leid. Den Fünfundzwanzigjährigen bekommen Sie nur auf den Karibischen Inseln. Der ist so mild, daß man weinen könnte.«
»Dann geben sie mir den besten, den Sie haben.«
Er zeigte mit dem Finger auf eine Flasche hinter ihm, die mir mit ihrem braunen Glas und den fünf Sternen auf dem Etikett bekannt vorkam. Barbancourt Rum, 15 Jahre im Faß gereift, genau wie der, den ich in Beryls Küchenschrank gefunden hatte.
»Wunderbar«, sagte ich.
Er war auf einmal voller Energie, als er grinsend aufstand. Geschickt wie ein Jongleur hantierte er mit den Flaschen, goß ohne Zuhilfenahme eines Meßbechers einen langen Strahl des flüssigen Goldes aus Haiti und ein paar funkelnde Spritzer Tonic in ein Glas. Fürs große Finale schnitt er von einer Limone, die aussah, als wäre sie eben vom Baum gepflückt worden, eine Scheibe ab, drückte den Saft in meinen Drink und fuhr mit einer zerquetschten Zitronenschale über den Rand des Glases. Er wischte sich seine Hände an dem Tuch ab, das er in den Bund seiner ausgebleichten Jeans gesteckt hatte, schob eine Papierserviette über die Bar und präsentierte mir sein Meisterwerk. Es war ohne Zweifel der beste Rum mit Tonic, den ich jemals getrunken hatte, und das sagte ich ihm auch.
»Geht auf Kosten des Hauses«, strahlte er, als er die Zehn-Dollar-Note, die ich ihm hingestreckt hatte, zurückwies. »Ärztinnen, die rauchen und was von Rum verstehen, sind mir jederzeit willkommen.« Er langte unter die Bar und holte sein eigenes Päckchen hervor.
»Ich kann Ihnen sagen«, fuhr er fort und blies das Streichholz aus, »dieses selbstgerechte Gefasel übers Rauchen und alles andere geht mir total auf den Geist. Wissen Sie, was ich

meine? Manche Leute behandeln einen schon wie einen gottverdammten Verbrecher. Ich sage immer: Leben und leben lassen. Das ist mein Motto.«

»Ja, ich weiß genau, was Sie meinen«, stimmte ich ihm zu, und wir nahmen jeder einen langen, gierigen Zug.

»Es gibt immer irgend etwas, für das die Leute einen verurteilen. Sie wissen schon. Was man ißt. Was man trinkt. Mit wem man geht.«

»Mir geht es auch auf den Geist, daß manche Leute meinen, sie hätten das Recht, andere auf eine äußerst unfreundliche Art zu verurteilen«, antwortete ich.

»Amen.«

Er setzte sich wieder zwischen die aufgereihten Flaschen im Schatten seines Schilfdachs, während mir die Sonne auf den Kopf brannte. »Okay«, meinte er, »Sie sind also Straws Doktor. Was wollen Sie denn herausfinden, wenn ich fragen darf?«

»Verschiedene Dinge, die vor ihrem Tod geschahen, sind sehr verwirrend«, sagte ich. »Ich hoffe, daß Ihre Freunde mir dabei helfen können, ein paar dieser Punkte aufzuklären –«

»Warten Sie mal«, unterbrach er mich und setzte sich gerader in seinen Stuhl. »Als Sie Doktor sagten, was für eine Art von Doktor haben Sie dabei gemeint?«

»Ich habe sie untersucht . . .«

»Wann?«

»Nach ihrem Tod.«

»So ein Mist. Wollen Sie mir erzählen, daß Sie *Leichenbeschauerin* sind?« fragte er ungläubig.

»Ich bin forensische Pathologin.«

»*Leichenbeschauerin?*«

»Mehr oder weniger.«

»Nun, verdammt.« Er beäugte mich von oben bis unten. »Das hätte ich beim besten Willen nicht erraten.«

Ich wußte nicht, ob ich das als Kompliment auffassen sollte oder nicht.
»Schickt man immer einen – wie sagten Sie doch gleich – forensischen Pathologen wie Sie, um ein paar Punkte zu klären?«
»Mich hat niemand geschickt. Ich kam auf eigenen Entschluß hierher.«
»Warum?« fragte er, und in seinen Aguen sah ich wieder den Ausdruck eines dunklen Zweifels. »Es ist eine ziemlich weite Reise hier herunter.«
»Es interessiert mich, was sie gemacht hat. Es interessiert mich sogar sehr.«
»Sie sagen also, daß Sie nicht von der Polizei hierhergeschickt wurden?«
»Die Polizei hat nicht die Befugnis, mich irgendwohin zu schicken.«
»Gut.« Er lachte. »Das gefällt mir.«
Ich nahm meinen Drink.
»Polizisten sind brutal. Sie halten sich alle für Westentaschen-Rambos.« Er drückte seine Zigarette aus. »Sie kamen mit Gummihandschuhen hier herein. Herrgott noch mal. Was meinen Sie wohl, wie das auf unsere Gäste gewirkt hat? Sie kamen, um mit Brent zu sprechen. Er war einer unserer Kellner. Er lag im Sterben, Mann, und was haben sie getan? Diese Arschlöcher trugen jeder einen Mundschutz, und als sie ihn irgendwelchen Quatsch fragten, hielten sie drei Meter Abstand zu seinem Bett, als hätte er die Beulenpest. Ich schwöre bei Gott, selbst wenn ich irgend etwas über Beryl gewußt hätte, hätte ich denen nicht einmal verraten, wie spät es ist.«
Der Name traf mich wie ein Blitz aus heiterem Himmel. Ich sah ihn an und bemerkte, daß ihm selbst eben klargeworden war, was er da gesagt hatte.

»Beryl?« fragte ich.
Er lehnte sich stumm zurück.
Ich drängte ihn. »Sie wußten, daß ihr Name Beryl war?«
»Wie ich schon sagte, die Polizei war hier, hat Fragen gestellt und über sie geredet.« Betreten zündete er sich noch eine Zigarette an, wobei er mir nicht in die Augen sehen konnte. Mein Freund, der Barkeeper, war ein sehr schlechter Lügner.
»Hat die Polizei auch mit Ihnen gesprochen?«
»Nein. Als ich sah, was los war, bin ich auf Tauchstation gegangen.«
»Warum?«
»Ich habe es Ihnen doch schon erzählt. Ich mag keine Polizei. Ich fahre einen Barracuda, eine verbeulte alte Rostlaube, die ich schon seit meiner Jugend habe. Aus irgendeinem Grund halten die mich damit ständig an und geben mir wegen jeder Kleinigkeit einen Strafzettel. Führen sich mächtig auf mit ihren Ray-Ban-Sonnenbrillen und ihren dicken Kanonen. Die tun so, als wären sie die Stars in ihrer eigenen kleinen Fernsehserie.«
»Sie kannten Straws richtigen Namen schon, als sie hier war«, sagte ich ruhig. »Sie wußten, daß sie Beryl Madison hieß, lange bevor die Polizei kam.«
»Na und wenn schon? Was ist schon groß dabei?«
»Sie war sehr verschwiegen in dieser Beziehung«, antwortete ich gefühlvoll. »Sie wollte nicht, daß die Leute hier wußten, wer sie wirklich war. Sie hat es niemandem gesagt. Sie zahlte alles in bar, damit sie keine Kreditkarte oder Schecks benützen mußte, auf denen ihr Name gestanden hätte. Sie hatte Angst. Sie war auf der Flucht. Sie wollte nicht sterben.«
Er starrte mich mit großen Augen an.
»Bitte, sagen Sie mir, was Sie wissen. Bitte. Ich habe das Gefühl, daß Sie ihr Freund waren.«
Er stand auf, erwiderte nichts und kam hinter der Bar her-

vor. Mit dem Rücken zu mir begann er, leere Flaschen und anderen Abfall, den die jungen Leute auf der Plattform zurückgelassen hatten, einzusammeln.
Ich schlürfte schweigend meinen Drink und schaute an ihm vorbei aufs Wasser. Draußen entfaltete ein braungebrannter junger Mann ein tiefblaues Segel und machte sein Boot klar zum Ablegen. Palmwedel flüsterten in der Brise, und ein schwarzer Neufundländer tänzelte den Strand entlang und jagte in die Brandung und wieder heraus.
»Zulu«, murmelte ich und blickte wie betäubt auf den Hund.
Der Barkeeper hörte mit dem Einsammeln auf und schaute mich an. »Was haben Sie da eben gesagt?«
»Zulu«, wiederholte ich. »Beryl hat Zulu und die Katzen hier in einem ihrer Biefe erwähnt. Sie schrieb, daß Louies streunende Tiere mehr essen als mancher Mensch hier.«
»Was für Briefe?«
»Während sie hier war, schrieb sie einige Briefe. Wir fanden sie nach dem Mord in ihrem Schlafzimmer. In ihnen erzählte sie, daß sie sich bei den Leuten hier wie zu Hause fühle, daß hier der schönste Platz auf der Welt sei. Ich wünschte, sie wäre niemals nach Richmond zurückgekehrt. Ich wünschte, sie wäre hiergeblieben.«
Meine Stimme kam mir vor, als wäre sie die von jemand völlig anderem, und auf einmal verschwamm mir alles vor den Augen. Meine schlechten Schlafgewohnheiten, angestauter Streß und der Rum fielen gemeinsam über mich her, und die Sonne schien das bißchen Blut, das noch durch meinen Kopf floß, vollends auszutrocknen.
Als der Barkeeper schließlich zu seiner Schilfhütte zurückkam, sagte er ruhig, aber gefühlsbewegt: »Ich weiß zwar nicht, was ich Ihnen erzählen soll, aber Sie haben recht. Ich war Beryls Freund.«

Ich drehte mich zu ihm und sagte: »Danke. Ich würde auch gern behaupten können, daß ich ihre Freundin war. Daß ich ihre Freundin bin.«
Er senkte verlegen seinen Blick, aber nicht bevor ich bemerkte, daß sein Gesicht weicher geworden war.
»Man kann niemals genau sagen, wer okay ist und wer nicht«, bemerkte er. »Heutzutage tut man sich sehr hart damit, das ist mal sicher.«
Was er damit meinte, sickerte nur langsam durch den Schleier meiner Müdigkeit. »Haben sich vielleicht noch andere Leute nach Beryl erkundigt? Leute, die nicht okay waren? Andere Leute als die Polizei? Jemand anderes als ich?«
Er goß sich eine Cola ein.
»War jemand da? Wer?« wiederholte ich. Auf einmal war ich beunruhigt.
»Ich weiß nicht, wie er heißt.« Er nahm einen tiefen Schluck. »So ein gutaussehender Jüngling, vielleicht Mitte zwanzig. Dunkel. Gut gekleidet, mit einer Designer-Sonnenbrille. Sah aus, als käme er gerade aus einem Modegeschäft. Ich schätze, das ist jetzt ein paar Wochen her. Er sagte, er sei Privatdetektiv oder etwas ähnlich Schwachsinniges.«
*Senator Partins Sohn.*
»Er wollte wissen, wo Beryl wohnte, als sie hier war«, fuhr er fort.
»Haben Sie es ihm gesagt?«
»Zum Teufel, ich habe nicht einmal mit ihm geredet.«
»Hat irgend jemand es ihm gesagt?« wollte ich wissen.
»Das ist nicht sehr wahrscheinlich.«
»Warum ist es nicht sehr wahrscheinlich? Und wie lange wollen Sie mir eigentlich noch Ihren Namen verschweigen?«
»Es ist nicht wahrscheinlich, weil es niemand außer mir und

meinem Kumpel wußte«, erwiderte er. »Und meinen Namen verrate ich Ihnen, wenn Sie mir den Ihren sagen.«
»Kay Scarpetta.«
»Freut mich. Mein Name ist Peter. Peter Jones. Meine Freunde nennen mich P. J.«

P. J. lebte zwei Blocks von Louies Restaurant entfernt in einem winzigen Haus, das vollkommen von einem tropischen Dschungel überwuchert war. Es war so dicht umrankt, daß mir das Holzhaus mit seinem abblätternden Anstrich ohne den davorstehenden Barracuda überhaupt nicht aufgefallen wäre. Ich erkannte auf den ersten Blick, warum dieser Wagen ständig von der Polizei angehalten wurde. Das Ding sah aus wie ein Haufen U-Bahn-Graffiti auf überbreiten Reifen, mit Front- und Heckspoiler, höhergelegter Hinterachse und selbstgemachter Lackierung in den psychedelischen Farben und halluzinatorischen Formen der 60er Jahre.
»Das ist mein Baby«, stellte P. J. sein Auto vor und gab der Kühlerhaube einen freundlichen Klaps.
»Ist mal was anderes«, sagte ich.
»Seit meinem 16. Lebensjahr gehört er mir.«
»Und Sie wollen ihn für immer behalten«, bemerkte ich ernsthaft, als ich mich bückte und ihm unter Zweigen hindurch in den tiefen kühlen Schatten folgte.
»Es ist nichts Besonderes«, meinte er, als er die Tür aufschloß. »Beryl hat in dem Gästezimmer mit Toilette im ersten Stock gewohnt. In der nächsten Zeit werde ich es vielleicht wieder vermieten. Aber ich bin bei meinen Mietern ziemlich wählerisch.«
Das Wohnzimmer bestand aus einem Sammelsurium von Möbeln, die allesamt vom Sperrmüll stammen mußten: eine Couch und ein dicker Sessel in häßlichem Pink mit Grün

ben kitschigen Lampen, die aus merkwürdigen Dingen wie Muscheln und Korallen zusammengebastelt waren. Der Couchtisch war in seinem früheren Leben einmal eine Eichentüre gewesen. Überall verstreut lagen bemalte Kokosnüsse, getrocknete Seesterne, Zeitungen, Schuhe und Bierdosen. Die feuchte Luft roch sauer und verdorben.

»Wie hat Beryl herausgefunden, daß Sie das Zimmer vermieteten?« fragte ich, als ich auf der Couch saß.

»In Louies Kneipe«, erwiderte er und knipste ein paar von den Lampen an. »Die ersten paar Tage lang wohnte sie noch im Ocean Key, einem recht netten Hotel an der Duval Street. Ich glaube, daß sie sich ziemlich schnell ausgerechnet hat, daß das ein kleines Vermögen kosten würde, falls sie länger hierbleiben würde.« Er setzte sich auf den Sessel. »Es war so ungefähr beim dritten Mal, als sie bei Louie zu Mittag aß. Sie bestellte nur einen Salat, saß da und starrte hinaus aufs Wasser. Damals hat sie noch nicht gearbeitet. Sie saß nur da. Es war schon ziemlich sonderbar, wie sie stundenlang herumhing, fast den ganzen Nachmittag lang. Schließlich, es war, wie gesagt, das dritte Mal, daß sie bei Louie war, kam sie herunter zur Bar, lehnte sich ans Geländer und schaute wieder hinaus aufs Meer. Ich glaube, sie hat mir leid getan.«

»Warum?«

Er zuckte mit den Achseln. »Vielleicht, weil sie so fürchterlich verloren aussah. Ziemlich deprimiert. Ich spürte das. Also fing ich ein Gespräch an. Das war nicht gerade einfach, glauben Sie mir.«

»Es war nicht einfach, sie näher kennenzulernen«, stimmte ich zu.

»Es war verflucht schwer, eine höfliche Unterhaltung mit ihr zu führen. Ich stellte ihr eine Reihe einfacher Fragen, wie: Sind Sie zum ersten Mal hier?, oder: Woher kommen Sie? Etwas in der Art. Manchmal gab sie mir nicht einmal eine

Antwort. So, als wäre ich gar nicht da. Aber, es war komisc.
irgend etwas sagte mir, daß ich an ihr dranbleiben sollte. Icl
fragte sie, was sie gerne trinken würde. Wir sprachen über alle möglichen Drinks. Das machte sie ein wenig lockerer, erweckte ihr Interesse. Also ließ ich sie ein paar Spezialitäten des Hauses probieren. Zuerst ein Bier mit Limone, das ihr wahnsinnig gut schmeckte. Dann den gleichen Barbancourt, den ich Ihnen gemixt habe. Der war wirklich etwas Besonderes.«

»Dabei taute sie bestimmt ein ganzes Stück auf«, bemerkte ich.

Er lächelte. »Ja. Sie sagen es. Ich machte ihn ziemlich stark. Wir schwatzten noch über viele andere Sachen, und schließlich fragte sie mich, ob ich hier in der Gegend ein Zimmer wüßte. Ich sagte ihr, daß ich selber eines hätte, und lud sie ein, es sich anzusehen. Sie sollte, wenn sie Lust hätte, später vorbeikommen. Es war ein Sonntag, und an Sonntagen gehe ich immer etwas früher nach Hause.«

»Und kam sie dann tatsächlich an diesem Sonntagabend vorbei?«

»Ich war wirklich überrascht. Ich hatte angenommen, sie würde nicht kommen. Aber sie kam, fand das Haus ohne Probleme. Walt war schon zu Hause. Er verkaufte sein Zeug droben am Square bis zum Einbruch der Dunkelheit. Er war gerade heimgekommen, und so redeten und tranken wir eine Weile zu dritt. Dann zogen wir los in die Altstadt und endeten schließlich bei Sloppy Joe. Sie flippte völlig aus, schließlich war sie ja eine Schriftstellerin, und redete die ganze Zeit über Hemingway. Sie war eine sehr gescheite Frau, das kann ich Ihnen sagen.«

»Walt verkaufte Silberschmuck«, stellte ich fest. »Am Mallory Square.«

»Woher wissen Sie das?« fragte P. J. erstaunt.

»Aus Beryls Briefen«, antwortete ich.
Er starrte einen Moment traurig vor sich hin.
»Sie hat auch Sloppy Joe erwähnt. Ich hatte den Eindruck, daß sie Sie und Walt sehr gern hatte.«
»Ja, wir drei konnten schon eine Menge Bier vertragen.« Er hob eine Zeitschrift vom Boden auf und warf sie auf den Couchtisch.
»Sie beide waren vielleicht die einzigen Freunde, die sie je hatte.«
»Beryl war schon etwas Besonderes.« Er sah mich an. »Sie war eine Persönlichkeit. Ich habe noch nie jemanden wie sie getroffen und werde es vermutlich nie mehr wieder tun. Wenn man die Mauer um sie herum durchbrochen hatte, war sie eine wirklich tolle Frau. Wahnsinnig intelligent.« Er legte seinen Kopf an die Lehne des Sessels und starrte hinauf zur Decke, deren Anstrich herunterblätterte. »Ich habe ihr so gerne zugehört. Sie konnte sich wirklich super ausdrükken, einfach so . . .« Er schnippte mit den Fingern.
»Ich könnte das nie, und wenn ich zehn Jahre über etwas nachdenken würde. Meine Schwester ist so ähnlich wie sie. Sie ist Lehrerin in Denver. Für Englisch. Ich war nie besonders fix mit Worten. Bevor ich Barkeeper wurde, habe ich mehr mit meinen Händen gearbeitet. Am Bau, zum Beispiel, als Maurer und Zimmerer. Ich probierte es auch mal mit Töpfern, aber dabei wäre ich fast verhungert. Ich kam wegen Walt hierher. Ich traf ihn ausgerechnet in Mississippi. Wir fuhren zusammen den ganzen Weg hinunter nach Louisiana und redeten die ganze Reise über miteinander. Ein paar Monate später landeten wir beide hier in Florida. Es ist so seltsam.« Er sah mich an. »Ich meine, das ist jetzt schon fast zehn Jahre her. Und alles, was mir bleibt, ist dieses Loch hier.«
»Ihr Leben ist doch noch lange nicht vorbei, P. J.«, entgegnete ich sanft.

»Ja, ja.« Er wandte sein Gesicht zur Decke und schloß die Augen.
»Wo ist Walt jetzt?«
»In Lauderdale, soviel ich weiß.«
»Das tut mir sehr leid.«
»So was kommt vor. Was soll ich sagen?«
Einen Moment lang schwiegen wir, und ich beschloß, daß es Zeit war, einen Versuch zu wagen.
»Beryl hat, als sie hier war, ein Buch geschrieben.«
»Das stimmt. Wenn sie sich nicht mit uns beiden herumtrieb, hat sie an dem verdammten Buch gearbeitet.«
»Es ist verschwunden«, sagte ich.
Er reagierte nicht.
»Dieser sogenannte Privatdetektiv, den Sie erwähnt haben, und auch eine Reihe anderer Leute haben ein starkes Interesse an diesem Buch. Aber das wissen Sie schon, glaube ich wenigstens.«
Er blieb stumm, seine Augen waren immer noch geschlossen. »Sie haben keinen Grund, warum Sie mir vertrauen sollten, P. J., aber ich hoffe, daß Sie mich anhören werden«, fuhr ich mit leiser Stimme fort. »Ich muß das Manuskript, an dem Beryl hier unten gearbeitet hat, unbedingt finden. Sie hat es nicht mit nach Richmond genommen, als sie Key West verließ. Können Sie mir helfen?«
Er öffnete seine Augen und spähte zu mir herüber. »Bei allem gebührenden Respekt, Dr. Scarpetta, sagen wir mal, ich wüßte wirklich etwas, warum sollte ich Ihnen helfen? Warum sollte ich dafür ein Versprechen, das ich gegeben habe, nicht halten?«
»Haben Sie ihr versprochen, daß Sie niemandem verraten würden, wo das Manuskript ist?« fragte ich.
»Das ist nicht wichtig, und außerdem habe ich Sie zuerst gefragt«, antwortete er.

Ich atmete tief durch, und als ich mich vorbeugte, senkte ich den Blick auf den schmutzigen Flokati-Teppich unter meinen Füßen.

»Ich kann Ihnen keinen überzeugenden Grund nennen, warum Sie Ihr Versprechen einer Freundin gegenüber brechen sollten, P. J.«, bemerkte ich.

»Quatsch. Sie würden mich nicht fragen, wenn Sie keinen überzeugenden Grund hätten.«

»Hat Beryl Ihnen von ihm erzählt?« fragte ich.

»Sie meinen von dem Schwein, das sie bedroht hat?«

»Ja.«

»O ja. Ich weiß alles über ihn.« Er stand unvermittelt auf. »Ich weiß nicht, wie das mit Ihnen ist, aber ich könnte jetzt ein Bier vertragen.«

»Ja, bitte«, sagte ich, weil ich glaubte, daß es jetzt wichtig war, seine Einladung auch wider bessere Einsicht anzunehmen. Ich war immer noch ziemlich benebelt von dem Rum. Als er aus der Küche zurückkam, gab er mir eine mit Feuchtigkeit beschlagene Flasche eiskaltes mexikanisches Corona-Bier. In ihrem langen Hals steckte ein Limonenschnitz. Das Bier schmeckte wunderbar.

P. J. setzte sich und fuhr fort. »Straw, ich meine Beryl – ich glaube, ich kann sie genausogut Beryl nennen – hatte fürchterliche Angst. Um ehrlich zu sein, nachdem ich erfahren hatte, was los war, wunderte ich mich nicht mehr darüber. Ich meine, ich fand es wirklich schlimm. Aber es überraschte mich nicht. Ich sagte ihr, sie solle bleiben. Ich sagte ihr, sie solle die Miete vergessen und einfach so bei uns wohnen. Walt und ich, nun, ich glaube, es war komisch, aber wir sahen sie irgendwie als unsere Schwester an. Mich hat dieser Scheißkerl auch fertiggemacht.«

»Wie bitte?« fragte ich, verblüfft von seinem plötzlichen Zorn.

»Walt verließ mich, bald nachdem Beryl uns die Geschichte erzählt hatte. Ich weiß auch nicht, er hatte sich irgendwie verändert. Walt, meine ich. Ich kann nicht sagen, daß der Mord an Beryl der einzige Grund dafür war. Auch wir hatten unsere Probleme miteinander. Aber irgend etwas hat er in ihm ausgelöst. Er ging auf Distanz und wollte mit niemandem mehr sprechen. Eines Morgens war er dann fort. Er ist ganz einfach weggegangen.«

»Wann genau war das? Vor ein paar Wochen, als die Polizei zu Louie kam und Sie von ihr erfuhren, was passiert war?«

Er nickte.

»Die Sache hat mich auch fertiggemacht, P. J.«, gestand ich. »Fix und fertig.«

»Wie meinen Sie das? Warum um alles in der Welt hat die Sache Sie fertiggemacht, abgesehen davon natürlich, daß Sie eine Menge Ärger mit ihr hatten?«

»Ich erlebe jetzt Beryls Alptraum am eigenen Leib.« Ich konnte die Worte kaum herausbringen.

Er nahm einen Schluck von seinem Bier und sah mich intensiv an.

»Ich bin jetzt auch auf der Flucht – und zwar aus demselben Grund wie damals Beryl.«

»Mann, Sie machen mir ja angst«, meinte er und schüttelte den Kopf. »Wovon sprechen Sie überhaupt?«

»Haben Sie heute morgen auf der Titelseite des *Herald* das Foto gesehen?« fragte ich. »Das Foto von dem brennenden Polizeiauto in Richmond?«

»Ja, sicher«, antwortete er verwirrt. »Ich erinnere mich dunkel.«

»Das geschah direkt vor meinem Haus, P. J. Der Polizist unterhielt sich gerade mit mir in meinem Wohnzimmer, als sein Auto in Flammen aufging. Und das war nicht der erste Vorfall dieser Art. Er ist jetzt hinter mir her, verstehen Sie?«

»Wer, um Himmels willen?« fragte er, obwohl ich mir sicher war, daß er es wußte.
»Der Mann, der Beryl ermordete.« Es fiel mir sehr schwer, es auszusprechen. »Der Mann, der Beryls Mentor, Cary Harper, abschlachtete. Vielleicht hat sie Harper Ihnen gegenüber einmal erwähnt.«
»Ja, oft. Mist. Ich kann das alles kaum glauben.«
»Bitte, helfen Sie mir, P. J.«
»Ich wüßte nicht, wie.« Er war so durcheinander, daß er aus dem Sessel sprang und begann, durch das Zimmer zu wandern. »Warum sollte das Schwein Sie umbringen wollen?«
»Er leidet unter wahnhafter Eifersucht. Er ist verrückt. Er ist ein paranoider Schizophrener. Er haßt anscheinend jeden, der etwas mit Beryl zu tun hat. *Ich weiß nicht, warum, P. J.* Aber ich muß herausfinden, wer er ist, muß *ihn* finden«, sagte ich.
»Ich weiß auch nicht, wer er ist, zum Teufel. Oder wo er ist. Wenn ich es wüßte, würde ich hingehen und ihm seinen verdammten Kopf abreißen!«
»Ich brauche das Manuskript, P. J.«, wiederholte ich.
»Was, verdammt noch mal, hat denn Beryls Manuskript damit zu tun?« protestierte er.
Ich erzählte es ihm. Ich erzählte ihm von Cary Harper und seiner Goldkette. Ich erzählte ihm von den Telefonanrufen, den Fasern und Beryls autobiographischem Buch, das ich gestohlen haben sollte. Ich erzählte ihm alles, was mir von diesen Fällen einfiel, obwohl ich tief im Inneren Angst davor hatte. Ich hatte noch nie, nicht ein einziges Mal, die Einzelheiten eines Falles mit jemandem besprochen, der weder ein Ermittelnder noch ein beteiligter Anwalt war. Als ich fertig war, ging P. J. schweigend aus dem Zimmer. Als er zurückkam, hatte er einen alten Militärrucksack dabei, den er mir in den Schoß legte.

»Da«, sagte er. »Ich habe bei Gott geschworen, daß ich d. niemals tun würde. Es tut mir leid, Beryl«, murmelte er. »E. tut mir wirklich leid.«
Ich öffnete den Rucksack und entnahm ihm vorsichtig ein Bündel von gut an die 1000 getippten Seiten mit an den Rand gekritzelten handschriftlichen Notizen und ein weiteres, das vier Computerdisketten enthielt. Beide wurden von dicken Gummibändern zusammengehalten.
»Sie sagte, daß wir diese Sachen niemals jemandem aushändigen dürften, auch dann nicht, wenn ihr etwas zugestoßen sein sollte. Ich habe es ihr versprochen.«
»Danke, Peter. Gott segne Sie«, erwiderte ich, und dann stellte ich ihm meine letzte Frage.
»Hat Beryl Ihnen gegenüber irgendwann einmal jemanden erwähnt, den sie als ›M‹ bezeichnete?«
Er stand regungslos da und starrte auf sein Bier.
»Wissen Sie, wen sie damit gemeint hat?« fragte ich.
»Mich«, antwortete er.
»Ich verstehe nicht ganz . . .«
»›M‹ steht für ›Mich‹. Sie schrieb Briefe an sich selbst«, erklärte er.
»Die zwei Briefe, die wir gefunden haben«, erklärte ich, »die auf dem Boden in ihrem Schlafzimmer lagen, nachdem man sie ermordet hatte, die Briefe, in denen auch Sie und Walt erwähnt werden, sind an ›M‹ adressiert.«
»Ich weiß«, entgegnete er und schloß die Augen.
»Woher wissen Sie das?«
»Als Sie Zulu und die Katzen erwähnten, wußte ich, daß Sie diese Briefe gelesen hatten. Da sagte ich mir, daß Sie in Ordnung sind, daß Sie die waren, für die Sie sich ausgaben.«
»Dann haben Sie die Briefe auch gelesen?« fragte ich verblüfft.
Er nickte.

»Wir haben die Originale nie gefunden«, murmelte ich, »die zwei, die wir haben, sind Fotokopien.«
»Das kommt daher, daß sie alles verbrannt hat«, erklärte er, atmete tief durch und versuchte, sich zu beruhigen.
»Aber ihr Buch hat sie nicht verbrannt.«
»Nein. Sie sagte, daß sie nicht wüßte, wo sie hingehen oder was sie tun würde, wenn er immer noch da, immer noch hinter ihr her wäre. Sie meinte, sie würde mich anrufen und mir sagen, wo ich das Buch hinschicken sollte. Und falls ich nichts von ihr hörte, sollte ich darauf aufpassen und es niemals jemand anderem geben. Wissen Sie, sie hat nie angerufen. Sie hat einfach nicht angerufen.« Er wischte sich die Tränen aus dem Gesicht und wandte sich ab. »Das Buch war nämlich ihre Hoffnung. Ihre Hoffnung, daß sie am Leben bleiben würde.« Seine Stimme überschlug sich, als er hinzufügte: »Sie hat niemals die Hoffnung aufgegeben, daß sich alles noch zum Guten wenden würde.«
»Was genau hat sie alles verbrannt, P. J.?«
»Ihr Tagebuch«, antwortete er. »Ich glaube, so könnte man es nennen. Briefe, die sie an sich selbst schrieb. Sie sagte, es sei eine Art Therapie für sie, und sie wollte nicht, daß irgend jemand sie las. Es standen ihre intimsten Gedanken darin. Am Tag, bevor sie abfuhr, verbrannte sie alle Briefe bis auf zwei.«
»Die zwei, die ich sah«, flüsterte ich. »Warum? Warum hat sie diese beiden Briefe nicht verbrannt?«
»Weil sie sie Walt und mir gab.«
»Zur Erinnerung?«
»Ja«, antwortete er, griff nach seinem Bier und rieb sich entschlossen die Tränen aus den Augen. »Als ein Stück von ihr, die Aufzeichnung von Gedanken, die ihr durch den Kopf gegangen waren, während sie hier war. Am Tag, bevor sie fuhr, am Tag, als sie das ganze Zeug verbrannte, ging sie

los und fotokopierte diese beiden Briefe. Sie behielt Kopien und gab uns die Originale. Sie sagte, daß diese Brie ein *magisches Band* zwischen uns knüpften, genau das warer ihre Worte. Wir drei würden in unseren Gedanken immer beieinander bleiben, solange wir die Briefe hätten.«

Als er mich zur Tür brachte, drehte ich mich um, legte meine Arme um ihn und drückte ihn zum Dank fest an mich.

Während meines Rückwegs zum Hotel ging die Sonne unter. Palmen standen wie Scherenschnitte vor einem riesigen, leuchtenden Feuerband. Die Menschenmenge schob sich lärmend zu den Bars auf der Duval Street, und die Luft war verzaubert und vibrierte von Musik, Lachen und Licht. Ich ging mit beflügeltem Schritt, den Militärrucksack über meine Schulter gehängt. Zum ersten Mal seit Wochen war ich glücklich, fast euphorisch. Ich war vollkommen unvorbereitet auf das, was mich in meinem Zimmer erwartete.

## 16

Ich konnte mich nicht erinnern, irgendwelche Lampen brennen gelassen zu haben, und nahm daher an, daß der Zimmerservice vergessen hatte, sie auszuknipsen, nachdem er die Bettwäsche gewechselt und die Aschenbecher geleert hatte. Ich hatte schon die Tür verriegelt und summte gerade vor mich hin, als ich am Bad vorbeiging und merkte, daß ich nicht allein war. Mark saß in der Nähe des Fensters vor einem offenen Aktenkoffer, der auf dem Boden neben seinem Stuhl lag. Im Moment des Zögerns, in dem meine Füße nicht wußten, wohin sie laufen sollten, trafen sich unsere Augen zu einer sprachlosen Kommunikation, die mein Herz erschauern ließ und es vor Schreck zusammendrückte. Mit seinem bleichen Gesicht und seinem grauen Winteranzug er aus, als sei er eben erst vom Flughafen gekommen. ınen Reisekoffer hatte er gegen das Bett gelehnt. Wenn er ınen geistigen Geigerzähler gehabt hätte, hätte ihn mein Rucksack sicherlich wie wild losrattern lassen. Sparacino hatte ihn hierhergeschickt. Ich dachte an die Ruger in meiner Handtasche, aber ich wußte, daß ich niemals fähig wäre, eine Waffe auf Mark James zu richten, geschweige denn, im entscheidenden Moment abzudrücken.

»Wie bist du hier hereingekommen?« fragte ich matt und blieb ganz still stehen.

»Ich bin dein Ehemann«, sagte er, langte in seine Tasche und zeigte mir einen Hotelschlüssel für mein Zimmer.

»Du Bastard«, flüsterte ich, und mein Herz klopfte schneller. Sein Gesicht wurde bleich. Er wandte seine Augen ab. »Kay –«

»O Gott. Du Bastard!«

»Kay. Ich bin hier, weil Benton Wesley mich hergeschickt hat. Bitte.« Dann stand er auf.

Ich beobachtete sprachlos und benommen, wie er eine Flasche Whisky aus seinem Koffer nahm. Er ging an mir vorbei zur Bar und füllte Eis in zwei Gläser. Seine Bewegungen waren langsam und überlegt, so, als täte er sein Bestes, um mich nicht weiter aufzuregen. Außerdem schien er sehr müde zu sein.

»Hast du schon etwas gegessen?« fragte er und reichte mir meinen Drink.

Ich ging um ihn herum und legte ganz nebenbei den Rucksack und meine Handtasche auf die Kommode.

»Also ich bin am Verhungern«, sagte er, öffnete den Kragen seines Hemdes und zog sich die Krawatte vom Hals. »Verdammt, ich habe bestimmt viermal das Flugzeug gewechselt. Ich glaube, ich habe seit dem Frühstück nichts außer ein paar Erdnüssen gegessen.«

Ich schwieg.
»Ich habe schon etwas für uns bestellt«, fuhr er ruhig fort. »Bis es gebracht wird, bist du bestimmt fertig.«
Ich ging ans Fenster und schaute hinaus auf die Wolken, die sich über den Lichtern der Altstadtstraßen von Key West purpurgrau färbten. Mark zog sich einen Stuhl heran, schlüpfte aus seinen Schuhen und legte seine Füße auf die Kante des Betts.
»Sag mir bitte, wann du bereit bist, meine Erklärungen anzuhören«, schlug er vor und drehte das Eis im Glas.
»Ich würde dir ohnehin kein Wort glauben, Mark«, antwortete ich kalt.
»Das kann ich dir nicht verübeln. Man bezahlt mich dafür, daß ich in einer Lüge lebe. Ich bin mittlerweile unglaublich gut darin geworden.«
»Ja«, wiederholte ich, »du bist wirklich unglaublich gut darin geworden. Wie hast du mich gefunden? Ich glaube dir nicht, daß du es von Benton weißt. Er weiß nicht, wo ich wohne, und auf dieser Insel muß es an die 50 Hotels und bestimmt noch mal so viele Pensionen geben.«
»Du hast recht. Ich bin sicher, daß es so viele gibt. Aber ich mußte nur einen einzigen Telefonanruf machen, und schon hatte ich dich gefunden.«
Geschlagen setzte ich mich aufs Bett.
Er griff in die Innentasche seiner Anzugsjacke, holte eine gefaltete Broschüre hervor und gab sie mir. »Kommt dir das bekannt vor?«
Es war dieselbe Fremdenverkehrsbroschüre, die Marino in Beryl Madisons Schlafzimmer gefunden hatte und von der sich eine Fotokopie in ihrer Akte befand. Es war dieselbe Broschüre, die ich unzählige Male durchgelesen hatte und an die ich mich vorgestern nacht, als ich beschlossen hatte, nach Key West zu fliehen, wieder erinnert hatte. Auf einer

ihrer Seiten waren Restaurants, Sehenswürdigkeiten und Geschäfte aufgelistet, auf der anderen befand sich ein von Anzeigen umrahmter Stadtplan, und eine von diesen Anzeigen warb für dieses Hotel. Daher hatte ich die Idee, hier abzusteigen.

»Benton hat mich gestern nach ein paar vergeblichen Versuchen endlich erreicht«, fuhr er fort. »Er war ziemlich aufgeregt und sagte, daß du hier herunter geflogen bist. Wir überlegten uns, wie wir dich aufspüren könnten. Anscheinend hat er in seinen Akten eine Fotokopie von dieser Broschüre. Er nahm an, daß du sie auch gesehen hast, vielleicht sogar ebenfalls eine Kopie davon besitzt. Wir dachten, daß du sie möglicherweise als Führer benützen würdest.«

»Woher hast du das Ding?« fragte ich und gab ihm die Broschüre zurück.

»Vom Flughafen. Zufälligerweise ist dieses Hotel das einzige, das eine Anzeige darin veröffentlicht hat. Deshalb rief ich hier zuerst an. Sie sagten, sie hätten eine Reservierung auf deinen Namen.«

»Okay. Im Fliehen bin ich anscheinend nicht besonders gut.«

»Als Flüchtling bist du eine Null.«

»Ich habe das Hotel wirklich aus dieser Broschüre, wenn du es genau wissen willst«, gab ich ärgerlich zu. »Ich habe Beryls Papiere schon so oft durchgesehen, daß ich mich an die Broschüre erinnerte, sogar an die Anzeige des Holiday Inn in der Duval Street. Ich vermute, daß sie mir deshalb im Gedächtnis geblieben ist, weil ich mich oft gefragt habe, ob sie wohl hier gewohnt hat, als sie nach Key West kam.«

»Und, hat sie?« Er hob sein Glas.

»Nein.«

Als er aufstand, um nachzugießen, klopfte es an der Tür, und mein Herz stand fast still, als Mark lässig unter seine

Jacke griff und eine 9-Millimeter Automatikpistole hervorholte. Er hielt sie in Richtung Decke, während er durch das Guckloch schaute. Dann schob er die Waffe wieder in den Halfter und öffnete die Tür. Unser Abendessen war da. Als Mark die junge Frau bar bezahlte, lächelte sie zufrieden und sagte: »Vielen Dank, Mr. Scarpetta. Ich wünsche Ihnen einen guten Appetit.«

»Warum hast du dich als mein Ehemann eingetragen?« wollte ich wissen.

»Ich werde auf dem Boden schlafen. Aber ich lasse dich heute nacht nicht allein«, antwortete er, als er die Teller auf den Tisch neben dem Fenster stellte und die Flasche Wein entkorkte. Er zog seine Jacke aus, warf sie auf das Bett und legte die Automatik in Griffweite auf die Kommode neben meinen Rucksack.

Ich wartete, bis er sich gesetzt hatte, und fragte ihn dann nach der Waffe.

»Ein häßliches kleines Monster, aber vielleicht ist sie der einzige Freund, den ich habe«, antwortete er und schnitt in sein Steak. »Und, apropos, ich nehme an, daß du deine 38er dabei hast, vermutlich in diesem Rucksack da.« Er blickte hinüber zur Kommode.

»Sie ist in meiner Handtasche, damit du's weißt«, stieß ich hervor. Es klang lächerlich. »Und woher, um Himmels willen, weißt du, daß ich eine 38er habe?«

»Benton hat es mir erzählt. Er sagte auch, daß du sie seit kurzem verdeckt tragen darfst, und er meinte, daß du im Moment kaum ohne deine Waffe unterwegs sein dürftest.« Er nahm einen Schluck von seinem Wein und fügte hinzu: »Nicht schlecht.«

»Hat dir Benton auch meine Konfektionsgröße mitgeteilt?« fragte ich und zwang mich zu essen, obwohl mich mein Magen inständig bat, es nicht zu tun.

»Also, dazu brauche ich ihn nun wirklich nicht. Du hast immer noch acht, und du siehst immer noch so gut aus, wie du damals in Georgetown ausgesehen hast. Eigentlich sogar besser.«

»Ich würde es sehr begrüßen, wenn du mit diesem Kavaliersgetue aufhören und mir erzählen würdest, woher, um alles in der Welt, du überhaupt Benton Wesleys Namen kennst. Davon, daß du offensichtlich das Privileg genießt, so viele intime Informationen über mich mit ihm teilen zu dürfen, will ich erst gar nicht reden.«

»Kay.« Er legte seine Gabel beiseite, als er meinen zornigen Blick sah. »Ich kenne Benton schon länger als du. Kannst du es dir denn immer noch nicht zusammenreimen? Muß ich es dir erst in riesigen Neonlettern vor die Augen schreiben?«

»Ja. Schreib es mit riesigen Neonlettern an den Himmel, Mark. Ich weiß nämlich nicht, was ich noch glauben soll. Ich habe keine Ahnung mehr, wer du bist. Ich traue dir nicht. Um ehrlich zu sein, im Moment habe ich fürchterliche Angst vor dir.«

Er lehnte sich in seinem Stuhl zurück, und sein Gesichtsausdruck war so ernst wie nie zuvor. »Kay, es tut mir leid, daß du Angst vor mir hast. Aber sie ist vollkommen berechtigt, denn nur sehr wenige Leute auf der Welt wissen, wer ich wirklich bin, und manchmal bin ich mir nicht sicher, ob ich selber es noch weiß. Ich konnte es dir nicht vorher sagen, aber jetzt ist es vorbei«. Nach einer Pause fügte er hinzu: »Lange bevor du Benton kennengelernt hast, hat er mich an der FBI-Akademie ausgebildet.«

»Du bist ein *Agent*?« fragte ich ungläubig.

»Ja.«

»Nein!« rief ich ungläubig, und meine Gedanken drehten sich im Kreis.

»Nein! *Dieses Mal werde ich dir nicht glauben, verdammt noch mal.*«
Er stand wortlos auf, ging zu dem Telefon am Bett und begann zu wählen.
»Komm her«, sagte er und blickte zu mir herüber.
Dann gab er mir den Hörer.
»Hallo?« Ich erkannte die Stimme sofort.
»Benton?« fragte ich.
»Kay? Geht es Ihnen gut?«
»Mark ist hier«, antwortete ich. »Er hat mich gefunden. Ja, Benton, ich bin in Ordnung.«
»Gott sei Dank. Sie sind in guten Händen. Ich bin sicher, daß er Ihnen alles erklären wird.«
»Da bin ich mir auch sicher. Vielen Dank, Benton. Auf Wiedersehen.«
Mark nahm mir den Hörer aus der Hand und legte auf. Als wir wieder am Tisch saßen, sah er mich eine lange Weile an, bevor er wieder zu sprechen anfing.
»Nach Janets Tod habe ich mit meiner Arbeit als Rechtsanwalt aufgehört. Ich weiß immer noch nicht, warum eigentlich, Kay, aber das tut nichts zur Sache. Ich arbeitete eine Zeitlang für das FBI auf einer Außenstelle in Detroit und wurde dann zu einem Spezialagenten mit streng geheimem Auftrag. Was ich dir von meiner Arbeit bei Orndorff & Berger erzählt habe, war nur Tarnung.«
»Du willst mir doch nicht erzählen, daß auch Sparacino fürs FBI arbeitet, oder?« fragte ich zitternd.
»Aber nein«, antwortete er und sah weg.
»In welchen schmutzigen Geschäften steckt er mit drin, Mark?«
»Geschichten wie sein Betrug an Beryl Madison, bei dem er mit ihren Tantiemen geschummelt hat, wie bei vielen seiner anderen Klienten auch, sind noch die harmlosesten seiner

Vergehen. Übrigens hat er Beryl wirklich beeinflußt und gegen Cary Harper ausgespielt, um einen riesigen Publicity-Coup zu landen. Auch den hat er ja schon ein paarmal vorher abgezogen.«

»Dann war das, was du mir in New York erzählt hast, die Wahrheit.«

»Sicherlich nicht alles. Ich konnte dir damals nicht alles erzählen.«

»Wußte Sparacino, daß ich nach New York kommen würde?« Diese Frage ließ mich seit Wochen nicht mehr in Ruhe.

»Ja. Ich habe es so arrangiert, vorgeblich, um mehr Informationen aus dir herauszuholen und dich dazu zu bringen, daß du mit ihm redest. Er wußte, daß du die Sache niemals mit ihm allein besprechen würdest. Also bot ich mich an, dich dazu zu veranlassen.«

»Mein Gott«, murmelte ich.

»Ich war der Meinung, alles unter Kontrolle gehabt zu haben. Bis wir in diesem Restaurant waren, wußte ich nicht, daß er mich bespitzeln ließ. Dort war mir klar, daß alles den Bach hinuntergehen würde«, fuhr Mark fort.

»Warum?«

»Weil er mich hatte verfolgen lassen. Ich hatte schon länger gewußt, daß dieses Partin-Bürschchen einer von seinen Schnüfflern war. Damit hält er sich über Wasser, während er auf kleine Rollen in Seifenopern, Werbespots und auf Fotomodell-Jobs für Unterhosen wartet. Anscheinend hatte Sparacino Verdacht gegen mich geschöpft.«

»Warum hat er Partin geschickt? Wußte er nicht, daß du ihn erkennen würdest?«

»Sparacino ahnt nicht, daß ich über Partin Bescheid weiß«, sagte er. »Als ich Partin in dem Restaurant sah, wußte ich, daß Sparacino ihn geschickt hatte, um sicherzugehen, daß

ich mich wirklich mit dir treffen würde, und um zu sehen, was ich vorhatte, genauso wie er diesen sogenannten Jeb Price losgeschickt hat, um dein Büro zu durchwühlen.«
»Willst du damit sagen, daß Jeb Price ebenfalls ein unterbeschäftigter Schauspieler ist?«
»Nein. Wir haben ihn letzte Woche in New Jersey festgenommen. Er wird für eine ganze Weile niemanden mehr belästigen.«
»Ich nehme an, du hast auch gelogen, als du sagtest, daß du Diesner in Chicago kennst«, vermutete ich.
»Er ist eine lebende Legende. Aber ich habe ihn nie persönlich getroffen.«
»Und ich nehme an, daß dein Besuch bei mir in Richmond auch ein abgekartetes Spiel war, oder?« Ich kämpfte mit den Tränen.
Er füllte unsere Weingläser und antwortete: »Ich bin nicht wirklich von Washington hergefahren. Ich bin mit dem Flugzeug von New York gekommen. Sparacino hat mich zu dir geschickt, um dich auszuhorchen und soviel über den Mord an Beryl zu erfahren wie möglich.«
Ich trank meinen Wein und schwieg für einen Augenblick, um die Fassung wiederzugewinnen.
Dann fragte ich: »Ist er irgendwie in den Mord an ihr verwickelt, Mark?«
»Zuerst hat mich das auch beschäftigt«, antwortete er. »Zumindest fragte ich mich, ob Sparacinos Spiel mit Harper nicht zu weit gegangen war, so daß dieser durchdrehte und Beryl ermordete. Aber dann wurde auch Harper umgebracht, die Zeit verging, und ich konnte nichts entdecken, was Sparacino mit den beiden Morden in Verbindung gebracht hätte. Ich glaube, er wollte, daß ich alles über den Mord an Beryl herausfand, weil er Angst hatte.«
»Fürchtete er, daß die Polizei ihre Papiere durchgehen

und dabei vielleicht entdecken würde, daß er sie bei der Abrechnung ihrer Tantiemen übers Ohr gehauen hatte?« fragte ich.

»Vielleicht. Doch daß er ihr Manuskript haben will, weiß ich ganz genau. Koste es, was es wolle. Aber darüber kann ich nichts mit Sicherheit sagen.«

»Wie ist das mit dieser Klage, seiner Vendetta mit dem Generalstaatsanwalt?«

»Die hat eine Menge Staub aufgewirbelt«, antwortete Mark. »Sparacino haßt Ethridge. Es würde ihm eine große Freude bereiten, wenn er ihn demütigen oder sogar zum Rücktritt zwingen könnte.«

»Scott Partin war hier unten«, informierte ich ihn. »Und zwar vor nicht allzulanger Zeit. Er hat eine Menge Fragen über Beryl gestellt.«

»Interessant.« Mehr sagte er nicht und nahm noch einen Bissen von seinem Steak.

»Wie lange hast du mit Sparacino zusammengearbeitet?«

»Mehr als zwei Jahre.«

»O Gott«, entfuhr es mir.

»Das FBI hat alles sorgfältig eingefädelt. Ich wurde unter dem falschen Namen Paul Barker zu ihm geschickt, als Anwalt, der Arbeit suchte und schnell reich werden wollte. Ich brachte ihn dazu, mich für seine Geschäfte zu ködern. Natürlich hat er mich überprüft, und als ihm gewisse Sachen spanisch vorkamen, hat er mich schließlich zur Rede gestellt. Ich gab zu, daß ich unter einem falschen Namen lebte und daß ich ein Kronzeuge für das FBI sei. Es ist sehr kompliziert und schwer zu erklären, aber am Ende glaubte Sparacino, daß ich früher mal in Tallahassee in illegale Machenschaften verwickelt gewesen und dabei erwischt worden sei, und daß das FBI mir dafür, daß ich ausgepackt hatte, eine neue Identität verschafft hatte.«

«Warst du denn wirklich in illegale Machenschaften verwikkelt?« fragte ich.
»Nein.«
»Ethridge ist der Meinung, du wärest es gewesen«, entgegnete ich. »Und auch, daß du einige Zeit im Gefängnis gesessen hättest.«
»Das wundert mich nicht, Kay. Die Bezirkssheriffs arbeiten normalerweise sehr gut mit dem FBI zusammen. Auf dem Papier sieht der Mark James, den du einmal gekannt hast, ziemlich mies aus. Ein Anwalt, der zum Verbrecher geworden ist, der aus der Anwaltskammer ausgeschlossen wurde und zwei Jahre im Knast verbracht hat.«
»Ist dann Sparacinos Verbindung mit Orndorff & Berger auch nur Fassade?« fragte ich.
»Ja.«
»Wozu, Mark? Es muß doch mehr dahinterstecken als seine Publicity-Schweinereien.«
»Wir sind der Überzeugung, daß er für das organisierte Verbrechen Geld gewaschen hat. Geld aus dem Drogenhandel. Wir glauben auch, daß er in schmutzige Casino-Geschäfte verwickelt ist. Auch Politiker, Richter und andere Anwälte stecken mit drin. Das Netz ist unglaublich fein verästelt. Wir wissen schon eine ganze Weile davon, aber wenn ein Teil der Justiz einen anderen eines Verbrechens bezichtigt, kann das ziemlich gefährlich werden. Wir mußten unbedingt hieb- und stichfeste Schuldbeweise haben. Deshalb wurde ich auf die Sache angesetzt. Ich fand immer mehr heraus. Aus drei Monaten wurden sechs, und daraus wurden Jahre.«
»Das verstehe ich nicht. Seine Kanzlei ist doch so solide, Mark.«
»New York ist Sparacinos persönliches Jagdgebiet. Dort ist er mächtig. Orndorff & Berger wissen sehr wenig darüber,

was er tut. Ich habe nie für diese Kanzlei gearbeitet. Man kennt dort nicht einmal meinen Namen.«
»Aber Sparacino kennt ihn«, bedrängte ich ihn. »Ich habe gehört, wie er von dir als Mark sprach.«
»Ja, er kennt meinen wirklichen Namen. Wie ich schon sagte, das FBI war sehr vorsichtig. Sie haben mein Leben ziemlich clever umgeschrieben und eine Spur gelegt, die zu einem Mark James führt, den du nicht wiedererkennen, geschweige denn mögen würdest.« Er schwieg für einen Moment, und sein Gesicht war bitter. »Sparacino und ich hatten ausgemacht, daß er mich in deiner Gegenwart Mark nennen sollte. Sonst hieß ich Paul für ihn. Ich arbeitete für ihn. Eine Zeitlang wohnte ich bei seiner Familie. Ich war wie ein loyaler Sohn für ihn, jedenfalls glaubte er das.«
»Ich weiß, daß man bei Orndorff & Berger nie etwas von dir gehört hat«, gestand ich. »Ich habe nämlich versucht, dich in New York und Chicago anzurufen, und niemand dort wußte, von wem ich sprach. Ich habe Diesner angerufen. Auch er wußte nicht, wer du warst. Ich bin vielleicht kein guter Flüchtling, aber du bist ein ebenso schlechter Spion.«
Wieder schwieg er für einen Augenblick.
Dann sagte er: »Das FBI mußte mich zurückziehen, Kay. Weil du plötzlich mit im Spiel warst, habe ich eine Menge riskiert. Ich war auf einmal gefühlsmäßig in der Sache verwickelt, weil du mit drinstecktest. Ich war dumm.«
»Was soll ich denn dazu sagen?«
»Trink deinen Wein und schau zu, wie der Mond über Key West aufgeht.«
»Aber Mark«, begann ich, doch mittlerweile hatte er mich hoffnungslos in seinen Bann gezogen, »es gibt da einen wichtigen Punkt, den ich nicht verstehe.«
»Ich bin mir sicher, daß es eine ganze Reihe von Punkten gibt, die du nicht verstehst und die du vielleicht auch nie verstehen

wirst, Kay. Eine lange Zeit liegt zwischen uns beiden, und wir können diese Kluft nicht an einem Abend überbrücken.«
»Du hast gesagt, daß Sparacino dich auf mich angesetzt hat, um mich auszuhorchen. Woher wußte er, daß du mich kanntest? Hast du ihm das erzählt?«
»Er hat dich in einem Gespräch, das wir kurz nach dem Mord an Beryl führten, erwähnt. Er sagte, du wärest der oberste Medical Examiner in Virginia. Ich bekam panische Angst. Ich wollte nicht, daß er sich auf dich stürzte. Ich dachte, es wäre besser, wenn ich das täte.«
»Ich weiß deine Ritterlichkeit zu schätzen«, erwiderte ich ironisch.
»Das solltest du auch.« Er sah mir in die Augen. »Ich erzählte ihm, daß wir zwei früher eine Beziehung miteinander hatten. Ich wollte ihn dazu bringen, dich mir zu überlassen. Und das hat er auch getan.«
»Und das ist alles?« fragte ich.
»Ich wünschte, es wäre so, aber ich befürchte, daß ich auch noch andere Motive dabei hatte.«
»Was für welche?«
»Ich glaube, die Chance, dich wiederzusehen, hat mich ebenso gereizt.«
»Das hast du schon gesagt.«
»Und das war nicht gelogen.«
»Wie ist das jetzt? Lügst du jetzt?«
»Ich schwöre bei Gott, daß ich dich jetzt nicht anlüge«, antwortete er.
Mir fiel plötzlich ein, daß ich immer noch ein Polohemd und Shorts trug, daß meine Haut verschwitzt und mein Haar völlig zerzaust war. Ich entschuldigte mich und ging ins Badezimmer. Eine halbe Stunde später war ich in mein Lieblingskleid aus Samt gehüllt, und Mark lag tief schlafend auf meinem Bett.

Als ich mich neben ihn setzte, öffnete er seufzend seine Augen.
»Sparacino ist ein sehr gefährlicher Mann«, sagte ich und fuhr ihm mit meinen Fingern langsam durch die Haare.
»Ganz ohne Zweifel«, murmelte Mark verschlafen.
»Er hat Partin hierher geschickt. Ich verstehe nicht, woher er wußte, daß Beryl jemals hier war.«
»Sie hat ihn von hier unten aus angerufen, Kay. Er hat es die ganze Zeit über gewußt.«
Ich nickte. Eigentlich überraschte es mich nicht. Beryl war vermutlich bis zum bitteren Ende von Sparacino abhängig gewesen, aber irgendwie hatte sie wohl begonnen, ihm zu mißtrauen. Sonst hätte sie ihr Manuskript ihm anvertraut und nicht einem Barkeeper namens P. J.
»Was würde er tun, wenn er wüßte, daß du hier bist?« fragte ich leise. »Was würde Sparacino tun, wenn er wüßte, daß du und ich jetzt zusammen in diesem Zimmer sind und diese Unterhaltung führen?«
»Er wäre schrecklich eifersüchtig.«
»Nein, im Ernst.«
»Wenn er wüßte, daß er ungeschoren davonkäme, würde er uns vermutlich umbringen.«
»Würde er ungeschoren davonkommen, Mark?«
Er zog mich an sich und flüsterte mir ins Ohr: »Bestimmt nicht.«

* * *

Am nächsten Morgen weckte uns die Sonne, und nachdem wir uns noch einmal geliebt hatten, schliefen wir engumschlungen weiter bis zehn.
Während Mark sich duschte und rasierte, schaute ich aus dem Fenster, und niemals zuvor waren auf der kleinen Insel Key

West die Farben so leuchtend und der Sonnenschein so großartig gewesen wie an diesem Tag. Am liebsten hätte ich hier ein kleines Ferienhaus gekauft, in dem Mark und ich uns dann den Rest unserer Tage hätten lieben können. Ich würde zum ersten Mal seit meinen Kindertagen wieder mit dem Fahrrad fahren und wieder anfangen, Tennis zu spielen und mit dem Rauchen aufzuhören. Ich würde mir mehr Mühe geben, mit meiner Familie auszukommen, und Lucy würde uns häufig besuchen können. Ich würde auch oft zu Louie's gehen, und P. J. würde unser Freund werden. Ich würde den Tanz des Sonnenlichts auf dem Meer betrachten und dabei für eine Frau mit Namen Beryl Madison beten, deren schrecklicher Tod meinem Leben einen neuen Sinn gegeben und mich wieder zu lieben gelehrt hatte. Nach einem späten Frühstück auf dem Zimmer zog ich unter Marks ungläubigen Blikken Beryls Manuskript aus dem Rucksack.

»Ist es das, was ich vermute?« fragte er.

»Ja, es ist genau das, was du vermutest«, gab ich ihm zur Antwort.

»Wo, um Himmels willen, hast du es gefunden, Kay?« Er stand vom Tisch auf.

»Sie hat es bei einem Freund gelassen«, erwiderte ich. Bald darauf stopften wir uns Kissen hinter den Rücken und saßen, das Manuskript zwischen uns, auf dem Bett, und ich erzählte Mark alles über meine Unterhaltung mit P. J.

Aus dem Morgen wurde Nachmittag, und wir verließen das Zimmer nur, um das schmutzige Geschirr in den Gang zu stellen und die Sandwiches und Snacks entgegenzunehmen, die wir bestellt hatten, nachdem wir angefangen hatten zu lesen. Stundenlang sprachen wir kaum miteinander und blätterten uns durch die Seiten von Beryl Madisons Leben. Das Buch war unglaublich und ließ mir mehr als einmal Tränen in die Augen steigen.

Beryl war ein Paradiesvogel, der mitten in einem Sturm zur Welt gekommen war, ein zerrupftes Farbbündel, das sich an die Äste eines schrecklichen Lebens klammerte. Ihre Mutter war gestorben, und die Frau, die ihr Vater danach geheiratet hatte, haßte Beryl. Weil sie die Welt, in der sie lebte, nicht ertragen konnte, erlernte sie die Kunst, sich ihre eigene Welt zu schaffen. Schreiben war ihre Art, mit dem Leben fertig zu werden, und ihr Talent wurde von den Umständen noch verstärkt, so wie Malen bei Tauben oder die Musik bei Blinden. Sie ließ aus Worten eine Welt entstehen, die ich schmecken, riechen und auch fühlen konnte.

Ihr Verhältnis zu den Harpers war sehr intensiv und ebenso verrückt gewesen. Sie waren wie drei flüchtige Chemikalien, die sich schließlich, als sie miteinander in diesem Märchenhaus an einem Fluß voller zeitloser Träume lebten, zu einer unglaublich zerstörerischen Gewitterwolke zusammengebraut hatten. Cary Harper kaufte und restaurierte das große Haus für Beryl, und in dem Zimmer, in dem ich geschlafen hatte, hatte er sie im zarten Alter von 16 Jahren eines Nachts entjungfert.

Als sie am nächsten Morgen nicht zum Frühstück herunterkam, ging Sterling Harper nach oben, um nach ihr zu sehen, und fand Beryl weinend und zusammengekrümmt wie ein Embryo auf dem Bett. Weil sie es nicht wahrhaben wollte, daß ihr berühmter Bruder ihre angenommene Tochter vergewaltigt hatte, versuchte Miss Harper, die Dämonen in ihrem Haus durch Leugnen zu besiegen. Sie sagte kein Wort zu Beryl und wagte es nicht, sich einzumischen. Statt dessen schloß sie jede Nacht leise ihre Tür und schlief, von Alpträumen gepeinigt.

Beryl wurde weiterhin mißbraucht, Woche um Woche. Die Häufigkeit nahm ab, als sie älter wurde, und schließlich endete alles, weil der Pulitzer-Preisträger von nächtelangen

Saufgelagen und anderen Exzessen, unter anderem mit Drogen, impotent geworden war. Als er seine Laster nicht mehr aus seinen Bucheinnahmen und den Zinsen aus dem Familienerbe finanzieren konnte, bat er seinen Freund Joseph McTigue um Hilfe, der sich freundlicherweise der zerrütteten Harperschen Finanzen annahm, bis er schließlich den Autor nicht nur »wieder flüssig«, sondern auch wohlhabend genug gemacht hatte, »daß er sich den besten Whisky kistenweise kaufen und Kokainräusche leisten konnte, wann immer es ihm beliebte«.

Beryl zufolge malte Miss Harper das Porträt über dem Kamin in der Bibliothek erst, nachdem sie ausgezogen war. Es war das Porträt eines Kindes, dem man die Unschuld geraubt hatte. Es mußte, beabsichtigt oder nicht, für Harper eine ständige Qual bedeutet haben. Er trank mehr, schrieb weniger und litt zunehmend unter Schlaflosigkeit. Er fing an, in Culpeppers Gasthaus zu gehen, ein Ritual, das seine Schwester förderte, weil sie in diesen Stunden mit Beryl am Telefon gegen ihn intrigieren konnte. Der letzte Schlag, ein dramatischer Akt der Treulosigkeit, war, daß Beryl, von Sparacino ermuntert, ihren Vertrag verletzte.

Auf diese Art forderte sie ihr Leben von Harper zurück und bewahrte, in ihren eigenen Worten, »die Schönheit meiner Freundin Sterling, indem ich die Erinnerung an sie wie eine wilde Blume zwischen die Seiten dieses Buches presse«. Beryl begann mit ihrem Buch, kurz nachdem der Krebs bei Sterling Harper diagnostiziert worden war. Ihre Verbindung war unauflösbar und ihre Liebe unglaublich tief.

Natürlich enthielt das Manuskript auch lange Passagen über Beryls Bücher und die Quellen, aus denen sie ihre Ideen geschöpft hatte. Es waren auch Auszüge aus ihren früheren Werken in ihm zu lesen, und ich hatte den Verdacht, daß das eine Erklärung für das unvollständige Manuskript, das wir nach ihrem Tod auf ihrer Schlafzimmerkommode gefunden hatten, war. Das ließ sich natürlich nur schwer beweisen, genauso, wie es schwer war, sich vorzustellen, was in Beryls Kopf vorgegangen war. Aber ich konnte erkennen, wie außergewöhnlich dieses Buch war. Es war auch skandalös genug, um Cary Harper in Angst zu versetzen und Sparacinos Gier danach zu erwecken. Aber eines wurde mir an diesem immer später werdenden Nachmittag nicht klar, nämlich, was das Gespenst Frankie heraufbeschworen haben könnte. In ihrem Manuskript wurde der Alptraum, der schließlich ihr Leben beenden sollte, nicht ein einziges Mal erwähnt. Ich vermutete, daß es sie einfach überfordert hätte, darüber nachzudenken. Vielleicht hatte sie gehofft, daß es mit der Zeit vorübergehen würde.

Ich hatte Beryls Buch fast zu Ende gelesen, als Mark plötzlich seine Hand auf meinen Arm legte.

»Was ist?« Ich konnte meine Augen kaum von den Seiten losreißen.

»Kay, schau dir das einmal an«, sagte er und legte eine andere Seite auf die, welche ich gerade las.

Es war die erste Seite von Kapitel 25, eine Seite, die ich schon gelesen hatte. Ich brauchte einen Moment, bis ich erkannte, was ich vorher übersehen hatte. Es handelte sich um eine sehr saubere Fotokopie und nicht um eine Originalseite wie bei allen anderen.

»Ich dachte, du hättest gesagt, daß das hier das einzige Exemplar sei«, fragte Mark zögernd.

»Ich war der Meinung, daß es das wäre«, antwortete ich verblüfft.

»Vielleicht hat sie eine Kopie gemacht und diese Seite aus Versehen vertauscht.«

»So sieht es aus«, bestätigte ich und dachte nach. »Aber wo ist dann die Kopie? Bis jetzt ist sie noch nicht aufgetaucht.«

»Ich habe keine Ahnung.«
»Bist du sicher, daß sie nicht bei Sparacino ist?«
»Ich bin mir ziemlich sicher, daß ich es wüßte, wenn er sie hätte. Ich habe, als er weg war, sein Büro auf den Kopf gestellt, und dasselbe habe ich in seinem Haus gemacht. Davon abgesehen, glaube ich, daß er es mir gesagt hätte, zumindest damals, als er noch glaubte, daß wir Komplizen seien.«
»Ich denke, wir sollten uns noch einmal mit P. J. unterhalten.«

Heute war, wie wir schnell herausfanden, P. J.s freier Tag. Wir fanden ihn weder bei Louie noch zu Hause. Die Abenddämmerung brach über die Insel herein, als wir ihn schließlich bei Sloppy Joe entdeckten. Er hatte schon eine ganze Menge intus. Ich nahm ihn vor der Bar bei der Hand und führte ihn zu einem Tisch. Hastig stellte ich vor: »Das ist Mark James, ein Freund von mir.«
P. J. nickte und prostete Mark mit seiner langhalsigen Bierflasche betrunken zu. Er zwinkerte ein paarmal mit den Augen, so als wolle er sich damit einen klareren Blick verschaffen, wobei er meinen attraktiven männlichen Begleiter bewundernd anstarrte. Mark schien das nicht zu bemerken.
Ich mußte mit meiner Stimme den Lärm der Leute und der Band übertönen, als ich zu P. J. sagte: »Es geht um Beryls Manuskript. Hat sie, während sie hier war, eine Kopie davon gemacht?«
Er nahm einen Schluck Bier und bewegte sich im Takt der Musik, während er antwortete: »Weiß ich nicht. Wenn sie eine gemacht hat, dann hat sie mir nichts davon gesagt.«
»Aber wäre es möglich?« fragte ich nach. »Hätte sie es

zusammen mit den Briefen, die sie euch gegeben hat, kopieren können?«
Er zuckte die Achseln, sein Gesicht war gerötet, und Schweißperlen liefen an seinen Schläfen herab. P. J. war mehr als betrunken. Er war *stoned*.
Mark schaute ungerührt zu, als ich noch einen Versuch startete: »Hat sie denn das Manuskript dabeigehabt, als sie losging, um die Briefe zu fotokopieren?«
». . . Just like Bogie and Bacall . . .«, sang P. J. in einem heiseren Bariton zur Musik und schlug wie alle andern auf dem Tisch den Takt dazu.
»P. J.!« rief ich laut.
»Mann«, protestierte er, und seine Augen klebten an der Bühne.
»Das ist mein Lieblingslied.«
Also ließ ich mich in meinen Stuhl zurücksinken und wartete, bis P. J. sein Lieblingslied gesungen hatte. Als die Band eine kurze Pause einlegte, wiederholte ich meine Frage. P. J. trank seine Flasche aus und sagte dann mit erstaunlich klarer Stimme: »Alles, was ich noch weiß, ist, daß Beryl an diesem Tag ihren Rucksack mitgenommen hat, okay? Den habe nämlich ich ihr gegeben. Damit sie ihr Zeug mit sich herumtragen konnte hier unten. Sie ging zum Copy-Cat oder sonstwohin, und sie hatte hundertprozentig ihren Rucksack dabei. Also.« Er holte seine Zigaretten heraus. »Vielleicht steckte das Buch in ihrem Rucksack. Und vielleicht hat sie es kopiert, als sie die Briefe kopierte. Ich weiß nur, daß sie mir das Manuskript hierließ, das ich Ihnen gegeben habe, wann immer das auch war.«
»Gestern«, bemerkte ich.
»Yeah, Mann. Gestern.« Er schloß seine Augen und begann wieder auf den Tisch zu klopfen.

»Danke, P. J.«, sagte ich.
Er kümmerte sich nicht um uns, als wir uns unseren Weg durch die Bar bahnten und schließlich an die frische Nachtluft flüchteten.
»Das war eine überflüssige Pflichtübung«, meinte Mark, als wir zum Hotel zurückgingen.
»Ich weiß nicht«, antwortete ich. »Aber es erscheint mir logisch, daß Beryl das Manuskript zusammen mit den Briefen kopiert hat. Ich kann mir nicht vorstellen, daß sie ihr Buch bei P. J. zurückgelassen hätte, ohne sich eine Kopie davon gemacht zu haben.«
»Nachdem ich ihn gesehen habe, kann ich mir das auch nicht vorstellen. P. J. ist nicht gerade das, was man einen vertrauenswürdigen Treuhänder nennt.«
»Aber eigentlich ist er genau das, Mark. Er war heute abend nur ein wenig betrunken.«
»Hackedicht wäre ein besseres Wort dafür.«
»Vielleicht ist daran mein Auftauchen schuld.«
»Wenn Beryl ihr Manuskript kopiert und mit zurück nach Richmond genommen hat«, fuhr Mark fort, »dann muß ihr Mörder es gestohlen haben.«
»Frankie«, sagte ich.
»Das würde auch erklären, warum er sich Cary Harper als nächstes Opfer ausgesucht hat. Unser Freund Frankie wurde eifersüchtig, und der Gedanke, daß Cary Harper mit Beryl geschlafen hatte, hat ihn verrückt gemacht, oder sagen wir besser, noch verrückter. Harpers Angewohnheit, jeden Nachmittag zu Culpepper zu gehen, ist auch in Beryls Buch nachzulesen.«
»Ich weiß.«
»Möglicherweise hat Frankie das getan und wußte deshalb, wie er ihn finden konnte und wann die beste Zeit war, um ihm aufzulauern.«

»Nichts leichter als das, wenn einer halbbesoffen ist und in einer dunklen Auffahrt in der Mitte von Nirgendwo aus seinem Auto steigt«, erwiderte ich.
»Mich wundert nur, daß er Sterling Harper nicht auch noch getötet hat.«
»Vielleicht hätte er das noch getan.«
»Du hast recht. Er hatte keine Gelegenheit mehr dazu«, stimmte Mark mir zu. »Sie hat ihm die Arbeit abgenommen.«
Wir hielten uns bei den Händen und schwiegen. Unsere Schritte schlurften leise über das Pflaster, und eine leichte Brise bewegte sanft die Bäume. Ich wünschte, daß dieser Moment nie verginge. Ich hatte Angst vor der Wahrheit, der wir ins Gesicht sehen mußten. Erst als Mark und ich wieder in unserem Zimmer waren und Wein tranken, fragte ich ihn.
»Wie geht es weiter, Mark?«
»Ich muß nach Washington«, sagte er, drehte sich weg und sah aus dem Fenster. »Morgen schon. Ich werde diesen Fall abschließen und einen neuen bekommen.« Er atmete tief. »Zum Teufel, ich weiß nicht, was ich als nächstes machen werde.«
»Was wäre dir denn am liebsten?«
»Das kann ich nicht sagen, Kay. Wer weiß, wo sie mich hinschicken werden?« Er blickte immer noch hinaus in die Nacht. »Und mir ist klar, daß du nicht von Richmond weggehen wirst.«
»Nein. Das kann ich gar nicht. Nicht jetzt. Meine Arbeit ist mein Leben, Mark.«
»Das war sie immer schon«, erwiderte er. »Und bei mir ist es genau dasselbe. Da bleibt nicht viel Raum für Diplomatie.«
Seine Worte, sein Gesicht brachen mir das Herz. Ich wußte, daß er recht hatte. Als ich versuchte, etwas zu sagen, kamen mir die Tränen.

Wir hielten einander engumschlungen, bis er in meinen Armen einschlief. Sanft befreite ich mich von ihm, stand auf und ging wieder ans Fenster, wo ich mich setzte, rauchte und wie besessen über viele Dinge nachdachte, bis die Morgendämmerung den Himmel rosa färbte.

Ich duschte mich lange und ausgiebig. Das heiße Wasser wirkte beruhigend und bestärkte mich in meinem Entschluß. Erfrischt zog ich einen Bademantel an und verließ das dampfige Bad. Mark war auf und bestellte gerade das Frühstück.

»Ich gehe zurück nach Richmond«, erklärte ich bestimmt und setzte mich neben ihn auf das Bett.

Er runzelte die Stirn. »Das ist keine gute Idee, Kay.«

»Ich habe das Manuskript gefunden, du fährst auch, und ich will hier nicht allein darauf warten, daß Frankie, Scott Partin oder vielleicht sogar Sparacino selbst hier auftauchen«, sagte ich.

»Sie haben Frankie noch nicht gefunden. Es ist zu riskant«, protestierte er. »Ich werde dich hier beschützen lassen. Oder in Miami. Das ist vielleicht noch besser. Du könntest für eine Weile bei deiner Familie bleiben.«

»Nein.«

»Kay –«

»Mark, vielleicht ist Frankie gar nicht mehr in Richmond. Es können Wochen vergehen, bis sie ihn finden. Vielleicht finden sie ihn auch niemals. Was soll ich also tun? Soll ich mich für immer und ewig in Florida verstecken?«

Er lehnte sich zurück in die Kissen und gab keine Antwort. Ich nahm seine Hand. »Ich lasse es nicht zu, daß mein Leben und meine Karriere dadurch unterbrochen werden, und ich lasse mir auch keine Angst mehr einjagen. Ich werde Marino anrufen, damit er mich vom Flughafen abholt.«

Er legte seine Hände fest um meine. Er sah mir in die Augen

und sagte: »Komm mit mir nach Washington. Du könntest auch eine Weile in Quantico bleiben.«
Ich schüttelte meinen Kopf. »Mir wird nichts passieren, Mark.«
Er zog mich nahe an sich heran. »Ich muß immer daran denken, was mit Beryl passiert ist.«
Auch ich mußte das.

Am Flughafen von Miami küßten wir uns zum Abschied, und ich ging schnell von ihm fort und sah mich nicht um. Nur während der Minuten, in denen ich in Atlanta in ein anderes Flugzeug umsteigen mußte, war ich wach. Den Rest der Zeit schlief ich, körperlich und seelisch ausgelaugt, in meinem Sitz.
Marino wartete auf mich am Ausgang. Diesmal schien er meine Stimmung zu spüren und ging geduldig und schweigend neben mir durch den Terminal. Die Weihnachtsdekoration und die Geschenkartikel in den Schaufenstern der Flughafengeschäfte verstärkten nur noch meine Niedergeschlagenheit. Ich freute mich überhaupt nicht auf die Feiertage. Ich wußte nicht, wie oder wann ich Mark wiedersehen würde. Um alles noch schlimmer zu machen, mußten Marino und ich bei der Gepäckabholung eine Stunde vor dem Förderband warten und zusehen, wie irgendwelche Gepäckstücke darauf langsam Karussell fuhren. Das gab Marino die Gelegenheit, mit mir ausgiebig über die letzten paar Tage zu sprechen, während ich immer nervöser wurde. Schließlich meldete ich, daß mein Koffer abhanden gekommen sei. Nachdem ich umständlich ein ausführliches, mehrseitiges Formular ausgefüllt hatte, ging ich zu meinem Wagen und fuhr nach Hause, wobei Marino wieder einmal hinter mir herfuhr. Als wir in meiner Einfahrt parkten, verbarg die dunkle Regennacht gnädig die Verwüstung in

meinem Vorgarten. Marino hatte mir schon vorher erzählt, daß sie bisher bei der Jagd auf Frankie noch kein Glück gehabt hatten. Er wollte kein Risiko eingehen. Nachdem er mit seiner Taschenlampe mein Haus von außen nach zerbrochenen Fensterscheiben und anderen Spuren, die auf ein gewaltsames Eindringen hätten schließen lassen, abgesucht hatte, lief er mit mir durchs Haus, schaltete in jedem Zimmer das Licht an, schaute in die Schränke und sogar unter die Betten.

Wir waren auf dem Weg zur Küche und dachten gerade an Kaffee, als wir beide gleichzeitig die Code-Zahlen erkannten, die plötzlich unerwartet aus seinem tragbaren Funkgerät tönten.

»Zwo-fünfzehn, zehn-dreiunddreißig –«

»Mist!« rief Marino und riß das Gerät aus seiner Jackentasche.

Zehn-dreiunddreißig war die Codezahl für einen Notruf. Funkmeldungen schwirrten wie Geschosse durch die Luft. Streifenwagen antworteten wie startende Düsenflugzeuge. In einem Laden in der Nähe meines Hauses war offensichtlich gerade ein Polizist erschossen worden.

»Sieben-null-sieben, zehn-siebzehn.« Marino bellte dem Absender der Nachricht zu, daß er auf dem Weg sei, und lief auf meine Haustür zu.

»Verflucht! Walters hat's erwischt! Er ist ja fast noch ein Kind!« Fluchend rannte er hinaus in den Regen und rief mir über die Schulter zu: »Verrammeln Sie Ihre Bude, Doc. Ich schicke Ihnen gleich ein paar uniformierte Männer vorbei!«

Ich tigerte durch die Küche, bis ich mich schließlich an den Tisch setzte und puren Scotch trank, während ein harter Regen auf das Dach und gegen die Scheiben trommelte. Mit meinem Koffer war auch meine 38er abhanden gekommen. Weil ich vor lauter Erschöpfung wie betäubt gewesen war, hatte ich vergessen, Marino etwas davon zu sagen. Ich war zu zittrig, um ins Bett zu gehen. Statt dessen blätterte ich durch Beryls Manuskript, das ich schlauerweise im Handgepäck mit ins Flugzeug genommen hatte, und schlürfte meinen Drink, während ich auf die Polizei wartete.

Kurz vor Mitternacht klingelte es an meiner Tür. Ich sprang auf und schaute durch das Guckloch. Anstatt der Polizisten, die ich auf Marinos Versprechen hin erwartet hatte, sah ich einen blassen jungen Mann, der einen schwarzen Regenmantel und eine Art Uniformmütze trug. Er sah durchnäßt und durchfroren aus und suchte Schutz vor dem windgepeitschten Regen. Er trug ein Klemmbrett unter dem Arm.

»Wer ist da?« rief ich.

»Omega-Kurierdienst vom Byrd-Flughafen«, antwortete er. »Ich habe Ihren Koffer, Madam!«

»Gott sei Dank«, sagte ich erleichtert, schaltete die Alarmanlage aus und schloß die Tür auf.

Eine lähmende Furcht durchfuhr mich, als er den Koffer in meiner Diele auf den Boden stellte und es mir urplötzlich wieder einfiel: Ich hatte auf dem Formular, das ich am Flughafen ausgefüllt hatte, meine Büroadresse angegeben und nicht die Privatanschrift.

## 17

Unter seiner Mütze hingen ihm dunkle Haare fransig ins Gesicht, und er sah mich nicht an, als er sagte: »Wenn Sie bitte hier unterschreiben würden, Madam.« Er reichte mir sein Klemmbrett, während ich in meinem Kopf Stimmen hörte, als sei ich verrückt geworden.

»Sie kamen mit Verspätung vom Flughafen, weil Mr. Harpers Koffer abhanden gekommen war.«

»Sind deine Haare wirklich blond, Kay, oder färbst du sie?«
»Gleich als der Botenjunge den Koffer gebracht hatte . . .«
»Und sie alle sind jetzt tot.«
»Letztes Jahr bekamen wir eine Faser herein, die mit dieser orangefarbenen völlig identisch war. Damals sollte Roy Spuren aus einer Boeing 747 untersuchen . . .«
»Als der Botenjunge den Koffer gebracht hatte . . .«
Langsam nahm ich den mir hingehaltenen Stift und das Klemmbrett aus der Hand in einem braunen Lederhandschuh, die sich mir entgegenstreckte.
Mit einer Stimme, die ich nicht als die meine erkannte, sagte ich: »Wären Sie bitte so freundlich, den Koffer zu öffnen? Ich kann auf keinen Fall irgend etwas unterschreiben, bis ich nicht sicher bin, daß alles, was mir gehört, auch wirklich im Koffer ist.«
Einen Moment lang war sein hartes, blasses Gesicht verwirrt. Seine Augen weiteten sich ein wenig, als sie hinunter zu meinem senkrecht stehenden Koffer wanderten. Ich schlug so schnell zu, daß er keine Zeit hatte, die Hände zur Abwehr des Schlags hochzureißen. Die Kante des Klemmbretts traf ihn am Hals, und dann rannte ich los wie ein gehetztes Tier. Ich kam bis zu meinem Wohnzimmer, bevor ich hörte, daß seine Schritte mir folgten. Mein Herz trommelte gegen meine Rippen, und ich raste in die Küche. Als ich um den großen Hauklotz herumlief, wären mir auf dem glatten Linoleum fast die Füße unter dem Körper weggerutscht. Ich riß den Feuerlöscher von der Wand neben dem Kühlschrank. Sekunden später stürmte er in die Küche, und ich schoß ihm einen vollen Strahl Trockenlöschpulver mitten ins Gesicht. Ein Messer mit langer Klinge fiel dumpf klappernd zu Boden, als er die Hände vors Gesicht riß und keuchte. Ich schnappte mir eine gußeiserne Bratpfanne vom Herd, schwang sie wie einen Tennisschläger und schlug sie

ihm mit voller Wucht gegen den Bauch. Er rang nach Luft und klappte zusammen, und ich holte noch einmal aus und traf seinen Kopf. Ich hatte schlecht gezielt. Ich spürte, wie der flache Eisenboden der Pfanne Knorpel zerquetschte. Ich wußte, daß ich ihm die Nase gebrochen und vielleicht einige Zähne ausgeschlagen hatte. Aber es hielt ihn kaum auf. Er fiel hustend und vom Löschpulver teilweise erblindet auf die Knie und packte mich mit einer Hand am Knöchel, während er mit der anderen nach seinem Messer tastete. Ich warf ihm die Pfanne auf den Kopf, kickte das Messer weg und floh aus der Küche, wobei ich mit der Hüfte gegen das scharfe Eck des Tisches und mit der Schulter gegen den Türrahmen rannte.

Verwirrt und schluchzend schaffte ich es irgendwie, meine Ruger aus dem Koffer zu wühlen und zwei Patronen in die Trommel zu stecken. Dann war er fast schon wieder bei mir. Ich hörte den Regen und seinen pfeifenden Atem. Das Messer war nur noch Zentimeter von meinem Hals entfernt, als beim dritten Abdrücken der Hammer des Revolvers endlich auf eine Patrone traf. Mit einer ohrenbetäubenden Explosion von Gasen und Feuer riß ihm ein Silvertip-Geschoß den Unterleib auf und warf ihn einen Meter nach hinten und zu Boden. Unter entsetzlichen Mühen setzte er sich auf, wobei er mich aus seinem Gesicht, das nur noch eine Masse blutigen Fleisches war, mit glasigen Augen anstarrte. Er versuchte noch, etwas zu sagen, und hob langsam das Messer. Meine Ohren dröhnten. Ich zielte so sorgfältig, wie es mit meinen zitternden Händen möglich war, und jagte ihm die zweite Kugel direkt in die Brust. Ich roch den beißenden Pulverdampf, den süßen Geruch von Blut und sah, wie das Licht in Frankie Aims' Augen erlosch.

Dann brach ich zusammen und heulte laut, während der Wind und der Regen hart gegen das Haus schlugen und

Frankies Blut auf die gebohnerten Eichenbohlen floß. Ich weinte so, daß ich am ganzen Körper bebte, und ging erst ans Telefon, als es schon fünfmal geläutet hatte.
Alles, was ich sagen konnte, war: »Marino. O mein Gott, Marino!«

Erst als die Leiche von Frankie Aims freigegeben, sein Blut vom Obduktionstisch aus rostfreiem Stahl abgewaschen, durch die Kanäle geflossen und in den gärenden Abwässern der städtischen Kläranlage verschwunden war, ging ich wieder in mein Büro. Es tat mir nicht leid, daß ich ihn getötet hatte. Es tat mir leid, daß er überhaupt auf die Welt gekommen war.
»So wie's aussieht«, erzählte Marino, als er mich über den bedrückenden Berg von Papieren auf meinem Schreibtisch ansah, »ist Frankie im Oktober letzten Jahres nach Richmond gekommen. Wenigstens hatte er seit dieser Zeit eine Absteige in der Redd Street gemietet. Ein paar Wochen später fand er dann diesen Job, bei dem er verlorene Gepäckstücke ausfahren mußte. Der Omega-Kurierdienst steht beim Flughafen unter Vertrag.«
Ich sagte nichts, und mein Brieföffner schlitzte eine weitere Postsendung auf, die bloß dazu bestimmt war, im Papierkorb zu landen.
»Die Kerle, die für Omega arbeiten, fahren mit ihren eigenen Autos. Und das wurde für Frankie im vergangenen Januar zu einem Problem. Bei seinem 81er Mercury Lynx gab die Kupplung ihren Geist auf, und er hatte nicht genug Kohle, um sie reparieren zu lassen. Ohne Auto kein Job. Also bat er, wie ich glaube, Al Hunt, ihm einen Gefallen zu tun.«
»Hatten die beiden schon davor Kontakt miteinander gehabt?« fragte ich, wobei ich mich ausgebrannt und unkon-

zentriert fühlte, und ich war mir sicher, daß ich auch so klang.

»Aber klar doch«, antwortete Marino. »Ich habe daran keinen Zweifel und Benton auch nicht.«

»Worauf stützen sich Ihre Vermutungen?«

»Zunächst mal«, erwiderte er, »wissen wir, daß Frankie vor eineinhalb Jahren in Butler, Pennsylvania, gewohnt hat. Wir haben die Telefonrechnungen von Papa Hunt über die letzten fünf Jahre durchgesehen. Er hebt jeden Mist auf, für den Fall einer Steuerprüfung. Es erwies sich, daß während der Zeit, in der Frankie in Pennsylvania war, die Hunts fünf R-Gespräche aus Butler bekommen hatten. Im vorangegangenen Jahr waren es R-Gespräche aus Dover in Delaware gewesen, und im Jahr davor waren ein halbes Dutzend aus Hagerstown in Maryland gekommen.«

»Waren das Anrufe von Frankie?« fragte ich.

»Das überprüfen wir gerade. Aber ich habe den starken Verdacht, daß Frankie Al Hunt von Zeit zu Zeit anrief. Vielleicht erzählte er ihm, was er mit seiner Mutter gemacht hatte. Daher wußte Al auch all das, was er Ihnen später erzählte. Zum Teufel, er war kein Gedankenleser. Er gab nur das wieder, was er aus den Gesprächen mit seinem irrsinnigen Kumpel erfahren hatte. Frankie wurde immer verrückter, je näher sein Wohnsitz an Richmond heranrückte, so sieht es jedenfalls aus. Und dann – Boing! Vor einem Jahr kommt er in unsere schöne Stadt, und der Rest ist uns bekannt.«

»Was ist mit Hunts Autowaschanlage?« fragte ich. »War Frankie regelmäßig dort?«

»Ein paar von den Typen, die dort arbeiten, haben ausgesagt, daß ein Kerl, auf den Frankies Beschreibung zutrifft, seit dem vergangenen Januar ab und zu dort war. In der ersten Februarwoche, das geht aus Quittungen hervor, die wir in seiner Wohnung gefunden haben, ließ er den Motor seines Mercury für fünfhundert Mäuse überholen, die er sich vermutlich von Al Hunt besorgte.«

»Wissen Sie, ob Frankie vielleicht zufällig an einem Tag, an dem Beryl ihren Wagen zum Waschen brachte, in der Waschanlage war?«

»Ich glaube, daß es sich wohl so zugetragen hat. Er hat sie wahrscheinlich zum ersten Mal gesehen, als er im letzten Januar Harpers Koffer am Haus der McTigues abgeliefert hat. Und dann? Vielleicht hat er sie ein paar Wochen später, als er sich gerade in Hunts Waschanlage herumtrieb, um etwas Geld von Al zu ergattern, wiedergesehen. Treffer. Für ihn muß es wie ein Zeichen gewesen sein. Vielleicht ist er ihr auch auf dem Flughafen wiederbegegnet, er hat dort doch ständig verlorengegangenes Gepäck abgeholt und weiß Gott was gemacht. Vielleicht hat er Beryl dort zum drittenmal gesehen, als sie nach Baltimore flog, um sich mit Miss Harper zu treffen.«

»Meinen Sie, daß Frankie Al Hunt auch von Beryl erzählt hat?«

»Das kann niemand mehr sagen. Aber überraschen würde es mich nicht. Das wäre wenigstens eine Erklärung dafür, warum sich Hunt erhängt hat. Er hat das, was sein irrer Freund schließlich Beryl angetan hat, vielleicht kommen gesehen. Und als dann auch noch Harper um die Ecke gebracht wurde, fühlte Hunt sich vermutlich fürchterlich schuldig.«

Ich rutschte unter Schmerzen auf meinem Stuhl herum und schob Papiere zur Seite, um meinen Datumstempel zu finden, den ich noch vor einer Sekunde in der Hand gehalten hatte. Mir tat alles weh, und ich dachte ernsthaft daran, meine Schulter durchleuchten zu lassen. Ob irgend jemand etwas für meine Psyche tun konnte, wuß-

te ich nicht. Ich fühlte mich vollkommen daneben. Ich war mir nicht sicher, was mit mir los war, außer, daß es mir schwerfiel stillzusitzen. Und daß es mir unmöglich war, mich zu entspannen.
Ich bemerkte: »Es gehörte zu Frankies Wahnvorstellungen, daß er seine Begegnungen mit Beryl ganz auf sich persönlich bezog und ihnen eine tiefe Bedeutung zuschrieb. Er sah Beryl im Haus der McTigues. Er sah sie in der Autowaschanlage. Und er sah sie am Flughafen. Das war genug, um etwas in ihm auszulösen.«
»O ja. Jetzt wußte dieser Schizo, daß Gott zu ihm gesprochen und ihm bedeutet hatte, daß er mit dieser hübschen blonden Lady in einer ganz speziellen Verbindung stehe.«
In diesem Moment kam Rose zur Tür herein. Ich nahm die rosa Telefonnotiz, die sie mir brachte, und legte sie auf den Stapel mit den anderen.
»Was für eine Farbe hat sein Auto?« Ich schnitt einen neuen Briefumschlag auf. Frankies Auto hatte in meiner Auffahrt geparkt. Ich hatte es gesehen, als die Polizei kam und mein Grundstück im zuckenden Licht der roten Blinklichter lag. Aber nichts war hängengeblieben. Ich erinnerte mich nur noch an sehr wenig Einzelheiten.
»Dunkelblau.«
»Und niemand kann bezeugen, in Beryls Nachbarschaft einen blauen Mercury gesehen zu haben?«
Marino schüttelte den Kopf. »Nach Einbruch der Dunkelheit, noch dazu, wenn er die Scheinwerfer ausgeschaltet hatte, wäre sein Auto wohl kaum aufgefallen.«
»Das stimmt.«
»Und als er Harper umbrachte, hat er seine Mühle vermutlich irgendwo neben der Straße abgestellt und ist den Rest des Weges zu Fuß gegangen.« Nach einer Weile fügte er hinzu: »Der Bezug des Fahrersitzes war völlig verschlissen.«

»Wie bitte?« fragte ich und schaute von dem Brief, den ich gerade überflogen hatte, auf.
»Er hat eine Decke darüber gelegt, die er vermutlich aus einem Flugzeug geklaut hat.«
»Stammt daher die orangefarbene Faser?«
»Sie müssen noch ein paar Tests damit machen. Aber wir glauben, daß das der Fall ist. Die Decke hat orangerote Nadelstreifen, und Frankie saß darauf, als er zu Beryls Haus fuhr. Vielleicht erklärt das auch diese Terroristengeschichte. Einer der Passagiere hat vielleicht eine von den Decken, wie Frankie sich eine geklaut hat, bei einem Langstreckenflug benutzt. Der Knabe steigt von einem Flugzeug ins nächste, und so gelangt die orangefarbene Faser schließlich in die Mühle, die in Griechenland gekapert wurde. Bingo! Auf einmal klebt die Faser am Blut eines armen Marinesoldaten, der soeben umgebracht wurde. Können Sie sich vorstellen, wie viele Fasern von Flugzeug zu Flugzeug geschleppt werden?«
»Kaum«, sagte ich und fragte mich gleichzeitig, warum ausgerechnet ich auf der Liste eines jeden Schundversands in den Vereinigten Staaten stehen mußte. »Und vermutlich erklärt das auch, warum Frankie so viele verschiedene Fasern mit sich herumtrug. Er arbeitete ja mit Gepäck. Er kam überall im ganzen Flughafen herum, vielleicht sogar in die Flugzeuge. Wer weiß, was er da getan hat, und was für Partikel er dabei mit seiner Kleidung aufnahm?«
»Beim Omega-Kurierdienst trägt man Uniformhemden«, merkte Marino an. »Sie sind braun. Und aus Dynel.«
»Das ist interessant.«
»Sie müßten das doch eigentlich wissen, Doc. Er trug eines davon, als Sie ihn erschossen haben.«
Ich konnte mich nicht mehr daran erinnern. Ich erinnerte mich nur noch an seinen dunklen Regenmantel und an sein

blutiges Gesicht, das von dem weißen Pulver aus meinem Feuerlöscher bedeckt war.

»Okay«, sagte ich. »So weit konnte ich Ihnen folgen, Marino. Ich verstehe aber immer noch nicht, woher Frankie Beryls Telefonnummer hatte. Es war eine Geheimnummer. Und woher wußte er, daß sie in der Nacht des 29. Oktober von Key West nach Richmond zurückfliegen würde? Woher, in Teufels Namen, wußte er, wann ich zurückfliegen würde?«

»Aus dem Computer«, sagte er. »Alle Informationen über die Passagiere, Flugpläne, Telefonnummern und Heimatadressen sind im Flughafencomputer gespeichert. Wir reimen uns das so zusammen, daß Frankie, wenn er nichts zu tun hatte, an einem unbewachten Computer-Terminal herumspielte, möglicherweise spät in der Nacht oder am frühen Morgen. Er war ja auf dem Flughafen praktisch zu Hause. Niemand weiß, was er dort alles anstellte, und niemand achtete dabei auf ihn. Er war nicht gerade gesprächig, ein wirklich unauffälliger Kerl von der Sorte, die leise wie Katzen herumschleichen.«

»Nach dem Stanford-Binet-Intelligenztest«, sinnierte ich, während ich mit dem Datumstempel auf einem ausgetrockneten Stempelkissen herumfuhrwerkte, »war er überdurchschnittlich intelligent.«

Marino schwieg.

Ich murmelte: »Sein IQ lag gut über hundertzwanzig.«

»Ja, ja«, sagte Marino ungeduldig.

»Ich meine ja bloß.«

»Quatsch. Sie nehmen solche Tests doch wohl nicht ernst, oder?«

»Sie sind ein ganz passabler Anhaltspunkt.«

»Aber sie sind nicht der Weisheit letzter Schluß.«

»Stimmt, ich würde auch nicht behaupten, daß Intelli-

genzquotienten der Weisheit letzter Schluß sind«, stimmte ich zu.
»Vielleicht ist es ganz gut, daß ich nicht weiß, wie hoch der meinige ist.«
»Sie können Ihren Intelligenzquotienten immer noch ermitteln lassen, Marino. Es ist nie zu spät.«
»Ich hoffe nur, daß er höher als meine verdammten Bowling-Ergebnisse ist. Das ist alles, was ich dazu bemerken möchte.«
»Das wird wohl kaum möglich sein. Dazu müßten Sie schon ein verdammt mieser Bowlingspieler sein.«
»Beim letzten Mal war ich das auch.«
Ich nahm meine Brille ab und rieb mir vorsichtig die Augen. Mir war, als würde das Kopfweh, das ich hatte, niemals wieder vergehen.
Marino fuhr fort. »Benton und ich können uns eigentlich nur vorstellen, daß Frankie Beryls Nummer aus dem Computer hatte und später auf diese Weise auch ihre Flüge herausfand. Wahrscheinlich hat er dem Computer entnommen, daß sie im Juli nach Miami geflogen war, nachdem sie das eingekratzte Herz an ihrer Autotür entdeckt hatte –«
»Haben Sie irgendeine Vorstellung davon, wann er das gemacht haben könnte?« unterbrach ich ihn und zog den Papierkorb näher heran.
»Wenn Beryl nach Baltimore flog, ließ sie ihr Auto am Flughafen stehen, und das letzte Mal hat sie sich Anfang Juli dort mit Miss Harper getroffen, weniger als eine Woche bevor sie das Herz an der Türe entdeckte«, erwiderte er.
»Dann hat er es vermutlich getan, während ihr Wagen am Flughafen stand?«
»Was meinen Sie?«
»Ich denke, das klingt sehr plausibel.«
»Das denke ich auch.«

»Dann flog Beryl nach Key West.« Ich nahm meinen Angriff auf die Post wieder auf. »Und Frankie überprüfte laufend am Computer, ob sie schon ihren Rückflug gebucht hatte. Und daher wußte er so genau, wann sie zurückkommen würde.«

»In der Nacht des 29. Oktober«, sagte Marino, »hatte Frankie alles schon vorbereitet. Es war kinderleicht. Er hatte freien Zugang zum Gepäck der Passagiere, und wahrscheinlich hatte er die Koffer bereits durchgesehen, als sie aus dem Flugzeug auf das Transportband umgeladen wurden. Als er die Tasche mit Beryls Namensschild fand, nahm er sie an sich. Etwas später meldete sie, daß sie ihre Reisetasche aus braunem Leder nicht finden konnte.«

Marino brauchte nicht erst zu erwähnen, daß das genau derselbe Trick war, den Frankie auch bei mir angewendet hatte. Frankie hatte gewußt, wann ich aus Florida zurückkommen würde. Er hatte sich meinen Koffer geschnappt. Und als er dann an meiner Tür erschienen war, hatte ich ihn hereingelassen.

Der Gouverneur hatte mich zu einem Empfang eingeladen, der aber schon vor einer Woche stattgefunden hatte. Ich vermutete, daß Fielding für mich hingegangen war. Die Einladung landete jedenfalls im Papierkorb.

Marino erzählte mir inzwischen, was die Polizei alles in Frankie Aims' Appartement in der Northside gefunden hatte. In seinem Schlafzimmer stand Beryls Reisetasche, und darin befanden sich ihre blutige Bluse und ihre Unterwäsche. In einer Truhe, die Frankie als Nachttisch gedient hatte, lag eine Sammlung von Gewaltporno-Magazinen und ein Sack mit kleinen Schrotkugeln, mit denen er das Rohrstück gefüllt hatte, das er benutzt hatte, um Cary Harper den Schädel einzuschlagen. Aus derselben Truhe kam auch ein Umschlag zum Vorschein, der Kopien von Beryls Computerdisketten beinhaltete, die immer noch mit Klebeband zwischen zwei starken Pappen befestigt waren, sowie die Fotokopie von Beryls Manuskript, unter der sich auch die verwechselte Anfangsseite von Kapitel 25 aus dem Original befand, das Mark und ich gelesen hatten. Benton Wesley vermutete, daß Frankie im Bett gesessen, Beryls Manuskript gelesen und gleichzeitig die Kleider berührt hatte, die sie bei dem Mord getragen hatte. Vielleicht war das so. Mit Sicherheit wußte ich allerdings, daß Beryl nie eine Chance gehabt hatte. Als Frankie vor ihrer Tür gestanden war, hatte er ihre lederne Reisetasche dabeigehabt und sich als Kurier zu erkennen gegeben. Selbst wenn sie sich an ihn von der Nacht her, in der er Cary Harpers Gepäck zum Haus der McTigues gebracht hatte, erinnert hätte, wäre das kein Grund für sie gewesen, Verdacht zu schöpfen, genauso wie ich erst dann Verdacht geschöpft hatte, als ich die Tür bereits geöffnet hatte.

»Wenn sie ihn bloß nicht hereingebeten hätte«, murmelte ich. Mein Brieföffner war verschwunden. Wo, zum Teufel, versteckte er sich schon wieder?

»Warum sollte sie denn nicht?« erwiderte Marino. »Frankie tat ganz offiziell, lächelte und trug sein Omega-Uniformhemd und die Mütze. Er hielt ihre Tasche in der Hand, was bedeutete, daß er auch ihr Manuskript bei sich hatte. Sie war erleichtert. Sie war dankbar. Sie öffnete die Tür, schaltete die Alarmanlage aus und bat ihn herein –«

»Aber warum hat sie die Alarmanlage dann wieder eingeschaltet, Marino? Ich habe auch eine Alarmanlage. Und manchmal bekomme ich auch etwas angeliefert. Sollte meine Alarmanlage an sein, wenn die Paketpost vor dem Haus vorfährt, dann schalte ich sie aus und öffne die Tür. Wenn ich der Person genügend vertraue, um sie hereinzulassen, dann schalte ich doch bestimmt nicht die Anlage wieder ein, nur um sie eine Minute später wieder ausschalten und von neuem aktivieren zu müssen, wenn die Person wieder geht.«

»Haben Sie schon jemals Ihre Schlüssel in Ihrem Auto eingesperrt?« Marino sah mich nachdenklich an.

»Was hat das denn damit zu tun?«

»Beantworten Sie einfach meine Frage.«

»Natürlich habe ich das.« Endlich fand ich den Brieföffner. Er lag auf meinem Schoß.

»Und wie ist das passiert? In neuen Autos gibt es jede Menge Sicherungsvorrichtungen, die so etwas verhindern sollen, Doc.«

»Stimmt. Und ich kenne sie alle in- und auswendig, so daß ich sie, ohne nachzudenken, umgehe, und dann sind auf einmal alle Türen zu, und meine Schlüssel baumeln am Zündschloß.«

»Und ich glaube, daß Beryl genau das gleiche tat«, fuhr Marino fort. »Ich glaube, daß sie von der verdammten Alarmanlage, die sie installieren ließ, nachdem sie die ersten Drohungen erhalten hatte, ganz besessen war. Ich glaube, daß sie sie die ganze Zeit eingeschaltet hatte, daß es ihr schon in Fleisch und Blut übergegangen war, jedesmal, wenn sie die Eingangstüre schloß, sofort auf die Knöpfe zu drücken.« Er zögerte und starrte auf mein Bücherregal. »Ist schon merkwürdig. Sie vergißt zwar ihre Waffe in der Küche, aber sie schaltet automatisch den Alarm ein, nachdem sie den Penner ins Haus gelassen hat. Das zeigt, was für verrückte Überlegungen sie bereits zu diesem Zeitpunkt anstellte, und wie die ganze Geschichte sie schon nervlich fertiggemacht haben mußte.«

Ich schob einen Stapel mit toxikologischen Befunden zusammen, legte ihn auf einen Haufen Totenscheine und räumte alles aus dem Weg. Als ich den Turm von Kassetten

aus dem Diktiergerät neben meinem Mikroskop sah, war ich sofort wieder deprimiert.
»Gütiger Gott«, beschwerte sich schließlich Marino, »können Sie nicht wenigstens so lange stillsitzen, bis ich wieder gegangen bin? Sie machen mich noch ganz verrückt.«
»Heute ist mein erster Arbeitstag«, erinnerte ich ihn. »Ich kann nicht anders. Schauen Sie sich diesen Verhau an.« Ich fuhr mit der Hand über den Tisch. »Man könnte meinen, ich wäre ein ganzes Jahr lang weg gewesen. Ich werde mindestens einen Monat brauchen, bis ich wieder auf dem laufenden bin.«
»Ich gebe Ihnen Zeit bis acht Uhr heute abend. Dann wird alles wieder ganz normal sein, so wie es immer war.«
»Na, vielen Dank«, sagte ich ziemlich spitz.
»Sie haben doch gute Mitarbeiter, die wissen, wie die Dinge weiterlaufen müssen, solange Sie nicht da sind. Was ist denn so schlecht daran?«
»Gar nichts.« Ich zündete eine Zigarette an und schob auf der Suche nach einem Aschenbecher noch mehr Papier zur Seite. Marino nahm ihn vom Rand des Tisches und stellte ihn in meine Nähe.
»Hey, ich wollte damit nicht sagen, daß Sie hier nicht gebraucht werden«, meinte er.
»Niemand ist unersetzlich.«
»Ja, das stimmt. Ich weiß, daß Sie das gedacht haben.«
»Ich habe überhaupt nichts gedacht. Ich bin heute ganz einfach zerstreut«, entgegnete ich, langte in das Regal zu meiner Linken und holte meinen Terminkalender heraus. Rose hatte alle Termine bis zum Ende der nächsten Woche gestrichen. Und danach war Weihnachten. Ich fühlte mich den Tränen nahe und wußte nicht, warum.
Marino beugte sich vor, um seine Asche abzustreifen, und fragte ruhig: »Wie ist denn Beryls Buch, Doc?«

»Es wird Ihnen das Herz brechen und Sie zugleich mit Freude erfüllen«, sagte ich, und die Tränen schossen mir in die Augen. »Es ist einfach unglaublich gut.«

»Ja, nun, dann hoffe ich, daß es doch noch veröffentlicht wird. Es wird sie irgendwie lebendig erhalten, wenn Sie wissen, was ich meine.«

»Ich weiß genau, was Sie meinen.« Ich atmete tief durch. »Mark sieht zu, was er machen kann. Ich glaube, daß dazu neue Arrangements vonnöten sind. Sparacino wird Beryls Geschäfte bestimmt nicht mehr abwickeln.«

»Höchstens, wenn er es vom Gefängnis aus tun kann. Ich vermute, daß Mark Ihnen von dem Brief erzählt hat.«

»Ja«, sagte ich. »Das hat er.«

Einer der Geschäftsbriefe von Sparacino an Beryl, die Marino kurz nach ihrem Tod in ihrem Haus gefunden hatte, hatte für Mark eine ganz andere Bedeutung bekommen, seit er ihr Manuskript gelesen hatte:

»Wie interessant, Beryl, daß Joe Cary aus der Patsche geholfen hat. Es freut mich nun um so mehr, daß ich es war, der die beiden zusammenbrachte, als Cary dieses wunderbare Haus kaufen wollte. Nein, ich finde es überhaupt nicht merkwürdig. Joe war einer der großzügigsten Menschen, die zu kennen ich jemals die Ehre hatte. Ich freue mich darauf, mehr von der ganzen Sache zu erfahren . . .«

Dieser simple Absatz deutete eine Menge an, obwohl es unwahrscheinlich war, daß Beryl es bemerkt hatte. Ich bezweifelte stark, daß Beryl irgendeine Ahnung davon hatte, daß sie, als sie Joseph McTigue erwähnte, Sparacinos höchstpersönlichen, verbotenen und illegalen Geschäften gefährlich nahegekommen war, in die auch einige Scheinfirmen verwickelt waren, die der Anwalt gegründet hatte, um seine Geldwäsche zu vereinfachen. Mark glaubte, daß McTigue, mit seinem riesigen Besitz und seinen zahlreichen Beteiligungen an Immobilien, in Sparacinos illegale Machenschaften eingeweiht gewesen sei, und daß die Hilfe, die McTigue dem verzweifelten Cary Harper angeboten hatte, alles andere als legal gewesen sei. Weil Sparacino Beryls Manuskript nie gesehen hatte, hatte er schreckliche Angst, daß sie vielleicht ungewollt etwas enthüllt haben könnte. Als das Manuskript verschwunden war, war seine Motivation, es in die Hände zu bekommen, viel mehr als bloße Geldgier gewesen.

»Vielleicht hat Sparacino gemeint, es sei ein Glückstag für ihn, als Beryl tot aufgefunden wurde«, sagte Marino. »Sie konnte ihm nicht ins Handwerk pfuschen, wenn er an ihrem Manuskript herummanipulierte und alle Seiten aus ihm entfernte, die einen Hinweis darauf enthielten, was er wirklich tat. Und dann hätte er das verdammte Ding auch noch verkauft und ein Vermögen damit verdient. Wen hätte es denn nicht interessiert, nach all der Publicity, die er dafür gemacht hatte? Niemand kann sagen, was da noch alles auf uns zugekommen wäre –, vermutlich wären sogar die Bilder der toten Harpers in irgendeinem Revolverblatt veröffentlicht worden . . .«

»Sparacino hat die Fotos, die Jeb Price aufnahm, nie bekommen«, erinnerte ich ihn. »Gott sei Dank.«

»Nun, wie dem auch sei. Wichtig ist doch nur, daß nach dem ganzen Zirkus sogar ich losgelaufen wäre, um mir das verdammte Ding zu besorgen, und ich wette, daß ich schon seit 20 Jahren kein Buch mehr gekauft habe.«

»Wie schade«, murmelte ich. »Lesen ist doch wundervoll. Sie sollten es bei Gelegenheit einmal probieren.«

Wir schauten beide auf, als Rose wieder hereinkam und diesmal eine lange weiße Schachtel mit einer phantastischen

roten Schleife brachte. Verwirrt suchte sie nach einem freien Fleck auf meinem Schreibtisch, um sie abzustellen, bis sie schließlich aufgab und mir die Schachtel direkt in die Hände legte.
»Was, um alles in der Welt, . . .« murmelte ich und konnte mir überhaupt nicht vorstellen, worum es sich da handelte. Ich schob den Stuhl zurück, legte das unerwartete Geschenk auf meinen Schoß und löste unter den gespannten Blicken von Rose und Marino die Seidenschleife. In der Schachtel lagen zwei Dutzend wunderschöne, langstielige Rosen, die auf ihrem Bett aus grünem Seidenpapier wie rote Juwelen schimmerten. Ich beugte mich hinunter, schloß die Augen und erfreute mich an ihrem Duft, bevor ich den kleinen Umschlag öffnete, der zwischen ihnen steckte.
»Laß Dich nicht hängen – häng Dich lieber an den Skilift! Und zwar nach Weihnachten in Aspen. Nimm Dir frei und komm mit!« stand auf der Karte. »Ich liebe dich. Mark.«